Perspektiven

Grundlagen zum Verstehen und Verfassen von Texten im Deutschunterricht der Sekundarstufe II

bearbeitet von Eberhard Hermes, Dietrich Steinbach, Hans Wetzel, Hildegard Wittenberg

Klettbuch 349, 271 Seiten

- Das vollständige Programm für das 11. Schuljahr und für die Grundkurse.
- Die Grundlagen für Leistungskurse, auf denen die Arbeit mit weiteren Werken und Materialien aufbauen kann.

Der Literaturteil der ‚Perspektiven' enthält auch Arbeitshinweise und Materialien zu einigen Romanen und Dramen.

Eine interessante Möglichkeit, in ständiger Ergänzung Primärtexte, Materialien und Untersuchungsgesichtspunkte den Schülern in die Hand zu geben, bieten die

Editionen für den Literaturunterricht.

Es erscheinen Werkausgaben mit einem Materialienanhang: Einzelwerke (zum Beispiel Dramen, Novellen) und mehrere kleinere Werke (zum Beispiel Geschichten, Gedichte) eines Autors oder mehrerer Autoren.
Die Materialien verdeutlichen die geschichtlichen Zusammenhänge, in denen die Werke stehen.

Eine zweite Reihe der ‚Editionen' umfaßt Hefte mit Materialien ohne das Werk selbst.

Ernst Klett Verlag Stuttgart

Arbeitsmaterialien Deutsch
„Blaue Reihe"

Kurse für die Oberstufe

**Übungsbeispiele für den Aufsatzunterricht
in Grund- und Leistungskursen**

Themen · Texte · Fragen

Herausgegeben von Wolfgang Höllriegl

Klettbuch 3592, 43 Seiten

Die Texte und Aufgaben eignen sich für Klausuren entsprechend den „Einheitlichen Prüfungsanforderungen in der Abiturprüfung, Deutsch" (EPA).

Kommunikative Funktionen der Sprache

Bearbeitet von Karl Beilhardt, Otto Kübler, Karin Pfaff, Dietrich Steinbach, Hans Wetzel

Klettbuch 3599, 56 Seiten

Das linguistische Instrumentarium dient der Untersuchung von Alltagsgesprächen, Gesprächen in der Dichtung und in der Trivialliteratur.

Formen des Gesprächs im Drama

Bearbeitet von Karl Beilhardt, Otto Kübler, Dietrich Steinbach

Klettbuch 3598, 61 Seiten

Die öffentliche Rede
Situationen und Formen

Bearbeitet von Karl Beilhardt, Otto Kübler, Dietrich Steinbach, Hans Wetzel

Klettbuch 3597, 65 Seiten

Die vielfältigen Formen der öffentlichen Rede werden in diesem Kursmodell nach Redesituationen unterschieden. In dieser Gruppierung zeigen sich zugleich historische Entwicklungsstufen der Rede: Kanzelrede (Abraham a Santa Clara, Thomas Müntzer), Volksrede (Friedrich Schiller, Saint-Just, Georg Büchner), Parlamentsrede (Otto Wels, Adolf Hitler), Gerichtsrede (Nürnberger Prozesse), Festrede (Schriftstellerkongreß 1974).

Erkenntnis in der Wissenschaft
Literaturwissenschaft · Sozialwissenschaften · Naturwissenschaften

Bearbeitet von Eberhard Hermes, Karl von Oy, Dietrich Steinbach, Hans Wetzel in Verbindung mit Karl Schick

Klettbuch 3591, 56 Seiten

Ernst Klett Verlag Stuttgart

Grundwissen
Deutsche Literatur

Zweite, erweiterte Auflage
bearbeitet von
Karl Kunze und Heinz Obländer

Ernst Klett Stuttgart

Vorwort

Das Konzept der Reihe Grundwissen hat sich bewährt: die Konzentration auf das Wichtigste, der übersichtliche und systematische Aufbau sowie die Kombination von Lern- und Nachschlagebuch haben die handlichen Bände der Reihe Grundwissen zu einem erfolgreichen und einem von Lehrern immer wieder gerne empfohlenen Arbeitsmittel gemacht.

Bisher sind Grundwissen für die Fächer Deutsch, Geschichte, Politische Bildung, Wirtschaft, Mathematik, Physik, Chemie, Erdkunde und Technisches Werken erschienen.

Die hier vorliegende Neubearbeitung des Grundwissen Deutsche Literatur bietet einen Überblick über die wichtigsten Tatsachen, Probleme und Entwicklungslinien der deutschen Literatur. Es kann die Lektüre der hierfür wesentlichen Dichtungen nicht ersetzen, sondern beschränkt sich darauf, dort gewonnene Einsichten in knapper Formulierung und unter Verzicht auf allgemeine Betrachtungen zusammenzustellen und zu gliedern. Die Auswahl der so behandelten Autoren und Werke orientiert sich an der Unterrichtspraxis und an den Lehrplänen, strebt also nicht in jedem Falle die Behandlung aller epochentypischen Werke an.

Die Überschriften der Doppelseiten bezeichnen nur das chronologische Gerüst. Eine Doppelseite enthält jeweils eine Stoffeinheit; sie bietet:
- eine Einführung in das behandelte Gebiet
- einen knappen Kanon von Titeln, die typisch für eine Gattung, wesentlich für die literarhistorische Entwicklung und bezeichnend für den jeweiligen Autor sind
- Fragen zu einem kleinen, zentralen Komplex
- Antworten, die zugleich hinweisende Stichworte zum Verständnis der Werke enthalten.

Fragen und Antworten sind nicht als Muster für Prüfungsaufgaben gedacht, sondern sollen dazu anregen, sich mit den Kernproblemen des jeweiligen Gebietes zu befassen. Hier wird auch auf Querverbindungen innerhalb der Epochen und zu anderen Epochen hingewiesen.

Eine erste Übersicht über den Ablauf der Literaturgeschichte bietet bereits das Inhaltsverzeichnis. Im Anschluß an die Doppelseiten wird weiterführende Literatur genannt. Die Auswahl beachtet die leichte Zugänglichkeit und den niedrigen Preis; sie enthält keine Wertung; sie kann nicht vollständig sein.

Am Ende des Bandes befinden sich zwei Register:
1. ein Verzeichnis wichtiger Grundbegriffe der Poetik und der Literaturgeschichte (um das Nachschlagen zu erleichtern, in rein alphabetischer Reihenfolge),
2. ein Verzeichnis aller auf den Doppelseiten vorkommenden Autoren mit ihren Lebensdaten.

Das Grundwissen ist in seinem darstellenden Teil und in den Registern Handbüchern, Literaturgeschichten und Interpretationen verpflichtet.

Bearbeiter und Verlag

Inhaltsverzeichnis (Zahlentafel)

1 Antike

Im antiken Griechenland werden nicht nur die Grundlagen der abendländischen Denkformen (In-Frage-Stellen alles Wahrgenommenen) und der systematischen Wissenschaften gelegt, sondern auch die literarischen Gattungen entwickelt: Epik, Lyrik (Sappho u. a.), Drama, Historie (Herodot, Thukydides), Dialog (Platon) usw. Lyrik und Tragödie spiegeln die Entdeckung des Ich wider. Dichter aller Epochen greifen griechische Stoffe als Modelle menschlicher Grundsituationen auf.

Die römische Dichtung entsteht erst durch griechische Anregung. Vor allem die hellenistische Typen-Komödie ist Vorbild für Plautus und Terenz, die Tragödie lebt bei Seneca fort; den homerischen Epen will Vergil mit der ›Aeneis‹ etwas Gleichwertiges an die Seite stellen; die Lyrik des Horaz ist ohne die griechischen Vorgänger nicht denkbar.

Homer: Ilias   Odyssee, 8. Jahrhundert
Aischylos, 525/24–456/55   Sophokles, um 497–406
Euripides, um 480–406
Vergil, 70–19   Horaz, 65–8 v. Chr.

---

1 *Wovon handeln ›Ilias‹ und ›Odyssee‹?*   2 *Wie verläuft die Entwicklung der attischen Tragödie?*   3 *Was kennzeichnet die griechische Komödie?*
4 *Welche Dichter verleihen dem Augusteischen Zeitalter seinen Glanz?*
5 *Worin liegt die Bedeutung Vergils für seine Zeit, das Mittelalter und die Neuzeit?*   6 *Wodurch zeichnet sich das Werk des Horaz aus?*

1   In *Homers* ›Ilias‹ wird das zehnjährige Ringen der Griechen um Troja auf die entscheidenden 51 Tage im 10. Kriegsjahr konzentriert. Zentralmotiv ist der Zorn des Achilleus, den Agamemnon gekränkt hat. Erst nach dem Tode seines Freundes Patroklos kämpft er mit und entscheidet durch den Sieg über Hektor den Kampf für die Griechen. Mit der Totenklage um Hektor endet das Werk in versöhnlichem Ton.

Die ›Odyssee‹ schildert in kunstvoller Komposition (Rückblende) Irrfahrt und Heimkehr des Odysseus nach dem Fall Trojas. Die ersten vier Gesänge, die Telemachie, erzählen die Bedrängnis Penelopes und die Suche Telemachs nach seinem Vater. Odysseus befindet sich bei der Nymphe Kalypso; sie entläßt ihn schließlich auf Befehl der Götter. Vor den Stürmen Poseidons findet er beim Phäakenkönig Alkinoos Zuflucht, wo er von seinen Abenteuern berichtet. Als Bettler gelangt er nach Ithaka, bestraft die Freier und gibt sich seiner Gattin zu erkennen.

2   Die Tragödie hat ihren Ursprung in Chorgesängen zu Ehren des Gottes Dionysos. *Aischylos* stellt dem Chor zwei Schauspieler gegenüber und schafft damit die Voraussetzung jedes Dramas, den Dialog. In den ›Persern‹ verherrlicht er den Seesieg von Salamis als Sieg über die Hybris der Barbaren; seine ›Orestie‹ (Schicksalskette eines Geschlechtes) ist die einzige erhaltene

Trilogie der Antike: Im ›Agamemnon‹ wird Klytaimnestras Gattenmord dargestellt, in den ›Choephoren‹ Orest als Rächer und den Erinnyen ausgelieferter Muttermörder, in den ›Eumeniden‹ die versöhnende Lösung durch göttliche Hilfe. – *Sophokles* führt den dritten Schauspieler ein; er entwickelt die Vorgänge aus der Person des einzelnen, vereinsamten Helden gegenüber dem ihm unbegreiflichen Willen der Götter. Seine ›Antigone‹ ist das großartige Beispiel der Selbstbehauptung des Menschen gegenüber dem abstrakten Gesetz; sein ›Ödipus‹ ist das Symbol tragischer Konsequenz. – *Euripides* ist von der Sophistik und vom Zweifel an allem Götterglauben erfaßt. Sittliche Begriffe, das Wesen des von Leidenschaften und Zweifeln geplagten Menschen und die Allmacht der Götter werden ihm zum Problem. In seiner ›Medeia‹ gestaltet er die grausige Rache der enttäuschten Gattin, in der ›Iphigenie in Aulis‹ die geplante Opferung Iphigenies, in der ›Iphigenie in Tauris‹ das Wiederfinden der Geschwister.

3 Der bedeutendste Vertreter der alten Komödie ist *Aristophanes* (um 445–385). In den ›Rittern‹ wendet er sich gegen Methoden der Politik, in den ›Wolken‹ gegen Sokrates und die Sophistik. In seiner ›Lysistrata‹ beenden die Frauen durch einen Liebesstreik den Krieg. In der Literaturkomödie ›Die Frösche‹ wird ein Wettkampf zwischen Aischylos und Euripides in der Unterwelt ausgetragen. – Die neue Komödie *Menanders* (342/41–291/90) spielt in der attischen Bürgerwelt mit stereotypen Figuren (der schwärmerische Jüngling, der geizig-strenge Vater, edle und unedle Hetären, gerissene Sklaven usw.). Über die Komödien von Plautus und Terenz wirken sie auf die Komödie des Mittelalters und der Neuzeit.

4 Um Mäcenas, den Freund und Berater des Augustus, sammelt sich ein Dichterkreis, dem *Vergil* und *Horaz* angehören. Auch *Ovid, Properz* und *Tibull* schreiben im „Goldenen Zeitalter" der römischen Dichtung. *Livius* verfaßt auf Anregung des Kaisers seine ›Römische Geschichte‹.

5 Die ›Aeneis‹, *Vergils* Hauptwerk, in dem die Irrfahrten und die Kämpfe des Troers Aeneas erzählt werden, hat den Rang eines römischen Nationalepos, in dem Gründung, Aufstieg und Weltherrschaft Roms als göttlicher Auftrag gedeutet werden. Im Mittelalter gewinnt Vergil besondere Bedeutung: Dante z. B. läßt ihn in seiner ›Göttlichen Komödie‹ als Führer im Fegefeuer und in der Hölle auftauchen. Während er dann in der Klassik, als Epigone betrachtet, in den Schatten Homers tritt, sieht man in ihm in der Neuzeit den „Vater des Abendlandes", nachdem man das charakteristisch Römische und die für die spätere epische Dichtung prägende Wirkung seines Werkes wiedererkannt hat.

6 Das Werk des *Horaz* zeichnet sich durch eine Vielfalt der Themen und Formen aus; Anklage und Klage über den Bürgerkrieg (›Epoden‹), Liebe, Freundschaft und Geselligkeit (›Oden‹), Verherrlichung altertümlicher Tugenden (›Römeroden‹) und Betrachtungen über die Dichtkunst (›Ars poetica‹) sind Gegenstände seiner Dichtung.

2 Altgermanische Dichtung

Die altgermanische Dichtung liegt im Dunkel der schriftlosen Zeit. Sie wurzelt im religiös-kultischen, sozialen und kriegerischen Brauchtum der germanischen Stämme. Gebet, Zauber und Beschwörung sind ihr Hauptinhalt. Erst als die Hunnen ins Gotenreich einbrechen und germanische Völkerschaften nach weiten Wanderungen im Römischen Reich eigene Herrschaften gründen, entsteht eine reiche Heldendichtung, in der sich die Erschütterungen der Völkerwanderungszeit widerspiegeln. An den Königshöfen treten adlige Sänger auf, die die Taten der Fürsten verherrlichen und das Schicksal Verstorbener besingen. Mit der Ausbreitung des Christentums wird diese heidnische Dichtung weitgehend in den nordgermanischen Raum verdrängt. In Island erfährt sie ihre höchste Ausbildung; dort werden Götter- und Heldenlieder sowie Spruchdichtungen in der ›Edda‹ aufgezeichnet.

Bibelübersetzung des Wulfila, 369

Blütezeit des Heldenliedes, 5.–8. Jahrhundert

Aufzeichnung des Hildebrandslieds im Kloster Fulda, um 820

Aufzeichnung der Merseburger Zaubersprüche, 10. Jahrhundert

Aufzeichnung der Götter- und Heldenlieder in der Edda, um 1250

---

1 Woher stammen unsere Kenntnisse der altgermanischen Dichtung? 2 Welche Schriftzeichen entwickeln die Germanen? 3 Welche Bedeutung hat die Bibelübersetzung des Wulfila? 4 Was wissen wir über die altgermanische Zauberdichtung? 5 Welches sind die wichtigsten Sagenkreise der Völkerwanderungszeit? 6 Welche Lebensstimmung kennzeichnet die Heldenlieder? 7 Worin liegt die Tragik des ›Hildebrandslieds‹? 8 Wodurch unterscheidet sich das Preislied vom Heldenlied?

1 a) Römische, byzantinische und frühgermanische Schriftsteller (Tacitus, Priscus, Jordanes) berichten über Götter- und Heldenlieder sowie Schlachtgesänge der Germanen.

b) Einige Zeugnisse altgermanischer Dichtung werden später aufgeschrieben (›Hildebrandslied‹ um 820 – ›Merseburger Zaubersprüche‹ im 10. Jahrhundert).

c) Aus späteren Dichtungen, z. B. dem ›Nibelungenlied‹, ›Kudrunlied‹ und den Eddaliedern, lassen sich Form und Gehalt altgermanischer Heldendichtung erschließen.

2 Die ältesten gemeingermanischen Schriftzeichen werden Runen (ahd. runa = Geheimnis, s. raunen) genannt. Sie sind vom 3.–11. Jahrhundert nachweisbar. Wir unterscheiden ältere Losrunen und jüngere Schriftrunen. Losrunen sind Buchenholzstäbchen (= Buchstabe) mit eingeritzten Zeichen. Sie wurden auf den Boden geworfen und aufgelesen (= lesen), um den Willen der Götter zu erforschen. Die Schriftrunen wurden in Holz, Metall oder Stein geritzt.

3 Die Bibelübersetzung des westgotischen Missionsbischofs *Wulfila* ist das älteste erhaltene Sprachdenkmal der germanischen Literatur und zugleich eine der bedeutendsten Übersetzungsleistungen der Weltliteratur. Wulfila schafft eine eigene Schrift nach griechischem und lateinischem Vorbild, prägt neue Worte und Begriffe, um die Heilsbotschaft und die christlich-antike Gedankenwelt seinem Volk nahezubringen. Er erreicht eine fast dichterische Ausdruckskraft der Sprache.

4 Die beiden ›Merseburger Zaubersprüche‹ sind die einzigen Beispiele vorchristlicher Zauberdichtung. Sie bestehen aus einem erzählenden Teil (spell, vgl. Beispiel) und einer magischen Zauberformel (galster), die zur Befreiung von Gefangenen bzw. zur Heilung von Verletzungen dient. Diese Form wird später von christlichen Segen übernommen (›Lorscher Bienensegen‹, ›Straßburger Blutsegen‹, ›Weingartner Reisesegen‹).

5 Bedeutsam sind der ostgotische Sagenkreis um Ermanarich, Dietrich von Bern (Theoderich den Großen) und seinen Waffenmeister Hildebrand; der fränkische Sagenkreis um Siegfried, Brunhild und die Nibelungen; der burgundische Sagenkreis mit Gunther, Gernot, Giselher, Kriemhild, Hagen und Volker; der hunnische Sagenkreis mit Etzel und Rüdiger von Bechelaren; der westgotische Sagenkreis um Walther von Aquitanien; der langobardische Sagenkreis um König Alboin und seine Gemahlin Rosimund; der Seesagenkreis um Gudrun, Hilde und Hettel.

6 In den Heldenliedern wird der Held in der Tragik eines unentrinnbaren Schicksals dargestellt. Es gibt weder Heiterkeit noch Glück. Ehre, Treue und Pflichterfüllung stehen über allem. Der Tod wird bejaht, wenn diese höchsten Werte es erfordern. Der Schwerpunkt liegt nicht auf dem äußeren Geschehen, sondern im seelisch-geistigen Bereich. Die Dichtungen sind düster und erhaben, gottfern und grausam, maßlos im Erleben und Erleiden.

7 Im älteren ›Hildebrandslied‹ kehrt nach dreißigjähriger Abwesenheit Hildebrand, Dietrichs Gefolgsmann, in die Heimat zurück und trifft auf seinen Sohn Hadubrand, der ihn nicht erkennt, ihn als „alten Hunnen" schmäht und der Feigheit bezichtigt. Um seiner Kriegerehre willen kann Hildebrand den Kampf nicht verweigern und muß mit eigener Hand den Sohn töten.

8 Das lyrische Preislied wird zur Ehre des Lebenden vorgetragen und ist durch kunstvolle Gestaltung gekennzeichnet. Im epischen Heldenlied sind Geschichte, Sage und Mythos in einem tragischen Geschehen verflochten. Der Vorgang ist äußerst konzentriert; Wechselreden erhöhen die Spannung. Die Sprache ist knapp und wuchtig.

3 Deutsche Literatur der Karolingerzeit

Mit dem Zusammenschluß germanischer Stämme im Frankenreich verläuft die Eingliederung dieser Völkerschaften in die christliche Kirche parallel. Es entsteht die geistig-religiöse Gemeinschaft des christlichen Abendlandes. Die Kirche erfüllt nicht nur ihren Missionsauftrag, sondern ist gleichzeitig alleinige Vermittlerin des spätantiken Geistesgutes. Der äußeren Bekehrung folgen Jahrhunderte der inneren Auseinandersetzung mit dem Christentum. Germanentum, Christentum und Antike durchdringen sich wechselseitig und bestimmen die Kultur der Epoche. Die Literatur dient vorwiegend der christlichen Unterweisung.

Wessobrunner Gebet, um 800

Muspilli, um 800

Heliand, um 825

Otfrid von Weißenburg: Evangelienharmonie, um 870

Ludwigslied, 881/82

---

1 Welche Entwicklung nimmt die karolingische Literatur?   2 Welche Bedeutung hat Karl der Große für die Literatur seiner Zeit?   3 Welches sind die Zentren des literarischen Schaffens?   4 Welche Themen behandeln ›Wessobrunner Gebet‹ und ›Muspilli‹?   5 Auf welche Weise veranschaulicht der Verfasser des ›Heliand‹ seinen Landsleuten das Leben Jesu? 6 Was zeigt ein Vergleich von Otfrids ›Evangelienharmonie‹ mit dem ›Heliand‹?   7 Welcher Wandel des Herrscherideals wird im ›Ludwigslied‹ sichtbar?

1 Die Entwicklung der karolingischen Literatur verläuft von der Übersetzung von Wörterbüchern über Glossen (Randbemerkungen zu lateinischen Texten) und Interlinearversionen (wörtliche Übersetzung zwischen den Zeilen) zur freien Übersetzung kirchlicher Texte. Gebete, Taufgelöbnisse, Beichtformeln, Psalmen und Evangelien stehen im Mittelpunkt. Bald aber gelingen bedeutende eigenschöpferische Leistungen, in denen biblische Themen dichterisch gestaltet werden.

2 Mit der Persönlichkeit und Leistung Karls des Großen beginnt die deutsche Literatur. Er ist nicht nur der Schöpfer des christlich-abendländischen Imperiums, sondern zugleich Anreger und Förderer des literarischen Lebens. Er gründet eine Hofakademie und zieht die bedeutendsten Männer aus verschiedenen Stämmen an seinen Hof, z. B. den Angelsachsen Alkuin, die Langobarden Paulus Diaconus und Petrus von Pisa, den Goten Theodulf und die Franken Einhard und Angilbert. Die Einrichtung von Schulen und Bibliotheken, die Beschäftigung mit der antiken Dichtung, die Abfassung von Kommentaren und Übersetzungen lateinischer Werke sowie die Sammlung germanischer Heldenlieder gehen auf seine Anregung zurück. Die Verbreitung christlich-antiker Bildung ist sein Hauptziel.

3   Mit der Verdrängung des Heidentums durch das Christentum tritt an die
Stelle der Volksdichtung die geistlich-christliche. Die bedeutendsten Klöster
des Reiches werden Zentren des literarischen Schaffens. Die wichtigsten
Stätten sind die Klöster St. Gallen (Ekkehard), die Reichenau (Walahfrid
Strabo), St. Emmeran in Regensburg, Freising, Salzburg, Weißenburg im
Elsaß (Otfrid), Fulda (Hrabanus Maurus und später Notker Balbulus und
Tutilo), Lorsch, Corvey in Westfalen.

4   Das ›Wessobrunner Gebet‹ stellt einen Teil eines Weltschöpfungsgedichtes
dar, von dem nur neun stabende Langzeilen erhalten sind; das ›Muspilli‹
schildert die Schrecken des Weltendes und des Jüngsten Gerichts. Beide
Werke berühren sich eng mit dem germanischen Schöpfungsmythos der im
10. Jahrhundert auf Island entstandenen ›Völuspa‹. Heidnische und christliche Motive sind eng vermengt.

5   Der unbekannte sächsische Geistliche versucht im ›Heliand‹, einem etwa
6000 Langzeilen im Stabreim umfassenden Epos, Leben und Lehre Jesu in
die heimische Vorstellungswelt zu übertragen. Christus ist der mächtige
Himmelskönig, seine Jünger sind seine Gefolgsleute. Obwohl die germanischen Züge wie Treue, Ehre, Kampf und das Heldische des Heilands und
seiner Jünger stark betont sind, bleibt der christliche Gehalt voll erhalten.
Die Bergpredigt und die Gebote der Demut und Feindesliebe stehen im
Mittelpunkt.

6   Während im ›Heliand‹ ein vielfältiges Lebensbild Jesu in lebhaften Szenen
geschildert wird, geht es *Otfrid von Weißenburg* weniger um die Darstellung
der äußeren Vorgänge als um deren Deutung. Eine allegorische und moralische Auslegung begleitet die Erzählung vom Leben Christi. Es handelt sich
hier mehr um eine wissenschaftliche als poetische Leistung, die für die Geist-
lichkeit und den gebildeten Adel bestimmt war. Die ›Evangelienharmonie‹
ist die erste Endreimdichtung in deutscher Sprache.

7   Im ›Ludwigslied‹, das auf den Sieg des westfränkischen Königs Ludwig III.
über die Normannen bei Saucourt im Jahre 881 zurückgeht, wird das weltliche Heldentum unter die christliche Heilsidee gestellt. Der junge König
erhält von Gott den Auftrag, sein Volk, das zur Strafe für seine Sünden von
den Heiden bedrängt wird, zu erretten. Mit dem Gesang des Kyrieeleison
zieht er in die Schlacht und erringt als Vollstrecker des göttlichen Willens
den Sieg. Der Herrscher ist demnach der von Gott Erwählte und Beauf-
tragte. Das ›Ludwigslied‹ ist das erste deutsche historische Lied; es geht
auf die Tradition des germanischen Preislieds (s. S. 2) zurück.

4 Lateinische Dichtung der Ottonenzeit

Mit dem Aussterben der ostfränkischen Karolinger und der Erneuerung des abendländischen Kaisertums unter den Ottonen gerät Deutschland immer stärker in den Bannkreis des antiken Erbes. Die deutschsprachige Literatur versiegt. Etwa eineinhalb Jahrhunderte ist Latein die Sprache der Dichtung. Selbst deutsche Sagenstoffe erscheinen im lateinischen Gewand. Gleichzeitig aber wird durch die engen Beziehungen zur griechisch-orientalischen Kultur von Byzanz der geistige Raum der Literatur erweitert und ihre Thematik bereichert. Neben der lateinischen Dichtung finden sich auch Werke in lateinisch-deutscher Mischsprache. Obwohl wir keine geschriebenen Zeugnisse besitzen, ist auch zu dieser Zeit eine deutschsprachige Dichtung im Volke lebendig. Sie wird von Spielleuten getragen, die von Ort zu Ort ziehen und die alten Sagenstoffe mündlich weitergeben.

Ekkehard von St. Gallen(?): Waltharius, nach 900
Hrotsvita von Gandersheim: Dramen, 960/70
Ruodlieb, um 1050

---

1 Welches sind die Träger der Literatur in der sächsischen, salischen und staufischen Kaiserzeit? 2 Auf welche Weise sind im ›Waltharilied‹ germanische und antike Elemente vereinigt? 3 Was verstehen wir unter Tropus und Sequenz? 4 Kann man im ›Ruodlieb‹ einen Vorläufer des ritterlichen Epos sehen? 5 Worin liegt die literaturgeschichtliche Bedeutung des ›Ruodlieb‹? 6 Was veranlaßte die Nonne Hrotsvita, Dramen zu schreiben? 7 Worin liegt die Bedeutung Notkers des Deutschen?

1 In der sächsischen und salischen Kaiserzeit sind fast ausschließlich Mönche die Schöpfer und Verbreiter der Literatur. In den Klosterschulen werden die antiken Schriftsteller und die kirchlichen Texte studiert, kopiert, kommentiert und zum Teil auch übersetzt. Gegen Ende des Zeitraums treten auch Weltgeistliche als Dichter auf, z. B. der *Pfaffe Lamprecht* (um 1120/30) und der *Pfaffe Konrad* (um 1150). Die deutsche Volksdichtung wird von Spielleuten mündlich verbreitet. Die lateinische Lyrik wird von Vaganten, d. h. fahrenden Klerikern, gepflegt. Mit dem Durchbruch einer weltlich orientierten Kultur in der Stauferzeit beherrscht der ritterliche Sänger alle Gattungen der Dichtkunst.

2 Der Autor des ›Waltharius‹ gestaltet einen Stoff aus der Heldensage nach dem Vorbild von Vergils ›Aeneis‹ (s. S. 1) in lateinischen Hexametern, jedoch gereimt. In etwa 1200 Versen schildert er die Flucht der westgotischen Fürstenkinder Walther und Hildegund, die als Geiseln an Attilas Hof gelebt hatten. Nach langer Reise muß Walther am Rhein einen Kampf mit den Burgunden bestehen, deren König Gunther nach seinem Schatze trachtet. Nachdem Walther elf burgundische Recken getötet hat und in einem blutigen Dreikampf er selbst, Gunther und Hagen verstümmelt worden sind,

endet die Geschichte versöhnlich. Wohl bestimmen Ehre, Treue, Tapfer-
keit und Todesbereitschaft noch den Verlauf des Geschehens; aber das
Heldische wird bereits ironisiert. Antike Elemente sind die Klarheit der
Form und der vielfältig bunte Realismus der Darstellung.

3 Tropus (gr. tropos = Wendung) bedeutet ursprünglich eine textlich-musikalische Erweiterung des Meßgesangs. Im Kloster St. Gallen entstehen
solche schmückende Prosaeinlagen in die Liturgie; der Mönch Tutilo gilt
als ihr Schöpfer. Aus dem Ostertropus ›Quem quaeritis‹, einem dialogischen
Wechselgesang zwischen Diakonen und Priestern, die die Engel und die
drei Frauen am Grabe Jesu darstellen, entsteht später das mittelalterliche
geistliche Drama.

Sequenz (lat. sequentia = Folge) ist ein an die letzte Silbe des Halleluja
anknüpfender Koloraturgesang, dem ein Prosatext unterlegt wird. *Notker I.
der Stammler* (um 840–912) gilt als Vater der Sequenz. Im Kloster St. Gallen wird durch die Neuschöpfung von Wort und Ton die Sequenz zur selbständigen Kunstgattung entwickelt.

4 Der im Kloster Tegernsee entstandene Roman ›Ruodlieb‹ in gereimten lateinischen Hexametern schildert Abenteuer und Bewährung eines jungen Ritters, der in die Fremde zieht, um Ruhm und Schätze zu erwerben. Hier wird
zum ersten Male eine weltlich-ritterliche Kultur sichtbar. Höfisches Leben,
Jagd, Musik und Spiel, Geselligkeit und Liebe werden ebenso lebendig geschildert wie Bauerntum und Dorfleben. Erstmalig wird auch der Orient
als Land der Abenteuer zum Schauplatz einer Dichtung. Damit ist der
›Ruodlieb‹ ein Vorläufer des ritterlichen Epos.

5 Reiche Phantasie, ausgeprägter Wirklichkeitssinn und Lebendigkeit der Darstellung machen den ›Ruodlieb‹ zu einem Meisterwerk der Epoche. Die
Dichtung ist zugleich eine Art Bildungsroman; denn die Bewährung des
christlichen Helden ist die Leitidee des Werkes.

6 Die Nonne *Hrotsvita* will die moralisch anstößigen Dramen des Terenz aus
den Klosterschulen verbannt wissen und schreibt daher sechs Dramen, in
denen der Kampf zwischen Tugend und Laster dargestellt wird. Märtyrer,
Asketen und heilige Jungfrauen sind die Helden; Sünde, Reue, Buße und
Erlösung stehen im Mittelpunkt. Es handelt sich eigentlich um dialogisierte
Novellen, die nur zur Lektüre, nicht aber zur Aufführung bestimmt sind.

7 *Notker Labeo* (um 950–1022), genannt der Deutsche, Vorsteher der Kloster-
schule von St. Gallen, ist der große Sprachschöpfer und Grammatiker der
Zeit. Er übersetzt antike Philosophen, Psalmen, das Buch Hiob und theologische Schriften. „So arbeitet er die erste Literatur- und Wissenschaftssprache
in einer klaren faßlichen Form aus" (Martini).

5 Vorhöfische Dichtung

Die Salier- und frühe Stauferzeit ist von einem tiefgreifenden Wandel gekennzeichnet. Die religiös-ethische Reformbewegung, die im 10. Jahrhundert vom burgundischen Kloster Cluny ausgegangen ist, greift auf Deutschland über. Sie fordert zunächst vom Mönchtum, dann von der gesamten Christenheit radikale Abkehr von der Eitelkeit der Welt. Sie betont die Sündhaftigkeit des Menschen, die Vergänglichkeit alles Irdischen und predigt Weltverachtung, Askese und Buße. Die gesamte Literatur der Zeit steht in ihrem Bann. Sündenklage und Bußruf, Marienlyrik und Heiligenlegenden sind ihre Themen. Um die Mitte des 12. Jahrhunderts setzt eine weltliche Gegenbewegung ein. Das Rittertum, das in den Kreuzzügen seine religiöse Weihe erhalten hat, tritt auch in der Dichtung immer mehr in den Vordergrund. Daneben erblüht die sinnenfrohe lateinische Lyrik der Vaganten (S. 9).

Ezzolied, 1063
Pfaffe Lamprecht: Alexanderlied, um 1120/30
König Rother, um 1150
Pfaffe Konrad: Rolandslied, 1170
Herzog Ernst, um 1180

---

1 *Welche Werke spiegeln den Geist von Cluny am deutlichsten wider?* 2 *In welchen Dichtungen zeigt sich die gesteigerte Marienverehrung?* 3 *Welches sind die Merkmale der vorhöfischen Epik?* 4 *Welche Vorbilder sind beim vorhöfischen Epos wirksam?* 5 *Aus welchen Quellen schöpfen die Verfasser des ›Alexanderlieds‹ und des ›Rolandslieds‹?* 6 *Welches Thema behandelt der Versroman ›König Rother‹?* 7 *Welche ritterlichen Züge sind in ›König Rother‹ bereits ausgeprägt?* 8 *Welche geschichtlichen Ereignisse stehen mit dem Epos ›Herzog Ernst‹ in Verbindung?*

1 Das ›Ezzolied‹ schildert nach Art einer Weltchronik die Geschichte von der Schöpfung bis zur Erlösung der Menschheit durch Christus. Noch ist die Heilsgewißheit des Verfassers spürbar. Erst im ›Memento mori‹ (Gedenke des Todes) des Hirsauer Reformmönchs *Noker von Zwiefalten* (um 1070) ist Weltangst und Diesseitsverneinung deutlich. Er schildert die Vergänglichkeit des Menschen, die Freuden ewiger Seligkeit und die Schrecken der Verdammnis und mahnt eindringlich zur Buße. Das ›Annolied‹ (um 1085) ist eine Preisdichtung auf den Erzbischof Anno von Köln, das ihn als Idealtyp des herrschenden Priesters in die Welt- und Heilsgeschichte hineinstellt. Weltverneinung und Herrschaftsanspruch der Kirche sind cluniazensisches Ideengut. Die ›Erinnerung an den Tod‹ (um 1160) des *Heinrich von Melk* und sein ›Priesterleben‹ verbinden Bußpredigt mit bitterer Satire auf alle Stände. Die Kritik, die besonders am Adel geübt wird, zeigt, daß die Epoche der Weltverneinung von einer diesseitsgewandten Haltung abgelöst worden ist.

2 Das ›Melker Marienlied‹ (um 1130) eröffnet die deutschsprachige Marienlyrik. Es schildert in symbolisch-mystischen Vergleichen das Wunder der Gottesgebärerin. Das ›Marienleben‹ (um 1172) des Augsburger Priesters *Wernher* ist durch die Wiedergabe seelischer Empfindungen Höhepunkt der Mariendichtung. Es steht der frühhöfischen Lyrik nahe.

3 Die vorhöfische Epik zeichnet sich durch Phantasie und Lust am Abenteuer aus. Schlachten, Meerfahrten, Kreuzzüge und der Zauber des Orients sowie Szenen des höfischen Lebens (Brautwerbung, Hochzeit, Hoffest) sind beliebte Themen.

4 Obwohl die wichtigsten vorhöfischen Epen von Geistlichen verfaßt sind, treten an die Stelle von Bibel- und Legendenstoffen als Quellen heimische Sagen, spätantike Romane, orientalische Märchen und besonders französische Verserzählungen. Daneben sind zeitgeschichtlich-biographische Bezüge erkennbar; z. B. ›König Rother‹ und ›Herzog Ernst‹.

5 Der Moselfranke *Pfaffe Lamprecht* benutzt für sein ›Alexanderlied‹ als Vorlage das Werk Alberichs von Besançon. Es ist das erste weltliche Epos in deutscher Sprache nach französischer Quelle. Der Welteroberer Alexander wird im deutschen Werk zum mahnenden Beispiel für die Vergänglichkeit irdischer Macht. Der Regensburger *Pfaffe Konrad* stützt sein Werk (›Rolandslied‹) auf das altfranzösische Heldenepos ›Chanson de Roland‹ (um 1100), das die Vernichtung der Nachhut des karolingischen Heeres in den Kämpfen gegen die Mauren schildert. Roland wird bei Konrad zum christlichen Kreuzfahrer und Märtyrer.

6 Im ›König Rother‹ wird erzählt, wie der Normannenherrscher Rother von Bari um eine byzantinische Prinzessin werben läßt und sie gegen den Widerstand ihres Vaters schließlich gewinnt. Schauplatz ist die Welt der Kreuzzüge.

7 Ehre, Treue, Zucht, Selbstbeherrschung und Freigebigkeit sind bereits im ›Rother‹ verbindliche Werte. Diplomatisches Geschick steht höher als Draufgängertum. Christliche Kreuzzugsstimmung und heitere Weltbejahung durchziehen das Werk. Daß Rother am Schluß Mönch und seine so mühsam errungene Gattin Einsiedlerin werden, zeigt, daß der cluniazensische Geist noch nicht ganz überwunden ist.

8 Historischer Kern des Epos ›Herzog Ernst‹ ist der Aufstand Herzog Ernsts von Schwaben gegen seinen Stiefvater Konrad II. Das Werk spiegelt zugleich den Konflikt zwischen Heinrich dem Löwen und Kaiser Friedrich Barbarossa wider. Im Epos begibt sich Herzog Ernst auf einen Kreuzzug und kehrt nach heldenhaften Kämpfen gegen die Heiden und phantastischen Abenteuern bei sagenhaften Fabelvölkern zurück und versöhnt sich mit dem Kaiser.

6 Höfisches Epos I

Mit Friedrich Barbarossa und der Machtentfaltung des staufischen Kaisertums geht die Vorherrschaft der Geistlichen in der Literatur zu Ende. Es entsteht die Kultur des Rittertums, das auch in der Dichtung nach Selbstdarstellung in eigenen Formen drängt. Pflegestätten des dichterischen Schaffens sind die Fürstenhöfe. Fürstliche Herren sind häufig Gönner oder Auftraggeber der dichtenden Ritter. Die Literatur wird daher „höfisch" genannt. Die Kreuzzüge haben dem Rittertum sein Sendungsbewußtsein verliehen und den Blick für das Fremde geöffnet. Es entsteht ein gemeineuropäisch-christliches Kulturgefühl mit einer festgefügten Wertordnung und einer frommen, aber diesseits gerichteten Haltung. Im höfischen Epos erscheinen diese ritterliche Welt und ihr Menschenbild dichterisch verklärt. Die Epoche der staufischen Klassik wird zur ersten Blütezeit der deutschen Literatur. Heinrich von Veldeke ist Wegbereiter, Hartmann von Aue, Wolfram von Eschenbach und Gottfried von Straßburg sind die Vollender des höfischen Epos.

Heinrich von Veldeke:	Eneid, 1170/90
Hartmann von Aue:	Erec, 1180/85
	Gregorius, 1187/89
	Der arme Heinrich, um 1195
	Iwein, um 1200

1 *Welche Zeitabschnitte höfischer Dichtung unterscheiden wir?* 2 *Woran ist die führende Stellung Frankreichs bei der Ausbildung des Rittertums und der ritterlichen Dichtung erkennbar?* 3 *Welches sind die Merkmale des höfischen Epos?* 4 *Welches sind die Verdienste Heinrichs von Veldeke für die Entwicklung der höfischen Dichtung?* 5 *Welcher Sagenkreis wird durch Hartmann von Aue für die deutsche Dichtung erschlossen?* 6 *Was zeigt ein Vergleich von Hartmanns ›Erec‹ und ›Iwein‹?* 7 *Wie erweist Hartmanns ›Gregorius‹ die alles verzeihende Liebe und Gnade Gottes?* 8 *Welches Thema behandelt Hartmann im ›Armen Heinrich‹?*

1 Die etwa acht Jahrzehnte höfischer Dichtung lassen drei deutlich voneinander verschiedene Perioden erkennen. In der frühhöfischen Zeit (1170/90) werden die stofflichen und formalen Grundlagen gelegt; in der hochhöfischen Zeit (bis 1220) entstehen die klassischen Dichtungen; die späthöfische Zeit, die mit dem Tod Friedrichs II. (1250) endet, bringt Spätblüte und beginnenden Verfall.

2 Bei der Entwicklung ritterlicher Lebensform und ritterlicher Dichtung spielt Frankreich die führende Rolle. Daher sind viele Wörter und Begriffe der ritterlichen Welt dem Französischen entlehnt; z. B. schevalier, kastél, palas, turnei, tjoste, banier, lanze, note, melodie, danz, kurteis. Der Minnesang knüpft an die provenzalische Lyrik der Troubadoure an.

Dem höfischen Epos liegen häufig französische Versepen zugrunde.

3 Das höfische Epos ist eine Buchdichtung, die zum Vorlesen vor der adligen Gesellschaft bestimmt ist. Sie bildet die Umwelt nicht ab, sondern erhöht und verklärt sie. Sie will Vorbilder ritterlichen Verhaltens zeigen und die Gesellschaft formen und veredeln.

4 Der niederrheinische Ritter *Heinrich von Veldeke* verfaßt das erste deutsche Ritterepos nach französischem Vorbild. In seiner ›Eneid‹, der Geschichte des aus Troja geflüchteten Aeneas, ist der antike Stoff in die Welt des Hochmittelalters übertragen. Seine kurzen vierhebigen Reimpaare werden beispielhaft für das höfische Epos. Gottfried von Straßburg sagt: „Er imphete das êrste rîs in tiutescher zungen".

5 *Hartmanns* ›Erec‹ und ›Iwein‹ sind die ersten Artusromane in deutscher Sprache. Vorbilder sind ›Erec‹ und ›Yvain‹ des Chrêtien de Troyes, der aus alten keltischen Mythen die ersten höfischen Romane geschaffen hat. König Artus, eine sagenumwobene Heldengestalt, in dessen Tafelrunde nur die untadeligsten und tapfersten Ritter aufgenommen werden, gilt als Inbegriff ritterlicher Tugend.

6 Hartmanns erstes und letztes Werk, ›Erec‹ und ›Iwein‹, gehen auf Vorlagen Chrêtiens zurück. Sie handeln vom rechten Verhältnis zwischen Ehre und Minne. Erec, ein Artusritter, hat die Hand der anmutigen Enite gewonnen und vergißt über dem ehelichen Glück die Ritterehre, er „verliget" sich. Durch die aufopfernde Liebe und Treue seiner Gattin wird er zur „mâze", d. h. zum Ausgleich zwischen Liebe und Ritterpflicht geführt. Der ›Iwein‹ bildet inhaltlich das Gegenstück zum ›Erec‹. Der Ritter Iwein vergißt über seinen Abenteuern seine Gattin Laudine; er „verrîtet" sich. Erst nachdem er sich als christlicher Ritter durch hilfreiche Taten wieder bewährt hat, gewinnt er durch Anerkennung der Tafelrunde seine Ritterehre und die Liebe seiner Gemahlin zurück.

7 In der nach französischer Quelle gestalteten Legende ›Gregorius auf dem Stein‹, einer mittelalterlichen Ödipussage, erlegt sich Gregorius für die Schuld seiner Eltern, eines Geschwisterpaares, und seiner eigenen – er hat unwissentlich seine Mutter geheiratet – eine fürchterliche Buße auf. Gott verzeiht ihm und beruft ihn auf den Papstthron.

8 Nach einer Familiensage der Herren von Aue wird Heinrich von Aue (›Der arme Heinrich‹), ein dem weltlichen Treiben ergebener Ritter, plötzlich vom Aussatz befallen. Nur durch das Herzblut einer sich freiwillig opfernden Jungfrau kann ein Arzt in Salerno die Krankheit heilen. Die Tochter eines Bauern drängt den Ritter, ihr Opfer anzunehmen. Vor der tödlichen Operation erkennt Heinrich seine Schuld und verhindert die Ausführung. Da er Gottes Willen auch in der furchtbaren Strafe erkennt und sein Geschick auf sich nimmt, gewährt ihm Gott Gnade. Er wird gesund und heiratet das Mädchen; das Epos endet im Einklang von Gott und Welt.

7 Höfisches Epos II

Mit Wolfram von Eschenbach und Gottfried von Straßburg erreicht die epische Dichtung des Mittelalters ihren Höhepunkt. Der fränkische Ritter Wolfram überhöht in seinem ›Parzival‹ die höfisch-abenteuerliche Welt der Artusritter durch die religiös erfüllte Welt der Gralsritter. Der Weg seines Helden führt vom „tumben toren" zum Artusritter und, trotz Irrtum, Leid und Verzweiflung, zum Gralskönigtum und damit zur Harmonie von weltlichem Tun und christlicher Frömmigkeit. Das glanzvollste Buch höfischer Literatur ist zugleich eine Darstellung christlich-ritterlicher Lebensform. Der elsässische Stadtbürger Gottfried gestaltet in seinem Romanfragment ›Tristan und Isolde‹ das Hohelied der Liebe, die stärker ist als Konvention und Standesvorschriften.

Wolfram von Eschenbach: Parzival, um 1200/10

Willehalm, um 1215

Titurel, nach 1215

Gottfried von Straßburg: Tristan und Isolde, um 1210

---

1 *Wodurch entsteht eine einheitliche mittelhochdeutsche Dichtersprache?*
2 *Welche Tugenden kennzeichnen die ritterliche Welt?* 3 *Was wissen wir über das Leben Wolframs?* 4 *Welches sind die Quellen des Parzivalstoffes?*
5 *Welche Entwicklungsstadien durchläuft Parzival?* 6 *Wie wird das Verhältnis von Mensch zu Gott in* ›Parzival‹ *dargestellt?* 7 *Welche Themen behandeln* ›Willehalm‹ *und* ›Titurel‹*?* 8 *Welche Bedeutung hat Gottfrieds* ›Tristan‹*?*

1 Zu den Standespflichten der höfischen Gesellschaft gehören Hoffahrten, Reichstage und Feste. Dadurch wird die Entwicklung einer überregionalen Sprache begünstigt, die die deutschen Landschaften zu einer kulturellen Einheit verbindet. In dieser Sprache tragen auch die Ritter ihre Dichtungen vor. Besonders die Höfe des Landgrafen Hermann I. von Thüringen (Wartburg) und der Babenberger in Wien sind Zentren des gesellschaftlichen Lebens und der Dichtung.

2 Das Rittertum ist durch ein strenges Tugendsystem gekennzeichnet. Zentralbegriff ist die êre. Sie verlangt, mit hôhem muot und froide Gott und dem Lehensherrn zu dienen, dem Hilfsbedürftigen milte und erbermde zu erweisen. Durch zuht wird eine harmonische Lebensgestaltung erreicht, die als mâze neben der staete und triuwe zu den wichtigsten Eigenschaften des Ritters gehört. Diese Tugendvorstellungen sind aus einer Verschmelzung germanischer, christlicher, antiker und spanisch-arabischer Elemente entstanden.

3 Der fränkische Ministeriale *Wolfram* wird gegen 1170 in Eschenbach unweit Ansbach geboren. Seine Gönner sind die Grafen von Wertheim und die Grafen von Dürne; auf der Wildenburg im Odenwald schreibt er Teile

seines ›Parzival‹. Am Hofe des Landgrafen Hermann von Thüringen trifft er Morungen und Walther. Als Ritter ist er aller Buchgelehrsamkeit feind. Seine Werke zeugen von ritterlicher Laienbildung. Er stirbt gegen 1220 und ist in der Frauenkirche seines Geburtsortes begraben.

4 Als Vorlage dient Wolfram das ›Perceval‹-Fragment (um 1180) des Chrêtien. Ihm entnimmt er die Verschmelzung von Artus- und Gralssage und die doppelte Handlungsführung mit Parzival und Gawan als Haupt-helden. Die zweite Quelle, Kyot der Provençale, auf den er sich öfters bezieht, dürfte freie Erfindung sein, um seinem Werk die Autorität des Bezeugten zu geben.

5 Parzivals Mutter Herzeloyde erzieht den Sohn nach dem Tode seines Vaters, des Königs Gachmuret, in der Waldeinsamkeit, um ihn vor den Gefahren der ritterlichen Welt zu bewahren. Als er eines Tages drei Rittern begegnet und von ihnen vom Rittertum und von König Artus erfährt, verläßt er seine Mutter, um Artusritter zu werden. Der greise Gurnemanz unterweist ihn in allen ritterlichen Tugenden. Nach zahlreichen Abenteuern gelangt er zur Gralsburg. Weil er die höfische Sitte, nicht viel zu fragen, über das menschliche Mitleid stellt, erlöst er den siechen König Amfortas nicht von seinem Leiden und muß den Hof verlassen. Die Gralsbotin Kundrie verflucht ihn. Er verzweifelt an Gott und irrt freudlos in der Welt umher. Durch den Klausner Trevrizent vernimmt er die Botschaft von der Liebe und Gnade Gottes. Er kehrt zurück, stellt die Mitleidsfrage und wird Gralskönig.

6 Als Parzival der Fluch der Gralsbotin trifft, verzweifelt er an Gott, seinem obersten Lehensherrn. Erst durch Trevrizent erfährt er, daß nicht ritter-liche Tat, sondern Demut, Sündenbewußtsein und Leidensbereitschaft zu Gott führen.

7 ›Willehalm‹ schildert die Kämpfe Willehalms von Oransche gegen die Mauren. In dem Verhältnis zu seiner Gattin Gyburg, einer getauften Sara-zenin, werden Gattenliebe und Treue verherrlicht. Auch die Heiden be-sitzen alle ritterlichen Tugenden. So wird aus der Darstellung eines Glau-benskampfes ein Epos der Humanität. Das ›Titurel‹-Fragment zeigt die jungfräuliche Witwe Sigune, wie sie ihrem Verlobten Schionatulander, der im Minnedienst für sie gefallen ist, in einer mystischen Ehegemeinschaft über den Tod hinaus die Treue hält.

8 *Gottfrieds* ›Tristan‹-Epos ist die Geschichte einer leidenschaftlichen Liebe zwischen Tristan und Isolde, der Gattin des Königs Marke. Der Liebes-trank symbolisiert eine übernatürliche Kraft, der Sitte, Glaube und Ge-folgschaftstreue untergeordnet werden. Die Liebenden fühlen weder Schuld noch Gewissensqualen; selbst Gott unterstützt ihren Betrug. Die Dichtung ist das „erste große Beispiel eines von der Seele aus erlebten Romans" (Martini).

Neben den meist auf französische Vorlagen zurückgehenden höfischen Epen Hartmanns, Wolframs und Gottfrieds entstehen in staufischer Zeit auch Epen, deren stoffliche Grundlage alte Heldenlieder der Völkerwanderungszeit bilden. Diese Lieder waren jahrhundertelang im Volke mündlich überliefert, von Spielleuten verbreitet und vielfach umgeformt worden. Um 1200 verbindet ein unbekannter Dichter die Lieder von Siegfried und vom Burgundenuntergang zum Nibelungenepos. Obwohl es den Glanz und die Verhaltensweisen der hochmittelalterlichen Welt widerspiegelt, wird in ihm die heroisch-tragische heidnische Lebensform lebendig, in der die Gesetze der Gefolgschafts- und Sippentreue und der Rache herrschen. So steht neben den höfischen Epen, die um die Frage nach dem rechten ritterlichen Verhalten, um Minne und Gotteshuld kreisen, das düster-tragische ›Nibelungenlied‹, in dem die Helden mit erbarmungsloser Notwendigkeit in einer gottfernen Welt zugrunde gehen. Das spätere ›Kudrunlied‹ dagegen ist stärker von höfisch-ritterlicher Dichtung beeinflußt und endet versöhnlich.

Nibelungenlied, um 1200
Kudrunlied, um 1240

---

1 *Was wissen wir über den Verfasser des ›Nibelungenlieds‹?* 2 *Welche Quellen kommen für das ›Nibelungenlied‹ in Frage?* 3 *Wie sind im ›Nibelungenlied‹ der Stoff der Siegfried-Brünhild-Sage und der des Burgundenuntergangs verbunden?* 4 *Welche Elemente des ›Nibelungenlieds‹ stammen aus hochmittelalterlicher Zeit?* 5 *Welche Motive bestimmen das Handeln Kriemhilds, Hagens und Rüdigers von Bechelaren?* 6 *Welches Thema behandelt das ›Kudrunlied‹?* 7 *Was verbindet Kriemhild und Kudrun, und was unterscheidet sie?*

1 Der Dichter bleibt anonym. Er stammt aus dem bairisch-österreichischen Donauraum und ist mit der zeitgenössischen Bildung vertraut. Das ›Nibelungenlied‹ ist wahrscheinlich am Hofe des Passauer Bischofs Wolfger zwischen 1198 und 1203 entstanden.

2 Die Sammellehre oder Kleinliederlehre, nach der das Epos aus etwa 20 kurzen Liedern zusammengefügt sein soll, wird heute abgelehnt, weil solche Lieder einzeln nicht verständlich gewesen wären. Zwei Sagenkreise bilden den Inhalt des ›Nibelungenlieds‹: die Brünhild-Siegfried-Sage und die Sage vom Burgundenuntergang. Beide Stoffe existierten als fränkische Heldenlieder des 5. oder 6. Jahrhunderts. Das Brünhildlied kann man aus dem ›alten Sigurdlied‹ der ›Edda‹, das Lied vom Burgundenuntergang aus dem ›alten Atlilied‹ der ›Edda‹ erschließen. Die burgundisch-fränkischen Lieder werden im bairisch-österreichischen Raum erweitert und umgestaltet. Etwa um 1160 entsteht in Österreich ein vorhöfisches Epos über den Unter-

gang der Burgunden, die sogenannte ›Ältere Nôt‹. Dieses Epos und Lieder der Siegfriedhandlung – besonders ein jüngeres Brünhildlied – dienen dem Dichter als Vorlagen für das ›Nibelungenlied‹.

3 Der Untergang der Burgunden im Hunnenland wird als Rache für Siegfrieds Ermordung durch Hagen dargestellt.

4 Am Hof der Burgunden in Worms herrscht ritterliches Leben. Die Schilderung der Liebe Siegfrieds zu Kriemhild (langdauernder Dienst, heimliche Blicke usw.) ähneln einem Minneroman. Höfische Feste, Spiele und Hochzeiten vollziehen sich in hochmittelalterlicher Form. Besonders die Entwicklung Kriemhilds von der liebenden Jungfrau zur stolzen Gattin und zur verzweifelt rachsüchtigen Witwe zeigt Einflüsse der höfischen Epik; aber die Maßlosigkeit ihres Hasses widerspricht dem höfischen Ideal; sie entstammt der alten Heldensage.

5 Kriemhild verrät die Rolle Siegfrieds bei der Werbung Gunters um Brünhilde. Durch sie erfährt Hagen von der Verwundbarkeit Siegfrieds; so wird auch sie in die Ermordung ihres Gatten verstrickt. Ihre Rachepläne bringen ihrer eigenen Sippe den Untergang. Sie heiratet Etzel, lockt die Burgunden ins Hunnenland, stiftet den Saalbrand an und bestimmt das Geschehen bis zum grausigen Ende, um ihrer Rache zu genügen. Ebenso unbedingt handelt Hagen. Er bejaht seinen Frevel an Siegfried, er weiß um das nahende Verhängnis und triumphiert noch im Tode über seine Widersacherin. Das Gesetz der Gefolgschaftstreue, der Ehre, der Rache für zugefügte Beleidigung sowie Schicksals- und Todesbereitschaft bestimmen das Handeln der Hauptgestalten. Nur Rüdiger von Bechelaren ruft Gott an, als er im Zwiespalt zwischen dem Eid, den er Kriemhild geschworen hat, und der Treuepflicht gegenüber den burgundischen Gästen, die er an Etzels Hof geleitet hat, um sein Seelenheil ringt.

6 Das Thema des ›Kudrunlieds‹ ist die Frauentreue. Kudrun wird von einem abgewiesenen Freier, Hartmut von der Normandie, entführt. Ihr Vater, König Hettel, fällt mit dem größten Teil seines Heeres, als er sie befreien will. Da sie die Werbung Hartmuts zurückweist, muß sie dreizehn Jahre niedere Magddienste verrichten, ehe ihr Verlobter, König Herwig von Seeland, sie befreien kann. Das Lied endet unheroisch-versöhnlich mit einer vierfachen Hochzeit.

7 Kriemhild und Kudrun sind stolze, unbeugsame Heldengestalten. Während aber Kriemhild in ihrer maßlosen Rachsucht ihre eigene Sippe vernichtet, ist Kudrun trotz aller Demütigung und Schmach, die sie erfahren hat, versöhnungsbereit. Ihre Größe liegt in ihrer Leidens- und Versöhnungsbereitschaft.

9 Minnesang und Vagantendichtung

Der Minnesang ist wie die höfische Epik Standesdichtung. Er entsteht – angeregt vom maurischen Spanien – im 12. Jahrhundert in der Provence. Die südfranzösischen Troubadours übertragen die Formen des Lehenswesens auf die Beziehungen zu der sozial höherstehenden Gattin des Lehensherrn und huldigen ihr in kunstvollen Minneliedern. Ihre Liebeswerbung zielt nicht auf Erfüllung; die schmerzlich-sehnsüchtige Klage über die Grausamkeit der abweisenden Herrin erhöht den Ruhm der Dame. Der provenzalische Minnesang findet in Deutschland Eingang und überlagert die im Donauraum entstandene sinnlich-realistische Liebeslyrik. Zeitlich vor und neben dem Minnesang erblüht eine reiche lateinische und lateinisch-deutsche Lyrik, deren Schöpfer und Verbreiter die Vaganten sind. Sie preist die Freuden des Daseins und kritisiert Mißstände in Gesellschaft und Kirche.

> Der Kürenberger, um 1160
> Dietmar von Eist, um 1160
> Heinrich von Veldeke, etwa 1150–1200
> Friedrich von Hausen, etwa 1150–1190

1 Was wissen wir über die Entstehung des Minnesangs? 2 Wie werden die Minnelieder vorgetragen? 3 Welches sind die Merkmale des frühen Minnesangs? 4 Welche Bedeutung hat der staufische Hof für die Entwicklung des Minnesangs? 5 Bei welchen deutschen Lyrikern zeigt sich der Einfluß der provenzalischen Minnedichtung zuerst? 6 Zu welcher Gesellschaftsschicht gehören die Vaganten? 7 Wodurch ist die Vagantendichtung gekennzeichnet? 8 Welches ist die wichtigste Sammlung der Vagantenlyrik?

1 Voraussetzung für die Entstehung des Minnesangs sind das neue Lebensgefühl der adligen Gesellschaft, das dem Individuum Recht auf Liebe zugesteht, und das Lehenswesen, dem die ritterlich-höfische Liebesdichtung ihre Formen, Bilder und Vergleiche entnimmt. Die an den Höfen des maurischen Spaniens gepflegte Liebeslyrik hat sicherlich auf die Troubadourlyrik der Provence befruchtend gewirkt. Auch die klassisch-lateinische Dichtung und die Vagantenlyrik hat den Minnesang beeinflußt. Die Frauenverehrung und die läuternde Kraft der Minne ist diesen Dichtungen allerdings fremd. Auch die hymnische Mariendichtung sowie eine vorliterarische volkstümliche Liebeslyrik hat den Minnesang befruchtet. Seine kunstvoll stilisierte Formen- und Denkwelt jedoch ist Schöpfung der ritterlichen Dichter des Hohen Mittelalters.

2 Zum Minnesang gehören Text und Melodie. Der Dichter ist also zugleich Komponist und Vortragskünstler und begleitet seinen Gesang mit einem Streich- oder Zupfinstrument. Die musikalische Gestaltung ist durch den gregorianischen Kirchengesang und durch Volksweisen beeinflußt. Aller-

dings sind nur zu späteren Gedichten Notenzeichen bekannt, die lediglich die Tonhöhe, nicht aber Länge und Taktierung erkennen lassen.

3 Der erste namentlich bekannte deutschsprachige Minnesänger, ein österreichischer Ritter aus dem Geschlecht der *Kürenberger*, besingt eigentlich nicht die Minne, sondern die Liebe, die Erfüllung fordert. In sogenannten Rollenliedern sprechen Ritter und Dame oder beide im Wechsel ihre Gefühle aus, wobei die Dame meist die Begehrende ist. Die kurzen ein- und zweistrophigen Lieder stehen in Wortschatz, Motiven, Reim und Strophenbau dem ›Nibelungenlied‹ nahe. *Dietmar von Eist* kennt bereits die veredelnde Macht der Minne. Er verbindet Natur- und Gefühlserlebnis und leitet zum höfischen Minnesang über. Von ihm stammt das erste deutsche Tagelied, das im Wechselgespräch den morgendlichen Abschied zweier Liebenden schildert.

4 Der Stauferhof, ein Zentrum des literarischen Schaffens, vereint eine Reihe von Dichtern. Heinrich VI. dichtet selbst und verbindet in seinen Liedern von Liebe und Kaiserherrlichkeit die erobernde Liebe des frühen Minnesangs mit Elementen der Troubadourdichtung.

5 Im letzten Viertel des 12. Jahrhunderts dringt der provenzalische Minnesang über die Schweiz, Nordfrankreich und den Niederrhein nach Deutschland. Der als Epiker berühmte *Heinrich von Veldeke* verbindet Elemente der vagantischen Natur- und Liebeslyrik mit der Minneauffassung und Formensprache der nordfranzösischen Trouvères zu sinnenfrohen Gedichten. Die ausschließliche Darstellung der „hohen Minne", d. h. des Frauendienstes ohne Liebeserfüllung, und die Bereicherung der Dichtung in Wortschatz, Reimform und Strophenbau bei *Friedrich von Hausen*, dem ersten großen Vertreter des klassischen Minnesangs, sind ohne die Kunst der Troubadours nicht denkbar.

6 Die Vaganten sind meist junge Geistliche, die an den neu gegründeten Universitäten in Paris und Bologna studiert haben, deren Aussichten auf Amt und Würde aber infolge des starken Zustroms zum geistlichen Amt nur gering sind. Sie ziehen daher ein freies Wanderleben vor. Besonders an den geistlichen Höfen treten sie als Dichter und Sänger auf.

7 Die Vagantenlyrik setzt dem memento mori der Cluniazenser das carpe diem (nütze den Tag!) entgegen. Sie verherrlicht Leidenschaft und Lebensgenuß und preist Weib, Wein und Spiel. Die sogenannte Vagantenbeichte des *Archipoeta*, eines Fahrenden im Gefolge des Erzbischofs von Köln, Reinald von Dassel, spiegelt diese Lebenshaltung wider. In Satire und Parodie werden kirchliche und soziale Mißstände angegriffen.

8 Die bedeutendste Sammlung der Vagantenlieder wurde in einer Handschrift der ersten Hälfte des 13. Jahrhunderts im Benediktinerstift Benediktbeuern aufgefunden und danach ›Carmina Burana‹ genannt.

Das Jahr 1190 bedeutet das Ende der Dichtergeneration der Barbarossazeit. Friedrich von Hausen stirbt kurz vor seinem kaiserlichen Herrn auf dem Kreuzzug in Kleinasien; auch Heinrich von Veldeke verstummt. Hartmann von Aue, Heinrich von Morungen, Reinmar von Hagenau und Walther von der Vogelweide sind die Vollender der höfischen Lyrik. Der Minnesang löst sich von der engen Gebundenheit an das provenzalische Vorbild und bekommt individuelle Züge. Die hohe Minne bleibt das beherrschende Thema der Zeit; sie wird jedoch von jedem Dichter persönlich gestaltet. Walther gilt nach Reinmars Tod als der bedeutendste Lyriker. In ihm verbinden sich der Mut und Stolz des staufischen Ritters mit warmem menschlichen Empfinden, höfische Gesinnung mit der Fähigkeit, Liebe Zorn und Haß dichterisch auszudrücken. In seiner politischen Spruchdichtung fordert er die rechte Ordnung der Welt im Sinne des staufischen Reichsgedankens.

Hartmann von Aue, etwa 1165–1215
Heinrich von Morungen, etwa 1150–1222
Reinmar von Hagenau, etwa 1160–1210
Walther von der Vogelweide, etwa 1170–1230

---

1 *Welche Minneauffassung prägt die Lieder Hartmanns, Morungens und Reinmars?* **2** *Was wissen wir über das Leben Walthers von der Vogelweide?* **3** *Welche Einflüsse sind in Walthers Dichtung erkennbar?* **4** *Wodurch unterscheiden sich Lied und Spruch?* **5** *Wodurch ist die neue Minneauffassung Walthers gekennzeichnet?* **6** *Wodurch ist das Weltbild Walthers bestimmt?* **7** *Welche Haltung prägt die Alterslyrik Walthers?*

1 *Hartmann von Aue* kennt sowohl die hohe Minne und deren ethische Bedeutung als auch die niedere Minne der gegenseitigen Zuneigung und Erfüllung. In seinen Kreuzzugsliedern stellt er die Gottesminne über die höfische Minne. Bei *Heinrich von Morungen* steht der ungelohnte Dienst um die Gnade einer fast religiös verklärten Herrin im Mittelpunkt. Die Liebe ist für ihn eine dämonische Macht, die in Krankheit, Wahnsinn und Tod treiben kann. Im Gegensatz zu dieser leidenschaftlichen Minneauffassung ist für *Reinmar von Hagenau* die schmerzlich-sehnsüchtige Klage über die unerwiderte Minne das Zentralthema seiner Dichtung. Er bejaht das Leid und sieht im Bestreben, durch mâze und Beständigkeit der Geliebten wert zu werden, die veredelnde Kraft der Minne. Mit Reinmar, dem „Scholastiker der unglücklichen Liebe" und virtuosen Formkünstler, hat der höfische Minnesang seine Vollendung erreicht.

2 *Walther von der Vogelweide*, wahrscheinlich österreichischer Ministerialer, erlernt seit 1190 am Hofe Herzog Leopolds V. in Wien die Kunst des Minnesangs. Einer literarischen Fehde mit dem Hofpoeten Reinmar wegen muß er Wien verlassen. Er schließt sich zunächst dem Staufer Philipp an und unterstützt dessen Kampf um Krone und Reich. Im Gefolge des Bischofs von Passau kehrt er 1203 nach Wien zurück, doch kommt es anscheinend nicht zu einer dauernden Aussöhnung. Auf der Wartburg trifft er mit Wolfram, am Hofe Dietrichs von Meißen mit Morungen zusammen. Nach der Ermordung Philipps im Jahre 1208 schließt er sich dem Welfen Otto IV. und später dem Staufer Friedrich II. an, von dem er ein Lehen in der Nähe von Würzburg erhält. Der Kreuzzug von 1227/29 ist das letzte Ereignis, das er in seinen Dichtungen erwähnt. Er soll in Würzburg begraben sein.

3 Walther ist zunächst Reinmars Schüler in Wien. Unter dem Einfluß der leidenschaftlichen Lyrik Morungens wendet er sich von der streng stilisierten, elegisch-vergeistigten Wiener Dichtung ab. Als Fahrender kommt er mit der volkstümlichen Lyrik und den sinnenfrohen Liedern der Vaganten in Berührung. Am Stauferhof lernt er die Tradition des rheinischen Minnesangs Friedrichs von Hausen kennen und erlebt die entscheidenden Kämpfe um die Verwirklichung der staufischen Reichsidee, deren eifrigster Verfechter er als Spruchdichter wird.

4 Lied und Spruch sind die beiden Hauptgattungen der hochmittelalterlichen Lyrik. Der Spruch will bilden und erziehen. Er bringt eine allgemeine Lebensweisheit, sittliche Regel oder praktisches Wissen in knapper, dichterischer Form. Das Lied – meist als Minnelied – ist Ausdruck der Minnehaltung. Vielfach begegnen sich Lied und Spruch thematisch; denn Minne und Glaube, die beiden tragenden Mächte der Zeit, kommen in beiden Dichtungen zu Wort.

5 Walther stellt in seinen Mädchenliedern ein neues Ideal der gegenseitigen Liebe dar, die nicht Leid und Trauer, sondern Freude bringt. In der ,niederen Minne' huldigt der Dichter nicht mehr der „überhêren" Dame, sondern einem einfachen Mädchen.

6 Für Walther ist die Welt auf die beiden großen Mächte, das Reich und die Kirche, gegründet, die Kaiser und Papst verkörpern. Die rechte Abgrenzung ihrer Machtbereiche wahrt die Wohlfahrt der Menschen. Diese äußere Ordnung setzt eine sittliche Ordnung voraus, in der das höchste Gut, Gottes Gnade, die Ehre und weltlicher Besitz, harmonisch eingeordnet sind. Ebenso wichtig sind aber auch die bestimmenden Kräfte der ritterlich-höfischen Zeit, zuht und mâze, denn nur der sittlich bewußte Mensch kann die rechte Weltordnung verkörpern.

7 Walthers Alterslyrik ist durch Enttäuschung über den Verfall der politischen Ordnung und der höfischen Sitte, durch Weltabkehr und Wissen um die Vergänglichkeit alles Irdischen gekennzeichnet. Seine letzten Lieder gelten dem Kreuzzug, in dem sich Rittertat und Gottesdienst verbinden.

...isch-ritterliche Idealwelt, die das Hauptthema der klassischen hoch-
...lterlichen Literatur war, verliert schon nach einem knappen halben
...undert ihre Verbindlichkeit. Ihr erster Kritiker und Zerstörer ist selbst
...er, Neidhart von Reuental. Mit dem Zusammenbruch des staufischen
Kaisertums beginnt auch der politische, soziale, wirtschaftliche und kulturelle Verfall des Ritterstandes; die Bedeutung des aufstrebenden Stadtbürgertums als Träger der Literatur dagegen wächst. Die Troubadour- und
Vagantenlyrik sinkt zum volkstümlichen Lied herab, die großen Ritterepen
werden zur stofflichen Grundlage der „Volksbücher". Während Lyrik und
Epik des Spätmittelalters an die höfische Dichtung anknüpfen, entsteht im
Drama eine Volksdichtung aus religiöser Wurzel.

Neidhart von Reuental, geb. um 1190(?), gest. vor 1246
Wernher der Gartenaere: Meier Helmbrecht, 1250/80
Ulrich von Lichtenstein, etwa 1200–1275
Oswald von Wolkenstein, 1377–1445

---

1 *Wodurch ist die Lyrik Neidharts von Reuental gekennzeichnet?* **2** *Wodurch unterscheidet sich die Minneauffassung Ulrichs von Lichtenstein von der Oswalds von Wolkenstein?* **3** *Welches sind die bedeutendsten Sammelhandschriften, in denen der Minnesang überliefert ist?* **4** *Wie stellt Wernher der Gartenaere den Zerfall der ständischen Ordnung am Ende der Stauferzeit dar?* **5** *Wie entsteht das mittelalterliche geistliche Drama?*

1 *Neidhart von Reuentals* Gedichte werden in Sommerlieder und Winterlieder eingeteilt. Beide Gruppen beginnen mit einer Naturschilderung, an die sich Tanzszenen, im Sommer auf dem Dorfanger, im Winter in der Bauern-stube, anschließen. Partnerin des ritterlichen Dichters ist das Bauernmäd-chen. Indem er sich der Form- und Bildersprache des höfischen Minnesangs bedient, aber dörfliche Szenen – Tanz, Streit und Prügelei – darstellt, paro-diert er den Minnesang und verspottet die Bauern. Seine letzten Lieder sind eine Absage an die Freuden der Welt und stehen Walthers Alterslyrik nahe.

2 *Ulrich von Lichtenstein* schildert in seinem ›Frauendienst‹ um 1255 die Ge-schichte seines Minnedienstes in formvollendeten Liedern, aber mit über-steigerten, ja oft grotesken Zügen. Das Trinken des Waschwassers der Dame, das Abhacken eines Fingers als Zeichen der Ergebenheit sind Merkmale der Veräußerlichung seiner Minneauffassung. *Oswald von Wolkensteins* Dichtung ist durch eigenes Erleben geprägt. Die Liebe zur eigenen Braut und Gattin, aber auch die Liebe zur Dorfmagd wird besungen.

3 Erst im ausgehenden 13. und frühen 14. Jahrhundert werden für wohl-habende Kunstliebhaber große Sammelhandschriften hergestellt, denen wir unsere Kenntnis des Minnesangs verdanken. Die wichtigsten sind:

Kleine Heidelberger Liederhandschrift – gegen Ende des 13. Jahrhunderts in Straßburg geschrieben. Weingartner Liederhandschrift – um 1300 in Konstanz verfaßt, mit Bildern der Dichter. Große Heidelberger oder Manessische Liederhandschrift – größte und kostbarste Sammlung, kurz nach 1300 für die Züricher Patrizierfamilie Manesse geschrieben, mit Bildern und Wappenzeichen der Dichter. Würzburger Liederhandschrift – enthält besonders Gedichte Walthers und Reinmars. Jenaer Liederhandschrift – enthält die Vertonung der Gedichte.

4 *Wernher der Gartenaere*, ein Fahrender aus dem Innviertel, schildert in seinem ›Meier Helmbrecht‹ das Schicksal eines Bauernsohnes, der entgegen allen Warnungen seines Vaters Ritter werden will, weil ihn Prunk und Wohlleben dieses Standes verlocken. Er schließt sich einer Gruppe von Raubrittern an und kehrt als eitler Prahlhans zurück, um seine Schwester einem seiner Spießgesellen zu verheiraten. Schließlich wird das Räubernest ausgehoben, seine Kumpane werden gehenkt, und er selbst wird verstümmelt und geblendet. Sein Vater weist den Verlorenen vom Hof, und die Bauern, die er früher geschunden hat, erhängen ihn. Diese erste deutsche Dorfgeschichte ist ein gesellschaftskritisches Zeitbild, das die Anmaßung des Bauerntums ebenso geißelt wie den Verfall des Rittertums. Der warnende Vater – dîn ordenunge ist der phluoc! – ist der Vertreter eines standesbewußten Bauerntums.

5 Das geistliche Drama entsteht aus der Liturgie hoher kirchlicher Feste. Der Ostertropus ›quem quaeritis‹ (s. S. 4) bildet den Ausgangspunkt eines szenischen Spiels, das dem Volk den Sinn der religiösen Handlung verdeutlichen soll. Ähnlich entwickelt sich ein Weihnachtszyklus von Szenen aus der Verkündigung der Hirten. Frankreich ist in der Entwicklung des Mysterienspiels Vorbild. Das ›Osterspiel von Muri‹ (um 1250) ist das erste deutschsprachige Drama. Durch Hinzufügung neuer Szenen werden die Dramen erweitert und nicht mehr in der Kirche, sondern davor oder auf dem Markt aufgeführt. Weltliche Elemente drängen oft den religiösen Gehalt zurück. Die Stoffe allerdings beruhen meistens auf der Bibel: Geschichte vom verlorenen Sohn, von den klugen und törichten Jungfrauen usw. Die Passionsspiele kommen besonders der wachsenden Heilssehnsucht der Massen entgegen. Im niederdeutschen ›Theophilus‹ (um 1450) wird erstmals der Pakt mit dem Teufel dargestellt und somit ein Vorläufer der Faustdichtung geschaffen.

Die Scholastik mit ihren Hauptvertretern, dem Engländer Anselm von Canterbury, dem Franzosen Peter Abaelard und dem Deutschen Albertus Magnus, versucht, Glaubenswahrheiten durch Verstandeserkenntnis zu begreifen. Thomas von Aquin vereint in seiner ›Summa theologiae‹, dem großen philosophisch-theologischen System des Mittelalters, Wissen und Glauben. Doch die theologische Spekulation befriedigt nicht in einer von religiösen und sozialen Unruhen und von Seuchen erschütterten Zeit. Schismen spalten wiederholt die Kirche; der hohe Klerus ist verweltlicht. Die um ihr Seelenheil ringenden Menschen sehen ihr Vorbild in Franz von Assisi und Bernhard von Clairvaux; eine neue Glaubenshaltung – die Mystik – will Gott durch Versenkung in die eigene Seele erfassen. Meister Eckhart und seine Nachfolger gehören zugleich zu den bedeutendsten deutschen Sprachschöpfern.

Thomas von Aquin, etwa 1226–1274
Berthold von Regensburg, etwa 1210–1272
Mechthild von Magdeburg, etwa 1210–1283
die 3 großen Mystiker: Meister Eckhart, etwa 1260–1327
　　　　　　　　　　　　Heinrich Seuse, 1295–1365
　　　　　　　　　　　　Johannes Tauler, etwa 1300–1361
Johann von Tepl: Der Ackermann aus Böhmen, um 1400

---

1 Welche Bedeutung hat Berthold von Regensburg für die Entwicklung der deutschen Prosa? 2 Welche Haltung kennzeichnet das Werk Mechthilds von Magdeburg? 3 Welches sind die wichtigsten Werke Meister Eckharts? 4 Welches Anliegen verfolgt Eckhart in seinen Predigten und Schriften? 5 Welche Nachfolger findet Meister Eckhart? 6 Welche sprachlichen Bereiche erschließt die Mystik für die deutsche Prosa? 7 Was wissen wir über das Leben Johanns von Tepl? 8 Um welche menschliche Grundfrage geht es im ›Ackermann aus Böhmen‹?

1 Der Bußprediger *Berthold von Regensburg* ist nicht nur ein erschütternder Kanzelredner und Verkünder von Gnade und Verdammnis; durch seine Sprachgewalt wird die Predigt zu einer wesentlichen Schule der deutschen Prosa. Seine mitreißende Sprache enthält viele volkstümliche Wendungen und lebensnahe Bilder und Beispiele.

2 *Mechthild von Magdeburgs* Werk ›Das fließende Licht der Gottheit‹ ist ein mystisches Tagebuch von großer dichterischer Sprachkraft, das die Sehnsucht nach dem himmlischen Bräutigam Christus in visionären Bildern darstellt.

3 Das unvollendete lateinische ›Opus tripartitum‹ zeigt *Meister Eckhart* als scholastischen Philosophen und Theologen, der Thomas von Aquin nahesteht. Von den deutschen Schriften hat er nur die ›Reden der Unterschei-

dung‹, die ›Tischgespräche‹ und das ›Büchlein der göttlichen Tröstung‹ selbst aufgezeichnet. Die Überlieferung seiner Predigten beruht auf Nachschriften von Hörern.

4 Der Mystiker (gr. myein = die Augen und Lippen schließen, sich versenken) Eckhart will Gott nicht verstandesmäßig erkennen, sondern sucht durch Abkehr von der Sinnenwelt und durch Versenkung in das eigene Ich die Einswerdung der Seele mit Gott – die unio mystica – zu erreichen. Die Frage nach dem Wesen Gottes und der Seele, nach der „Geburt Gottes in der Seele" und die Hinführung zur unio mystica stehen im Mittelpunkt seiner Predigten und Schriften.

5 Von den drei bedeutenden Dominikanern gilt *Eckhart* als der schöpferische Geist und Theoretiker der Mystik, *Tauler* besonders als Praktiker und Seelsorger, der den Menschen im Geist der Mystik erziehen will, und *Seuse* als der Lyriker und Hymniker. Seuse hat neben dem ›Büchlein der ewigen Weisheit‹ und dem ›Büchlein der Wahrheit‹ die erste Autobiographie in deutscher Sprache verfaßt.

6 Die Mystik erschließt die Bereiche des Religiösen und Geistig-Seelischen sowie des Gedanklich-Begrifflichen und schafft eine selbständige theologisch-philosophische Terminologie. Der Wortschatz erfährt eine wesentliche Bereicherung; auf die Mystik gehen z. B. zurück: Eindruck (Gott drückt sich dem Menschen ein), Bildung, Anschauung, Verwandlung, Läuterung, Einfluß, Einkehr, Eigenschaft, Einheit, Gleichheit, Persönlichkeit, Gottheit, Wesen, Zufall – fühlen, begreifen, einsehen, einbilden, einleuchten – gelassen, innig, eigentlich, wesentlich und viele andere Begriffe.

7 *Johann von Tepl*, geboren etwa 1350 in Schüttwa im Böhmerwald, erwirbt in Prag den Magistergrad und wirkt als Schulmeister in Tepl. Seit 1383 ist er Rektor der Lateinschule, Stadtschreiber und Notar in Saaz (auch Johann von Saaz genannt). Aus der Erschütterung durch den Tod seiner Frau verfaßt er im Jahre 1400 den Prosadialog ›Der Ackermann aus Böhmen‹. 1414 stirbt er als Notar in Prag.

8 In dem Streitgespräch zwischen Witwer und Tod geht es um die Frage der Berechtigung des Todes innerhalb der göttlichen Weltordnung. Der Ackermann preist sein verlorenes Glück an der Seite seiner geliebten Gattin und erhebt Anklage gegen den Tod. Der Tod dagegen beweist seine Unentbehrlichkeit im Rahmen der Schöpfungsordnung und betont die Vergänglichkeit und Nichtigkeit alles Irdischen. Beide Gegner bringen ihre Streitsache vor Gott, der das Urteil fällt. „ir habet beide wol gefochten … darumb, Klager, habe êre! Tot habe sige! Seit ieder mensche dem Tode das leben, den leib der erden, die sêle Uns pflichtig ist zu geben." Das Gebet des Witwers um das Seelenheil der Verstorbenen zeigt, daß er sich in sein Schicksal ergeben hat.

13 Renaissance – Humanismus – Reformation

Die Renaissance ist die große gemeineuropäische Kulturepoche, die die Wende vom Mittelalter zur Neuzeit umfaßt. Sie überwindet das mittelalterliche Welt- und Menschenbild und die überkommene Staats- und Gesellschaftsordnung. An die Stelle des Autoritätsglaubens tritt der Geist kritischer Forschung; der Mensch wird zum Maß aller Dinge; die Staatsraison zum Prinzip der Politik. Die italienischen Fürstenhöfe – besonders das Florenz der Medici – sind beispielhaft für Europa. Das Studium der antiken Literatur wird durch byzantinische Gelehrte angeregt, die als Flüchtlinge nach der Eroberung von Byzanz und Griechenland durch die Türken nach Italien gelangen, Kunst- und Lebensauffassung der Antike gelten den Humanisten als Vorbild. Die Reformation zerstört die Einheit des Glaubens. Neben der lateinischen Dichtung der Humanisten entwickelt sich in Deutschland ein reiches literarisches Leben. Durch den Buchdruck werden die literarischen Erzeugnisse rasch zum Gemeingut aller Gebildeten.

Johannes Reuchlin, 1455–1522	Martin Luther, 1483–1546
Erasmus von Rotterdam, 1469–1536	Ulrich von Hutten, 1488–1523

1 Welche gemeinsamen Grundzüge weisen Renaissance, Humanismus und Reformation auf? 2 Wodurch ist das Weltbild des Erasmus von Rotterdam bestimmt? 3 Wodurch sind die wichtigsten Humanistenkreise gekennzeichnet? 4 Worin liegt Luthers Bedeutung für die deutsche Sprache? 5 Welche Literaturgattung begründet Luther? 6 Welche Form des Humanismus vertritt Ulrich von Hutten? 7 Welchen Vorbildern folgen die Humanistendramen?

1 Renaissance, Humanismus und Reformation erwachsen aus der Sehnsucht des Menschen nach geistiger und religiöser Erneuerung. Sie greifen gleichermaßen auf die antiken Quellen zurück: Die Renaissance orientiert sich an der römischen Kunst, der Humanismus erweckt die antiken Philosophen, Historiker und Dichter zu neuem Leben, die Reformation macht die Bibelübersetzung nach dem griechischen und hebräischen Urtext verbindlich.

2 *Erasmus von Rotterdam,* der bedeutendste Humanist, kommt aus der Schule der niederländischen „Brüder vom gemeinsamen Leben", deren mystische Laienfrömmigkeit bereits reformatorische Züge aufweist (devotio moderna). Er verbindet die Weisheit der Antike mit der Ethik des Christentums. Seine heitere Menschlichkeit, gepaart mit Skepsis und Ironie, sein Sinn für Maß und Harmonie, seine Toleranz und seine Feindschaft gegen dogmatische Enge stehen im Gegensatz zu den radikalen Forderungen der Reformatoren.

3 Der erste Humanistenkreis nördlich der Alpen sammelt sich am Hof Karls IV. in Prag um dessen Kanzler Johannes von Neumarkt nach 1350. Er steht unter dem Einfluß von Cola di Rienzo und Petrarca. Hier entstehen Übersetzungen lateinischer Schriftsteller und Sammlungen von Musterbriefen in

der böhmischen Kanzleisprache. Der ›Ackermann aus Böhmen‹ (s. S. 12) entstammt diesem Kreis. Etwa ein Jahrhundert später sammelt sich am Wiener Hof Friedrichs III. um dessen Sekretär Enea Silvio Piccolomini, den späteren Papst Pius II., eine Gruppe von Schriftstellern und Übersetzern. Dem Heidelberger Kreis gehören Wimpfeling, der Historiker und Schöpfer des ersten Humanistendramas, Reuchlin, der Verfasser der ersten hebräischen Grammatik, und der Dichter Celtis an. Der Nürnberger Kreis um Willibald Pirckheimer ist vorwiegend historisch interessiert. Aus dem Erfurter Kreis entstammen die sogenannten ›Dunkelmännerbriefe‹ von Crotus Rubeanus und Ulrich von Hutten. Der Wittenberger Kreis um Melanchthon ist reformatorisch und pädagogisch tätig. Der Augsburger Kreis um Peutinger beschäftigt sich vorwiegend mit der Geschichte.

4 *Luthers* Sprache ist das Meißnische, das aus Dialekten der Siedler aus dem nieder-, mittel- und oberdeutschen Raum entstanden ist. Diese Sprachform erfüllt er mit dem Geist, dem Wortschatz, der Anschaulichkeit und Schlichtheit der Volkssprache und wird durch Bibelübersetzung und reformatorische Schriften (›Von der Freiheit eines Christenmenschen‹ u. a.) zum Wegbereiter der neuhochdeutschen Schriftsprache. Er prägt viele neue Wörter und Begriffe (z. B. Feuereifer, Lückenbüßer, Mördergrube), Redensarten (z. B. das tägliche Brot), bildhafte Gleichnisse (z. B. seine Hände in Unschuld waschen) sowie eine Fülle von Sprichwörtern (u. a. Unrecht Gut gedeiht nicht) und geflügelten Worten.

5 Luther gilt als der Schöpfer des evangelischen Kirchenlieds, das die aktive Beteiligung der Gemeinde am Gottesdienst ermöglicht. Als Nachdichtungen lateinischer Hymnen (›Mitten wir im Leben sind mit dem Tod umfangen‹), angeregt durch Psalmen (›Aus tiefer Not schrei ich zu dir‹, ›Ein feste Burg ist unser Gott‹) oder in volksliedhafter Form (›Vom Himmel hoch, da komm ich her‹) dichtet er 41 Lieder.

6 Der fränkische Ritter *Ulrich von Hutten,* der in Köln, Erfurt, Padua und Bologna studiert hat und zeitlebens ein rastloses Wanderleben führt, ist der Wortführer des aktiv-politisch-patriotischen Humanismus. Er bekämpft Papsttum und römische Kirche und propagiert ein nationales, geeintes Deutschland unter einem mächtigen Kaiser. Nach Luthers Vorbild schreibt er auch deutsch. In seinem satirischen ›Gesprächsbüchlein‹ prangert er kirchliche Mißstände an.

7 Die Dramatiker des Humanismus knüpfen an die Dramen von Terenz, Plautus und Seneca an, denen sie die Kunst des Aufbaus, die Einteilung in Akte und Szenen, die Umrahmung des Stücks durch Prolog und Epilog entnehmen. Die neuen Dramen sollen den Geist des Humanismus und die lateinische Sprache verbreiten. Besonders das Schultheater an Gymnasien dient diesem ethisch-didaktischen Zweck.

14 Meistersang – Schwank – Satire – Volksbuch – Volkslied

Die Literatur des ausgehenden Mittelalters und der beginnenden Neuzeit ist fast ausschließlich eine Literatur des Stadtbürgertums. Die Bürger, die durch Handel und Gewerbefleiß wohlhabend werden und innerhalb ihrer mauerbewehrten Städte gotische Dome und Rathäuser bauen, drängen auch in der Literatur nach eigenen Ausdrucksformen. Die Unsicherheit des Lebensgefühls dieser Epoche spiegelt sich in einer Vielfalt der Literaturgattungen. Minnesang und höfische Spruchdichtung finden im zunftmäßig organisierten Meistersang biederer Handwerker ihre Nachahmung. Aus den Ritterepen entwickeln sich die Volksbücher, d. h. unterhaltende Prosaerzählungen. Schwanksammlungen und Fastnachtsspiele dienen ebenfalls der Unterhaltung. Eine reichhaltige satirische Literatur geißelt die Mißstände der Zeit und die Torheit der Menschen.

Hans Sachs, 1494–1576

Sebastian Brant: Das Narrenschiff, 1494

Das Volksbuch vom Eulenspiegel, 1515

Jörg Wickram: Rollwagen-Büchlein, 1555

Historia von D. Johann Fausten, 1587

---

1 Was wissen wir über die Entstehung des Meistersangs? 2 Was verstehen wir unter der „Tabulatur"? 3 Welche Rangfolge ist bei den Meistersingern üblich? 4 Welches sind die Merkmale des Meistersangs? 5 Wodurch ist der Schwank gekennzeichnet? 6 Welches Thema gestaltet Sebastian Brant in seinem ›Narrenschiff‹? 7 Was wissen wir über Leben und Schaffen von Hans Sachs? 8 Wie entstehen die Bezeichnungen Volksbuch und Volkslied? 9 Welches sind die Quellen der Volksbücher?

1 Der Meistersang, die Kunstform städtischer Zunfthandwerker, hat seinen Ursprung in den kirchlich organisierten Singbruderschaften, die bei Prozessionen und Feiern auftraten und jährlich zweimal Wettsingen in der Kirche veranstalteten. Die Fahrenden vermittelten ihnen die Kenntnis der Formen höfischer Lyrik. Die Zurückführung des Meistersangs auf die 12 Meister (Reinmar, Walther, Wolfram, Neidhart usw.) ist spätere Erfindung. Seine Blüte erlebt der Meistersang um 1500 in Nürnberg.

2 Die Tabulatur ist das Regelbuch des Meistersangs (älteste Tabulatur 1493 in Straßburg). Sie enthält Vorschriften für Sprache, Reim und Vortrag der Dichtungen. Die Einhaltung dieser Regeln wird von „Merkern" überwacht. Ursprünglich erlaubt die Tabulatur nur die 12 Töne der alten Meister. Erst unter Hans Folz (von 1479 bis zu seinem Tode 1515 in Nürnberg) dürfen eigene Töne erfunden werden.

3 Der „Schüler" erlernt die Regeln der Tabulatur; der „Schulfreund" beherrscht sie. Wer ein fremdes Lied vortragen kann, ist „Singer", wer ein

eigenes Lied nach einem überlieferten Ton darbietet, gilt als „Dichter". Am höchsten steht der „Meister", der zum eigenen Text eine eigene Melodie, d. h. einen neuen Ton, erfindet.

4 Der Meistersang ist eine handwerklich-pedantische Kunstform nach äußeren schulmäßigen Regeln, der Ursprünglichkeit und Natürlichkeit fehlen. Auch inhaltlich herrscht trockene Lehrhaftigkeit vor.

5 Als Schwank wird die dramatische oder epische Darstellung einer komischen Begebenheit bezeichnet. Die Verspottung eines Dummen durch einen Gerissenen ist ein häufiges Motiv. Die Charaktere sind meist nur typenhaft angedeutet; die Handlung ist ohne Rücksicht auf Wahrscheinlichkeit gestaltet. Die bekanntesten Schwänke stammen von *Hans Sachs* und *Jörg Wickram* (›Rollwagen-Büchlein‹).

6 *Sebastian Brant* führt in seinem ›Narrenschiff‹ 112 Narrentypen (Bücher-, Buhl-, Kleider-, Spiel- und Habsuchtsnarren usw.) vor, die auf einem Schiff nach Narragonien segeln. Indem er das menschliche Leben als eine gedankenlose Schiffsreise mit ungewissem Ausgang darstellt, will er seinen Mitmenschen in einem moral-satirischen Weltspiegel alle Gebrechen, Fehler und Sünden unter dem einheitlichen Begriff der Narrheit vor Augen stellen. Dabei sind Zeitkritik und Sündenschelte oft untrennbar miteinander verbunden. Durch die Personifizierung der Laster und durch eindrucksvolle Holzschnitte wird große Anschaulichkeit erreicht. Das Werk begründet die sogenannte Narrenliteratur mit eigenen Themen und Motiven, die zwei Jahrhunderte blüht. Von seinen Zeitgenossen wird Brant neben Homer, Dante und Petrarca gestellt.

7 *Hans Sachs,* der Zeitgenosse Albrecht Dürers und Peter Vischers, wird in Nürnberg als Sohn eines Schneiders geboren. Nach dem Besuch der Lateinschule erlernt er das Schuhmacherhandwerk; der Leinenweber Nunnenbeck führt ihn in die Kunst des Meistersangs ein. Nach einigen Jahren der Wanderschaft durch Süddeutschland läßt er sich in seiner Vaterstadt nieder und entfaltet reiche literarische Tätigkeit. Er verfaßt über 4000 Meisterlieder, über 1500 Schwänke und etwa 200 dramatische Werke. Im Alter von 82 Jahren stirbt er.

8 Im Sturm und Drang und in der Romantik entwickelt sich die Auffassung vom dichtenden Volksgeist, der sich im Volksbuch, Volkslied, Volksmärchen usw. manifestiere (daher der Name „Volks..."). Heute nehmen wir an, daß auch Volkslieder und Volksbücher auf einzelne Verfasser zurückgehen.

9 Die Quellen der Volksbücher sind hochmittelalterliche Epen, französische Chansons de geste, französische Liebesnovellen, lateinische Heiligenlegenden, antike Sagen und Tierdichtungen. Auch zeitgenössische oder historische Persönlichkeiten wie Till Eulenspiegel und Dr. Faust können im Mittelpunkt stehen. Schwänke oder Magier- und Sagenmotive werden auf sie übertragen.

15 Europäische Tradition:
Klassische Dichtung Spaniens, Englands und Frankreichs

Während Deutschland im Zeitalter der Reformation und Gegenreformation von Glaubenskämpfen beherrscht wird, erreichen Spanien unter Philipp III. und Philipp IV., das elisabethanische England und Frankreich unter Richelieu und Ludwig XIV. Höhepunkte ihrer Literatur. Der Barock ist die große Epoche des Dramas. Lope de Vega, Calderon, Shakespeare, Corneille, Racine und Molière schaffen in den Hauptstädten ihrer Länder die bedeutendsten Werke des europäischen Theaters in dieser Zeit. Auch der Roman erlebt eine Blütezeit. Wie das politische Schicksal des Heiligen Römischen Reiches Deutscher Nation weitgehend durch die großen Mächte bestimmt wird, so steht auch seine Dichtung unter ausländischem Einfluß.

Cervantes, 1547–1616	Corneille, 1606–1684
Lope de Vega, 1562–1635	Racine, 1639–1699
Calderon de la Barca, 1600–1681	Molière (eigentlich J. B. Poquelin), 1622–1673
Shakespeare, 1564–1616	

1 Was charakterisiert die Werke Lope de Vegas und Calderons? 2 Welche Romangattung wird in Spanien entwickelt? 3 Worin liegt die Bedeutung des ›Don Quijote‹ von Cervantes? 4 Wodurch sind Shakespeares Komödien, Tragödien, Königsdramen und Romanzen gekennzeichnet? 5 Wer vermittelt dem deutschen Publikum die englischen Dramen? 6 Wodurch unterscheiden sich die Tragödien Corneilles von denen Racines? 7 Welche menschlichen Eigenschaften macht Molière zum Thema seiner bekanntesten Komödien, und worin liegt seine Größe als Dichter?

1 *Lope de Vega* begründet das nationale spanische Theater. Etwa 500 seiner über 1500 Dramen sind erhalten. Tragik und Komik greifen in seinen handlungsreichen Komödien oft ineinander. *Calderon* ist der Schöpfer des psychologisch vertieften Ideendramas. Im ›Richter von Zalamea‹ gestaltet er den spanischen Ehrbegriff; im ›Standhaften Prinzen‹ triumphiert christliches Märtyrertum; der ›Wundertätige Magus‹ wird als spanischer Faust bezeichnet; die ›Dame Kobold‹ ist die glänzendste „Mantel- und Degenkomödie", ›Das Leben ein Traum‹ eine großartige Darstellung der Eitelkeit des Irdischen. Seine Zeitgenossen schätzten besonders seine „Autos sacramentales", d. h. einaktige Spiele zur Verherrlichung kirchlicher Feste, besonders der Fronleichnamsfeier. ›Das große Welttheater‹ wird noch heute aufgeführt. Die Wirkung Calderons auf die Nachwelt ist bedeutend. Goethe schätzte ihn hoch. Manche Romantiker stellten ihn über Shakespeare.

2 In Spanien begründet der anonyme ›Lazarillo de Tormes‹ (1554) den Schelmenroman. Picaro (span. = Schelm), der Held des Romans, ist der Typ des schlauen Betrügers, der sich allen Gegebenheiten anzupassen weiß und die Dummheit der Menschen ohne moralische Bedenken ausnützt.

3 *Cervantes'* ›Don Quijote‹ ist zunächst eine Satire auf die abenteuerlichen Rittergeschichten und zugleich ein Kulturbild des zeitgenössischen Spaniens. In dem Werk wird aber auch der Kampf des Idealisten mit der Wirklichkeit dargestellt. Die beiden Hauptfiguren, der Ritter von der traurigen Gestalt und der bäuerlich schlaue Sancho Pansa, werden heute als Symbol des Dualismus der spanischen Seele angesehen.

4 *Shakespeares* frühe Komödien sind von Plautus und Lyly beeinflußt, Verwechslungsstücke (›Komödie der Irrungen‹, ›Zwei Herren aus Verona‹, ›Verlorene Liebesmüh‹); seine romantischen Lustspiele (›Sommernachtstraum‹, ›Viel Lärm um nichts‹, ›Wie es euch gefällt‹, ›Was ihr wollt‹) leben aus dem Gegensatz von romantischer und realer Welt; in seinen letzten Komödien (›Ende gut, alles gut‹, ›Maß für Maß‹) klingt bereits Tragik an. In seinen Tragödien gestaltet er jeweils eine Leidenschaft – in ›Othello‹ die Eifersucht, in ›Macbeth‹ den Ehrgeiz, in ›König Lear‹ die Hybris, in ›Hamlet‹ den Weltschmerz – und zeigt, wie die Helden am Schein der Welt scheitern. Seine Historien sind vom Glauben an das Königtum und an die Tugenden als ordnende Mächte im Staat bestimmt. Seine letzten Dramen, die Romanzen ›Cymbeline‹, ›Wintermärchen‹ und ›Sturm‹ sind Visionen einer Welt der Versöhnung und Humanität.

5 Bereits im 17. Jahrhundert spielen in Deutschland englische Komödiantengruppen auf Marktplätzen und an Fürstenhöfen die Stücke Marlowes, Shakespeares und anderer englischer Dichter. Wieland übersetzt Shakespeares Dramen in Prosa; von A. W. von Schlegel und Ludwig Tieck stammt die erste, bis heute anerkannte Versübersetzung.

6 In *Corneilles* Tragödien stehen Ehre, Würde und Ruhm im Mittelpunkt. Das Handeln der Helden wird nicht durch Liebe und Leidenschaft bestimmt, sondern durch Vernunft, Seelenstärke, Willenskraft und Selbstüberwindung. Corneille ist der Begründer des nach strengen Regeln gebauten klassischen französischen Dramas. – *Racine* ist der Dichter der Leidenschaft und deren Überwindung. In ›Andromaque‹ gestaltet er das Thema der unerwiderten Liebe, in ›Bérénice‹ den Konflikt zwischen Liebe und Staatsräson; ›Iphigenie en Aulide‹ folgt dem gleichnamigen Stück des Euripides; ›Phèdre‹ gilt als sein vollkommenstes Werk.

7 *Molière*, der Schöpfer der modernen Charakterkomödie, prangert Schwächen und Torheiten seiner Zeit und zugleich der Menschen überhaupt an: Scheinheiligkeit und Heuchelei (›Tartuffe‹), Menschenhaß und Weltverachtung (›Misanthrope‹), Geiz, Lüge, Erbschleicherei, Schöngeisterei usw. entlarvt er schonungslos. Sein Reichtum der Phantasie, seine tiefe Welt- und Menschenkenntnis, seine lebendige Menschengestaltung und seine Beherrschung der „Poesie des Komischen" machen ihn zu einem der größten Dramatiker.

Die ursprünglich nur für die bildende Kunst des 17. Jahrhunderts gebräuchliche Bezeichnung „Barock" (port. barocco = unregelmäßige, schiefe Perle) wird heute auch für die durch Gegenreformation und Absolutismus bestimmte Epoche der Literatur und Musik verwendet. Sie drückt in allen Kunstbereichen die Abkehr von den klaren, harmonischen Formen der Renaissance aus und die Vorliebe für Schmuck, Bewegtheit und Üppigkeit. Martin Opitz will in Anlehnung an antike, italienische, französische und niederländische Dichtungstheorien eine den ausländischen Vorbildern ebenbürtige deutsche Dichtung schaffen. Seine Regeln genießen bis zu Gottsched fast allgemeine Gültigkeit.

Opitz: Buch von der deutschen Poeterey, 1624
Bidermann: Cenodoxus, 1602
Gryphius, 1616–1664
Fürst Ludwig von Anhalt-Köthen gründet die „Fruchtbringende Gesellschaft" in Weimar, 1617   Gründung des „Pegnesischen Blumenordens" in Nürnberg (Harsdörffer), 1644

---

1 Welcher Gesellschaftsschicht gehören Dichter und Publikum der Barockzeit an?   2 Welche Ziele verfolgen die Sprachgesellschaften?   3 Welches sind die Hauptgedanken des ›Buches von der deutschen Poeterey‹ von Opitz?   4 Für welche Dichtungsgattungen wird Opitz als Übersetzer der Wegbereiter?   5 Wodurch ist das Jesuitentheater gekennzeichnet?   6 Welche Themen gestaltet Gryphius in seinen Dramen?

1   Die Dichter des Barocks sind meist an Gymnasien und Universitäten gebildete Beamte sowie Professoren und Geistliche. Sie erfreuen sich an den Höfen der Gunst fürstlicher Mäzene und gehören gelehrten Gesellschaften an, in denen sich Geistes- und Geburtsaristokratie im Bemühen um Pflege und Förderung der Sprache und Dichtung zusammenfinden. In einigen Städten, besonders in Nürnberg, Hamburg und Königsberg, entsteht eine bürgerliche Barockdichtung. Da Gelehrsamkeit und Formbeherrschung die Voraussetzungen dieser Dichtung bilden, wird sie nur von dem kleinen Kreis der Gebildeten gelesen und verstanden.

2   Die deutschen Sprachgesellschaften (Fruchtbringende Gesellschaft, Königsberger Kürbishütte, Pegnitzschäfer usw.) bemühen sich um die Pflege von Sprache und Dichtung. Die Reinigung der Sprache von Fremdwörtern, Dialektausdrücken und Grobianismen, Übersetzungen ausländischer Dichtungen als Vorbilder und Erörterung poetischer Probleme sind ihre Hauptziele. Die Dichtungen, die hier entstehen, sind stark intellektuell bestimmt und zeigen kunstvolle Formbeherrschung.

3   Im ersten Teil seines ›Buches von der deutschen Poeterey‹ schreibt *Opitz* über Wesen und Aufgabe der Dichtung. Obwohl er die natürliche Begabung

des Dichters nicht in Frage stellt, sieht er doch im Studium der antiken Poesie und in der Beherrschung der Formen die wichtigste Voraussetzung dichterischen Schaffens. Im zweiten Teil kennzeichnet er die Dichtungsgattungen (z. B. darf die Tragödie nur von Standespersonen handeln, die Komödie nur von schlichten Leuten) und fordert Reinheit der Sprache von Fremdwörtern sowie Klarheit, Eleganz, Reichtum des Ausdrucks durch Bilder, Lautmalereien und sinnvolle Wortzusammensetzungen. In der Metrik verlangt er die Übereinstimmung von Wortbetonung und Versakzent. Als Verse sollen nur Jamben und Trochäen verwendet werden; in der Verszeile bevorzugt er den Alexandriner.

4 Mit der Übersetzung (1626) von John Barclays politisch-allegorischem lateinischen Roman ›Argenis‹ schafft Opitz ein Vorbild für den Staatsroman und heroisch-galanten Roman. Die Übertragung (1640) von Sir Philip Sidneys Schäferroman ›Arcadia‹ verbreitet die Schäferdichtung in Deutschland. Seine nach italienischen Vorbildern geschaffene ›Dafne‹ wird in der Vertonung von Schütz zur ersten deutschen Oper. Durch die Übersetzung von Senecas ›Troerinnen‹ (1625) und der ›Antigone‹ (1636) des Sophokles (s. S. 1) wird die antike Tragödie ein Vorbild für das deutsche Drama.

5 Der Jesuitenorden, der Vorkämpfer der Gegenreformation, verkündet seine Botschaft nicht nur von den Kanzeln und Kathedern, sondern auch auf dem Theater. In prunkvollen Inszenierungen werden Märtyrer und Heilige dargestellt, die ihr irdisches Glück um ihres ewigen Heils willen opfern. Bekehrungen, Erleuchtungen und Wandlungen von Weltmenschen zu Gottesdienern zeigen den Triumph der Kirche. Im Sturz großer Herrscher, Krieger und Gelehrter werden Eitelkeit der Welt und göttliches Gericht deutlich. Das Jesuitentheater, das sich immer der lateinischen Sprache bedient, ist eigentlich religiöse Bekehrungsanstalt. *Bidermanns* ›Cenodoxus‹, die Geschichte des heuchlerischen Doktors von Paris, der zur Hölle fährt, weil es ihm an Demut fehlt, ist das bekannteste Jesuitendrama.

6 In seinen Trauerspielen stellt *Gryphius* Helden dar, die sich durch Beständigkeit bei allen Schicksalsschlägen bewähren. In ›Katharina von Georgien‹ (1657) erleidet die Titelheldin den Märtyrertod, weil sie als Christin nicht Gattin des Schahs von Persien werden will; Papinianus (›Sterbender Aemilius Paulus Papinianus‹, 1659) opfert lieber sich selbst und seinen Sohn, als daß er einen Mord des Kaisers juristisch rechtfertigt; ›Carolus Stuardus‹ (1657) schildert die unerschütterliche Haltung Karls I. von England vor der Hinrichtung. ›Cardenio und Celinde‹ (1657) ist eine Liebes- und Intrigengeschichte in bürgerlichem Milieu, ein Vorläufer des bürgerlichen Trauerspiels. Die wertvolleren Lustspiele des Gryphius zeigen wie ›Horribilicribrifax‹ (1663) an der Großmäuligkeit zweier Offiziere die Fragwürdigkeit einer Scheinwelt; in ›Absurda comica oder Herr Peter Squentz‹ (1658) werden theaterspielende Kleinbürger verspottet, und ›Die geliebte Dornrose‹ (1661) stellt die treue Liebe eines ländlichen Paares dar.

Die Dichtung des Barocks ist durch starke Gegensätze und Spannungen geprägt. Lebenslust steht neben Todesangst, Weltbejahung neben Vergänglichkeitsbewußtsein und Weltverachtung. Der Grundzug vieler Dichtungen dieser stark religiös bestimmten Zeit ist die Erfahrung der Nichtigkeit alles Irdischen, die besonders durch die Schrecken des Dreißigjährigen Krieges immer wieder spürbar wird. „Überall klaffen jetzt Abgründe auf – zwischen Gott und Welt, Ewigkeit und Zeitlichkeit, Seele und Leib, Tod und irdischem Glück, Askese und Weltlust, Wissen und Glauben" (Martini). In mystischem Erkenntnisdrang sucht Jakob Böhme die Gegensätze zu überbrücken und das Wesen Gottes zu erfassen.

Moscherosch:	Gesichte Philanders von Sittewald, 1640/43
Paul Gerhardt:	Geistliche Andachten, 1667
Grimmelshausen:	Simplizissimus, 1669
Angelus Silesius:	Der cherubinische Wandersmann, 1674
Christian Reuter:	Schelmuffsky, 1696
J. Chr. Günther:	Gedichte (postum), 1724

1 Welche deutsche Landschaft wird im Barock zum Mittelpunkt der Dichtung? 2 Welche ausländischen Stileinflüsse sind in der deutschen Barockliteratur wirksam? 3 Wodurch ist die Barocklyrik gekennzeichnet? 4 Wie entwickelt sich das protestantische Kirchenlied? 5 Welche Gattungen des Barockromans unterscheiden wir? 6 Worin liegt die Bedeutung des ›Abenteuerlichen Simplizissimus‹ von Grimmelshausen? 7 Welche Zeiterscheinung geißelt die Barocksatire besonders?

1 Schlesien wird im Barock zum Zentrum der Literatur. In den von den Habsburgern beherrschten, aber vorwiegend von Protestanten besiedelten Territorien durchdringt sich die spanisch-italienische Welt der Gegenreformation mit dem lutherischen Erbe und dem Calvinismus, den viele schlesische Dichter (Opitz, Gryphius, Silesius u. a.) während ihres Studiums in Leyden kennengelernt haben. Die Spannungen zwischen diesen geistig-religiösen Strömungen befruchten die Dichtung.

2 In der Liebeslyrik ist der Petrarkismus mit seinem Liebespreis in festen Motiven (Beschreibung körperlicher Schönheit) wirksam. Aus Spanien kommt der Gongorismus (nach Luis de Góngora), der durch gekünstelte Wendungen, kühne Wortbildungen, Metaphern und Wortspiele gekennzeichnet ist und dem Marinismus (nach Giambattista Marino), dem italienischen Schwulststil, und dem englischen Euphuismus (nach John Lylys ›Euphues‹) mit seiner Häufung überladener Bilder und mythologischer Anspielungen nahesteht.

3 In der Barocklyrik verbinden sich humanistische und spielerisch-artistische Elemente zu Gedichten, die weniger Ausdruck persönlicher Empfindung

sind als vielmehr ein Variieren bekannter Motive unter Beachtung strenger poetischer Regeln. Eine Reihe von Barockdichtern hat Überzeitliches geschaffen: *Flemings* Gedichte zeigen Ergriffenheit und lebendige Erfahrung; der Königsberger *Simon Dach* findet schlichte, innige Töne; der Jesuit *Friedrich von Spee* lobt Gott mit mystischer Inbrunst in den Formen der Schäfer- und Liebeslyrik; *Angelus Silesius* überwindet die barocke Spannung durch die unio mystica; *Andreas Gryphius* dichtet unter dem Eindruck von Krieg und Zerstörung über Tod und Vergänglichkeit. Die Lyrik des früh verstorbenen *J. Ch. Günther* weist schon durch seelische Erschütterung und Ergriffenheit auf Goethe hin.

4 Aus dem Kirchenlied Luthers, einer kraftvollen Gemeinschafts- und Bekenntnisdichtung, wird im Barock das innige Andachtslied, das durch tiefe Glaubenserfahrung geprägt ist. Der bedeutendste protestantische Dichter ist *Paul Gerhardt* (›Wach auf, mein Herz und singe‹ — ›Befiehl du deine Wege‹ — ›O Haupt voll Blut und Wunden‹).

5 Der heroisch-galante Roman ist Lieblingslektüre der vornehmen Gesellschaft. Meist steht ein fürstliches Liebespaar im Mittelpunkt, dessen Treue durch ein launisches Schicksal erprobt wird. Die vielfach verschlungene Handlung spielt oft in fernen Ländern und Zeiten: ›Die Durchleuchtige Syrerinn Aramena‹ (1669/73) von Herzog *Anton Ulrich von Braunschweig*, ›Arminius‹ (1689) von *Lohenstein*, ›Die asiatische Banise‹ (1689) von *Zigler*. — Der Schäferroman spielt in einer idyllisch-heiteren Traumwelt mythologischer Hirtengestalten. — Der Schelmenroman ist das Gegenstück zum heroisch-galanten Roman. Der Held führt in einer illusionslosen Wirklichkeit ein unheroisches Abenteurerleben. Not, Elend, Laster, Betrug und Verbrechen werden in locker gereihten Episoden in der Ichform dargestellt.

6 Der ›Simplizissimus‹ von *Grimmelshausen*, die Geschichte eines einfältigen Bauernjungen, der Heimat und Eltern verloren hat und als Spielball eines wechselvollen Schicksals die Schrecken des Krieges, Abenteuer, Liebschaften, Reichtum, Krankheit und Not erlebt und erleidet und am Ende demütig der Welt entsagt und sich als Einsiedler zurückzieht, ist durch die realistische Zeitschilderung und die Tiefe der Weltsicht eine der bedeutendsten Dichtungen des Barocks. Die Welt ist Tummelplatz von Zufall und Eitelkeiten. Die Kluft zwischen Diesseits und Ewigkeit wird nicht überbrückt. Nach dem Erlebnis der vanitas bleiben nur Weltflucht und Hinwendung zu Gott.

7 Die Barocksatire wendet sich gegen alle Torheiten und Schwächen der Zeit. *Logau* geißelt in seinen Epigrammen besonders das Alamodewesen, d. h. die Überfremdung deutscher Sprache und Sitte, sowie Heuchler- und Kriechertum und Prunksucht. Auch *Moscheroschs* ›Gesichte Philanders von Sittewald‹ (1643) kritisiert Ausländerei und Sprach- und Kulturverfall. *Reuters* ›Schelmuffskys wahrhaftige kuriöse und sehr gefährliche Reisebeschreibung‹ ist eine satirische Lügengeschichte, die Abenteuer- und Reiseromane der Zeit karikiert.

Vorbereitet durch das Werk des französischen Philosophen Descartes, des Begründers des modernen Rationalismus, ergänzt durch die Philosophie und Psychologie der Engländer Locke und Hume und wesentlich bestimmt von dem Weltbild des deutschen Philosophen Leibniz, wird die Aufklärung zu der geistigen Bewegung, die dem 18. Jahrhundert das Gepräge gibt. Logisches Vernunftdenken und eine dem Diesseits zugewandte selbstbewußte Wissenschaft lassen die Welt als ein Wunderwerk der Schöpfung erscheinen, in der sich der Mensch mit Hilfe seiner geistigen Fähigkeiten behaupten und entfalten kann. Scheinbar im Gegensatz zur Aufklärung entwickelt sich der Pietismus. Sein Begründer, der Elsässer Spener, meint, nur eine aus dem Gefühl lebende Frömmigkeit sei Prüfstein echten Glaubens, nicht enge Bindung an Dogmen und Lehrsätze. Die Bemühungen Gottscheds und der Schweizer Bodmer und Breitinger um die Dichtung sind vor diesem geistigen Hintergrund ebenso zu verstehen wie die spielerisch anmutige Kunst der Anakreontik. Schließlich bringt das literarische Rokoko eine Verbindung zwischen barocker Überlieferung, rationaler Erfahrung und gefühlvoller Bejahung der Welt.

Gottsched: Versuch einer Critischen Dichtkunst vor die Deutschen, 1730

Bodmer: Critische Abhandlung von dem Wunderbaren in der Poesie, 1740

Breitinger: Critische Dichtkunst, 1740

Gellert: Fabeln und Erzählungen, 1746/48

Wieland: Geschichte des Agathon, 1766/67   Oberon, 1780

---

1 *Welche Ziele setzt sich die Dichtung der Aufklärung?* 2 *Wie sucht Gottsched das deutsche Drama zu reformieren? Wie ist sein Wirken zu beurteilen?* 3 *Worin besteht vor allem der Gegensatz zwischen den Schweizern (Bodmer, Breitinger) und Gottsched?* 4 *Wie zeigen sich die wesentlichsten geistigen Elemente der Epoche in a) Lyrik, b) Drama, c) in der epischen Dichtung?* 5 *Warum kann man Wieland als den Vollender des deutschen literarischen Rokokos bezeichnen?*

1 Die Dichtung der Aufklärung soll den Gesetzen der Vernunft folgen, belehren und erheitern. Sie wendet sich an den Verstand, strebt nach Klarheit und Einfachheit, vermeidet alles Phantastische und Unwahrscheinliche.

2 *Gottsched* will das Theater von allem ‚barocken Schwulst' reinigen, von allen Geschmacklosigkeiten befreien. Jede Unwahrscheinlichkeit ist verpönt. Er verlangt genaue Beachtung der aristotelischen Einheiten der Handlung, des Ortes und der Zeit und empfiehlt, die großen französischen Dramatiker Racine und Corneille nachzuahmen. Um ein Beispiel zu geben, schreibt er selbst die Tragödie ›Sterbender Cato‹ (1732) und vertreibt mit

Hilfe der Neuberin, der Prinzipalin einer bekannten Schauspielertruppe, den Hanswurst von der Bühne.

Trotz aller Mängel – sie erregten besonders die Kritik Lessings – muß Gottscheds Leistung als Reformer und Organisator anerkannt werden. Er gewinnt die Gebildeten für das Theater.

3 Das Vorbild der Schweizer ist Miltons ›Paradise Lost‹ (1667), das *Bodmer* ins Deutsche übersetzt. Im Gegensatz zu Gottsched stellen er und *Breitinger* das Wunderbare und damit Einbildungskraft und Phantasie in den Mittelpunkt. Neben dem Verstand soll die Dichtung auch das Gemüt ansprechen.

4 a) Lyrik: Die ganz auf das Diesseits bezogene, oft lehrhafte Haltung der Aufklärung spricht aus dem Werk des Hamburger Senators *Brockes* (›Irdisches Vergnügen in Gott‹, 1721/48), aber auch aus dem Gedicht ›Die Alpen‹ (1732) des Schweizer Arztes *von Haller* und der gefühlvollen Beschreibung der Natur in ›Der Frühling‹ (1749) des preußischen Offiziers *Ewald von Kleist*. Weltmännisch-elegante Sprach- und Lebenskunst zeichnen die Lieder *Hagedorns*, spielerischer Witz und geistreiche Distanz die Gedichte (Lieder, Romanzen) *Gleims* aus. Nach dem Vorbild des griechischen Dichters Anakreon besingen sie eine Welt ohne Sorgen: Hauptthema sind Wein und Liebe (Anakreontik).

b) Drama: Unter dem Einfluß des großen französischen Lustspieldichters Molière entstehen Komödien, in denen menschliche Schwächen und Laster entlarvt und verspottet werden. Hauptvertreter dieser Richtung, der sächsischen Typenkomödie, sind *Johann Elias Schlegel:* ›Die stumme Schönheit‹ (1761/70) und *Gellert:* ›Die Betschwester‹ (1745), ›Die kranke Frau‹ (1747); aber auch Lessing und Goethe stehen zunächst noch in dieser Tradition.

c) Epik: *von Hallers* Romane verbinden barocke Stoff-Fülle mit dem pädagogischen Anliegen der Aufklärung; ›Die Insel Felsenburg‹ (›Wunderliche Fata einiger Seefahrer, absonderlich Alberti Julii, eines gebohrnen Sachsens … auf der Insel Felsenburg‹, 1731/43), Johann Gottfried *Schnabels* hat, wie schon ihre Abhängigkeit von Defoes ›Robinson Crusoe‹ zeigt, ein ähnliches Ziel. Wieland vollendet das literarische Rokoko (s. 5.) im Bereiche der epischen Poesie. Dagegen sind *Gellerts* Fabeln und Erzählungen literarisch viel bedeutsamer als sein Roman ›Leben der schwedischen Gräfin von G…‹ (1747f.): Sie machen ihn zum „Präzeptor Germaniae", zu einer Autorität auf dem Gebiete der Kunst, der Moral und des Geschmacks.

5 *Wielands* ›Komische Erzählungen‹ (1765) sind vollendete Rokoko-Dichtung: Anmut und Witz prägen Sprache und Inhalt und ermöglichen eine Einheit von Form und Gehalt. Wielands ›Geschichte des Agathon‹ ist der erste deutsche Bildungsroman. Er zeigt, wie Gefühl und Sinnlichkeit in einer natürlichen, vernünftigen Humanität harmonischen Ausgleich finden. In dem Versepos ›Oberon‹ erzählt Wieland die Geschichte Huons und Rezias, die mit Hilfe Oberons ihre Liebe in allen Gefahren bewahren. Eine märchenhaft-phantastische Welt wird graziös dargestellt.

Nüchternes Vernunftdenken (Gottsched) und zugleich Aufgeschlossenheit
für die Kräfte des Gefühls und der Phantasie (Pietismus, Bodmer) kennzeichnen die Dichtung im Zeitalter der Aufklärung. Klopstock, Winckelmann
und Lessing stehen in dieser Tradition, weisen jedoch zugleich über sie
hinaus: Im Werk Klopstocks verbinden sich Ergriffenheit der Seele und dichterisches Sendungsbewußtsein mit der Überzeugung des aufgeklärten Menschen, in der besten aller Welten zu leben. Winckelmann öffnet den
Zugang zur Welt der griechischen Kunst und erschließt damit einen für die
Entwicklung der deutschen Literatur entscheidenden Bereich. Lessing überwindet mit den geistigen Waffen der Aufklärung die Enge eines erstarrten
Rationalismus: Als Theoretiker und Kritiker versucht er, den Kunstgattun-
gen einen ihrem Wesen entsprechenden Ort zuzuweisen; gestützt auf die
Lehren des Aristoteles und das Vorbild Shakespeares, verhilft er dem deutschen Drama zu einer neuen dramaturgischen Grundlage; in seinen kritischen
und theologischen Schriften verteidigt er die geistige Freiheit des Menschen
gegen Angriffe fragwürdig gewordener Autoritäten.
Als Dichter gehört er zu den großen Gestalten der deutschen Literatur.

Klopstock:	Der Messias, Gesang 1–3, 1748 (vollendet 1773)
Winckelmann:	Gedancken über die Nachahmung der Griechischen Wercke in der Mahlerey und Bildhauerkunst, 1755
Lessing:	Briefe die Neueste Litteratur betreffend, 1759/65
	Laokoon, oder Über die Grenzen der Mahlerey und Poesie, 1766
	Hamburgische Dramaturgie, 1767/69
	Minna von Barnhelm, 1767
	Emilia Galotti, 1772
	Nathan der Weise, 1779

1 *Welches Ziel setzt sich Klopstock im ›Messias‹? Wie sucht er es zu erreichen?*
2 *Wodurch zeichnet sich Klopstocks Oden- und Hymnendichtung aus?*
3 *Wie sind seine dramatischen Versuche zu beurteilen?*   4 *Worauf beruht
die Bedeutung von Winckelmanns ›Gedancken über die Nachahmung der Griechischen Wercke in der Mahlerey und Bildhauerkunst‹?*

1 *Klopstock* will mit dem ›Messias‹ ein großes Epos schaffen, das sich mit
Homers Werk (s. S. 1) vergleichen kann. Er wählt hierfür den größten Gegenstand: Leben, Leiden und Erlösung Jesu (Vorbild: Miltons ›Paradise
Lost‹, 1667). Äußere Vorgänge treten zurück, seelische Ergriffenheit, Hingabe und Begeisterung schaffen immer neue Bilder von der Herrlichkeit
des Gottessohnes. Der Dichter wird zum vates, zum Seher, von dem Schiller
sagt, er ziehe „allem, was er behandelt, den Körper aus, um es zu Geist zu
machen". Glücksgefühl und Bejahung der Schöpfung treten an die Stelle

eines Pessimismus, der die Barockdichtung oft beherrscht (s. Gryphius, S. 16). – Klopstock verwendet den Hexameter und überwindet damit den Gebrauch des Alexandriners im Epos.

2 Themen wie Liebe und Freundschaft (›Das Rosenband‹, 1753/75; ›Der Zürchersee‹, 1750), Gott und Natur (›Dem Erlöser‹, 1751; ›Die Frühlingsfeier‹, 1759), Wesen der Dichtung (›An Freund und Feind‹, 1781/98) und Freiheit und Vaterland bilden die stoffliche Grundlage. Wesentlicher als klar erfaßbare Inhalte bleibt die Grenzenlosigkeit der Gefühlsbewegung: Auch in seinen Oden und Hymnen findet der Dichter immer neue Möglichkeiten des Ausdrucks seelischen Erlebens und kann so zu einem der großen Vorbilder Schillers, Goethes und Hölderlins werden.

Klopstock gibt den Endreim auf und bildet zunächst antike Vers- und Strophenformen nach; später folgen Oden in freien Rhythmen.

3 Die Themen in Klopstocks dramatischen Werken sind religiös-patriotisch (›Salomo‹, 1764; ›Hermanns Schlacht‹, 1769; ›David‹, 1772; ›Hermann und die Fürsten‹, 1784; ›Hermanns Tod‹, 1787). Hohe Gesinnung und starke Gefühlsbewegung lassen das dramatische Geschehen in den Hintergrund treten; eine Motivierung des Handelns im Sinne Lessings fehlt. Klopstock vermischt die Gattungen. Über die wesentlichen Vorgänge wird nur berichtet. Diese dramatischen Werke, die lyrische, vor allem aber epische Elemente enthalten, nennt der Dichter selbst (nach den irrtümlich als germanische Sänger betrachteten keltischen Barden) „Bardiete". Das in ihnen lebendige vaterländische Bewußtsein löst bei den Dichtern des „Göttinger Hain" und noch bei den Burschenschaften Begeisterung aus und weist auf Wagners Opern hin.

4 *Winckelmann* sieht in der Nachahmung der Griechen den einzigen Weg, eigene schöpferische Kräfte zu entfalten. „Edle Einfalt und stille Größe" sind Ausdruck einer Harmonie zwischen Körper und Geist. Das Kunstwerk wird zum Zeugnis eines in sich ruhenden Menschentums. Damit verlieren die übersteigerten Formen des Barocks ebenso ihre Bedeutung wie die sinnenfrohe, oft verspielte Dichtung des Rokokos. Die Beschäftigung mit der Kunst der Griechen erscheint jetzt nicht nur als Aufgabe der Fachgelehrten: Winckelmann schafft ein Menschenbild, das die Dichtung der deutschen Klassik entscheidend beeinflußt.

1764 wird die ›Geschichte der Kunst des Alterthums‹ veröffentlicht. Mit diesem Werk, in vielem eine Erweiterung und Vertiefung der in der Schrift von 1755 entwickelten Gedanken, begründet Winckelmann die modernen Altertumswissenschaften (vor allem die Archäologie).

Lessings dichterisches Werk muß in engem Zusammenhang mit seinen theo-
retisch-kritischen Schriften gesehen werden. Seine Fabeln, nach dem Vorbild des Aesop verfaßte Muster gedanklicher und sprachlicher Klarheit, sind
zugleich Anlaß von Abhandlungen über das Wesen dieser Gattung. Als Dramatiker steht Lessing zunächst unter dem Einfluß der sächsischen Typen-
komödie (z. B. ›Der junge Gelehrte‹, 1747), aber schon in der einaktigen
Tragödie ›Philotas‹ (1759) und noch deutlicher in ›Miss Sara Sampson‹
(1755) geht er eigene Wege. Untersuchungen wie ›Laokoon‹ und die ›Hamburgische Dramaturgie‹ schaffen die Voraussetzungen für ›Emilia Galotti‹
und ›Nathan der Weise‹ (s. S. 19).

*1 Wie beurteilt Lessing im 17. Literaturbrief Gottscheds Bemühungen um eine
Reform des deutschen Dramas?   2 a) Mit welchen Fragen setzt er sich im
›Laokoon‹, b) mit welchen in der ›Hamburgischen Dramaturgie‹ auseinander?
3 Warum wurde ›Minna von Barnhelm‹ zu einem der wirkungsvollsten Lust-
spiele?   4 Was kennzeichnet ›Emilia Galotti‹ als „bürgerliches Trauerspiel“?
Wie entfaltet sich der dramatische Konflikt?   5 Wie entstand ›Nathan der
Weise‹? Worin liegt seine Bedeutung?*

1 *Lessing* kritisiert Gottscheds Bemühungen, die deutsche Tragödie nach dem
Vorbild der Franzosen zu reformieren. Er weist dagegen auf Shakespeare
hin: Der geniale Engländer trage die von Aristoteles formulierten Regeln
in sich (s. 2.b), die die Franzosen nur mechanisch nachahmten. Da Shakespeare in seinen Dramen große Leidenschaften entfalte, fühlten sich die
Deutschen mehr durch ihn angesprochen als von Racine oder Corneille. Als
Beweis fügt Lessing ein angeblich altes, in Wirklichkeit von ihm selbst ver-
faßtes Dramen-Fragment der Sage von Dr. Faust bei. Er lenkt damit die
Aufmerksamkeit seiner Zeitgenossen auf diesen Stoff.

2 a) Angeregt durch die Schriften Winckelmanns, versucht Lessing, bildende
Kunst und Dichtung klar zu trennen. Die Malerei (im Sinne von „bildende
Kunst") stellt Formen und Körper mit Hilfe von Farben und Figuren räum-
lich nebeneinander dar; die Dichtung schildert Handlungen im Nacheinan-
der der Zeit. Mit Hilfe von zahlreichen Beispielen, vor allem der Laokoon-
Gruppe, wendet sich Lessing auch gegen die beschreibende Dichtung der
Aufklärungszeit; denn Räumlich-Statisches zu gestalten sei allein Aufgabe
der bildenden Kunst.

b) Zunächst als Kritik an Stücken und Schauspielern gedacht, wird die
›Hamburgische Dramaturgie‹ bald zu einer grundsätzlichen Erörterung über
das Wesen des Dramas. Lessing kommt, gestützt auf die Poetik des Aristoteles und nach entschiedener Absage an Gottsched und seine französischen
Vorbilder, zu folgenden Ergebnissen: Die Tragödie soll durch Erregung
von Mitleid und Furcht den Menschen von seinen Leidenschaften reinigen.
Das ist nur möglich, wenn Charakter und Handeln der dramatischen Gestalten übereinstimmen und das Geschehen so genau motiviert wird, daß es

sich als eine Kette von Ursachen und Wirkungen begreifen läßt. Von den drei Einheiten des Ortes, der Zeit und der Handlung ist nur die Einheit der Handlung bedeutsam, denn Ort und Zeit hängen nach den Gesetzen der Wahrscheinlichkeit von ihr ab.

3 ›Minna von Barnhelm‹ (1767) ist aus unmittelbarem Erleben (die Zeit nach dem Siebenjährigen Krieg) entstanden. Die Charaktere sind klar durchgezeichnet, nur die Randfiguren erinnern noch an die Typenkomödie. Eine sorgfältige Motivierung menschlichen Handelns trägt wesentlich zur dramatischen Wirkung bei: Charakterstärke läßt Major von Tellheim fast tragisch scheitern, die unerschütterliche Liebe Minnas rettet ihn. Eine witzig-scharfsinnige Sprache, die gleichzeitig die gesellschaftliche Stellung der Menschen erkennen läßt, durchsichtiger Aufbau und eine Mischung von Humor und Ernst zeichnen das Werk aus.

4 Lessing verlegt die Handlung in ›Emilia Galotti‹ an einen kleinen italienischen Hof. Anspielungen auf deutsche Verhältnisse sind trotzdem deutlich. Die Spannung zwischen den Forderungen eines allmächtigen Fürsten und den strengen Moral- und Ehrbegriffen der Familie Galotti trägt wesentlich zur Entfaltung des tragischen Konflikts bei. Die Exposition ist sorgfältig durchgeführt, die Handlung klar durchschaubar. Das Drama bietet jedoch mehr als ein rationales Rechenexempel: Emilia fordert den Vater auf, sie zu töten, weil sie fürchtet, der Verführungskraft des Prinzen zu erliegen. Die Gefährdung des Menschen durch Leidenschaften, die sich der Kontrolle des Verstandes entziehen, wird dadurch sichtbar.

5 Als Bibliothekar in Wolfenbüttel veröffentlicht Lessing 1774 die ›Fragmente des Wolfenbüttelschen Ungenannten‹ (Verfasser: der Philosoph Reimarus). Sie enthalten Angriffe gegen den Offenbarungsglauben und gegen die protestantische Orthodoxie und führen zu einer heftigen Auseinandersetzung zwischen dem Herausgeber und dem Hamburger Hauptpastor Goeze. Lessing muß die Fehde auf Anordnung seines Herzogs abbrechen, setzt sie aber in der Dichtung ›Nathan der Weise‹ fort.

Im Zentrum des Dramas, dessen Handlung zur Zeit der Kreuzzüge in Jerusalem spielt, steht die Boccaccios ›Decamerone‹ entliehene Ringparabel. Mit ihr zeigt Nathan, warum keine der drei großen Religionen allein im Besitze der Wahrheit sein kann. Der Tempelherr, zunächst fanatischer Kreuzritter, lernt durch die Liebe zu Recha und unter dem Einfluß der Persönlichkeit des Juden Nathan, tolerant zu denken. Saladin, der Vertreter des Islams, muß einsehen, daß echte Religiosität nur aus vorurteilsloser Menschlichkeit erwachsen kann. Schließlich erweist sich, daß die Idee der Toleranz stärker ist als alle religiösen, politischen und nationalen Schranken. Der ›Nathan‹ ist Vorbild des klassischen Ideendramas, das auch den von Lessing eingeführten Blankvers übernimmt.

In der Bewegung des Sturm und Drang (so genannt nach einem Drama von Maximilian Klinger mit dem ursprünglichen Titel ›Wirrwarr‹, 1776) empört sich eine junge Generation gegen die Herrschaft der Ratio und zugleich gegen die gesellschaftlichen und sozialen Verhältnisse im Zeitalter der Aufklärung. Gefühl und Phantasie sprengen die Fesseln einer reinen Verstandeskultur, die Freiheit des Individuums steht über Ordnungsprinzipien, die sich nur von der Vernunft herleiten.

Rousseau, Hamann und Herder wirken entscheidend auf das dichterische Schaffen junger Menschen ein, deren Werke zwar meist das Stadium des Revolutionären nicht überwinden und nach Form und Gehalt bruchstückhaft-unvollendet bleiben, deren großes Verdienst es aber ist, der Klassik den Weg bereitet zu haben.

Hamann:	Sokratische Denkwürdigkeiten, 1759
Herder:	Über die neuere Deutsche Litteratur, 1766 f
	Von deutscher Art und Kunst, 1773
Goethe:	Sesenheimer Lieder, 1770/71
	Prometheus, 1773/77
	Ganymed, 1774

1 Welche Aufgabe weist Hamann der Dichtung zu?   2 Worin liegt die Wirkung Herders begründet? Warum wird er zum „bedeutendsten Anreger der deutschen Geistesgeschichte" (Martini)?   3 Worauf beruht die literarische Bedeutung des „Göttinger Hain"?   4 Was kennzeichnet die Dichtung a) Bürgers und b) Schubarts?   5 Welche Stellung nimmt Goethes Jugendlyrik innerhalb der Sturm-und-Drang-Dichtung ein?

1 *Hamann* bezeichnet die Poesie als „die Muttersprache des Menschengeschlechts". Phantasie und Gefühl greifen weit über die „nüchterne Arbeit des Verstandes" hinaus. Aufgabe der Dichtung ist es, diese innere Welt, die Welt der Seele, in immer neuen Bildern lebendig zu machen. Damit erweist sich Hamann als entschiedener Gegner der Aufklärung.

2 Angeregt durch die Schriften Hamanns und tief beeindruckt von den 1760 veröffentlichten Gedichten des Kelten Ossian (geniale Fälschungen ihres Herausgebers, des jungen Schotten Macpherson), entdeckt *Herder* die poetische Kraft des Volksliedes (Sammlung: ›Stimmen der Völker in Liedern‹, ²1807). Er wendet sich der Geschichte zu und gewinnt die Überzeugung, daß jedes Volk ein Recht auf freie Entwicklung seiner Fähigkeiten habe und daß jede Kultur Ausdruck der sich im natürlichen und geschichtlichen Raum entfaltenden Kräfte sei. Die Auseinandersetzung mit Lessing und Shakespeare führt Herder zu einer neuen Auffassung vom Genie: Es hat die Fähigkeit, allem, was in der menschlichen Seele, in Natur und Geschichte wirkt, mit Hilfe eigener Schöpferkraft im dichterischen Wort Ausdruck zu ver-

leihen. Herder beeinflußt Dichtung, Geschichts- und Religionsphilosophie und Kunstbetrachtung, ohne selbst ein abgeschlossenes Werk zu hinterlassen.

3 Der *Göttinger Hain*, ein Freundschaftsbund junger Menschen, deren großes und schwärmerisch verehrtes Vorbild Klopstock ist, besingt Freundschaft und Liebe zu Natur und Vaterland. Er lenkt dabei den Blick auf einfache, dem Volkslied verwandte Dichtung, vor allem auf die volksliedhafte Ballade.

4 a) Gottfried August *Bürger* steht dem „Göttinger Hain" nahe. Unter dessen Einfluß und angeregt durch Ossian und die Sammlungen altenglischer Volkspoesie des englischen Bischofs Percy, wird er zum Schöpfer der modernen Ballade, die bewußt an die volkstümliche Tradition anknüpft (veröffentlicht 1778 und 1789; s. dagegen die Romanzen Gleims, S. 18!). In ›Lenore‹ verbinden sich unheimliche Spannung des Geschehens und eine ausdrucksstarke, von den Kräften des Gefühls getragene Sprache zu einer Einheit von Form und Gehalt. Weitere Balladen, wie ›Der wilde Jäger‹ und ›Das Lied vom braven Mann‹, bleiben noch lange bekannt.

b) Christian Daniel *Schubart* stellt in seinen Gedichten (Gesamtausgabe 1785; s. besonders ›Die Fürstengruft‹) die Freiheit des Individuums den Ansprüchen der Herrschenden entgegen, die er rücksichtslos angreift. Die sozialen und revolutionären Tendenzen des Sturm und Drang treten damit klar zutage. (Der Dichter mußte 10 Jahre seines Lebens als Gefangener des Herzogs von Württemberg auf dem Hohenasperg verbringen.)

5 In *Goethes* Jugendlyrik finden alle Strömungen der Geniezeit Ausdruck und Vollendung zugleich. Die ›Sesenheimer Lieder‹ — entstanden aus der Begegnung des Dichters mit Friederike Brion, Pfarrerstochter in Sesenheim bei Straßburg — stellen in einer dem Volkslied verwandten Sprache eine innige Verbindung von Mensch und Natur her; Gefühlsbewegungen werden in einem bisher nicht gekannten Rhythmus lebendig (s. ›Willkommen und Abschied‹, ›Mailied‹). Auch die Lili-Lieder der Frankfurter Zeit (bis 1775), die Goethes Liebe zu Elisabeth Schönemann, der Tochter eines angesehenen Bankiers, ihre Entstehung verdanken, gehören zu dieser ersten Erlebnislyrik der deutschen Literatur. Das Lebensgefühl des jungen Goethe findet daneben Ausdruck in der Hymnendichtung (1773/75). Der Dichter lehnt sich in freien Rhythmen trotzig gegen Schicksal und Tradition auf (›Prometheus‹) oder öffnet sich einer all-liebenden Gottheit, die sich in der Natur entfaltet (›Ganymed‹). ›An Schwager Kronos‹ zeigt ihn eins mit seinem Genius.

Das schrankenlose Selbstgefühl der Stürmer und Dränger bricht sich vor allem in dramatischen Werken Bahn. Im Bereiche der epischen Dichtung ist nur Goethes ›Werther‹ ein bleibender Erfolg beschieden. Denn gerade im Raum des menschlichen Handelns vermag das schöpferische Genie sich frei zu entfalten, können ethische Forderungen erhoben und politische und soziale Mißstände angegriffen werden. Zwei Grundhaltungen lassen sich unterscheiden: Die erste stellt die klar geordnete Welt der Aufklärung radikal in Frage und fordert Freiheit des Gefühls und der Leidenschaften. Rücksichtsloser Realismus der Sprache und grenzenloser Subjektivismus kennzeichnen deshalb die Werke des Jakob Michael Reinhold Lenz (z. B. ›Der Hofmeister‹, 1774 oder ›Die Soldaten‹, 1776) und Heinrich Leopold Wagners (›Die Kindermörderin‹, 1776). Eine zweite Gruppe verherrlicht das Kraftgenie, den großen Kerl. Sein Schicksal wird besonders in den Dramen Maximilian Klingers dargestellt. Die Tragödien des jungen Schiller schließen beide Richtungen ein; auch Goethes ›Götz‹ steht unter ihrem Einfluß.

Goethe: Götz von Berlichingen mit der eisernen Hand, 1773
Die Leiden des jungen Werthers, 1774
Schiller: Die Räuber, 1781
Die Verschwörung des Fiesko zu Genua, 1783
Kabale und Liebe, 1784

---

1 Welche Züge kennzeichnen ›Die Räuber‹ als ein typisches Werk des Sturm und Drang?   2 a) Welchen Stoff behandelt Schiller im ›Fiesko‹? b) Warum stellt ›Kabale und Liebe‹ eine wichtige Stufe in der Entwicklung des bürgerlichen Trauerspiels dar?   3 Wie zeigt sich im ›Götz‹ Goethes Abhängigkeit von Shakespeare?   4 Welche Rolle spielen in diesem Drama die Geschichte und die Idee der Freiheit?   5 Warum wird der ›Werther‹ zum erfolgreichsten Roman seiner Zeit?

1 In *Schillers* Drama ›Die Räuber‹ verkörpern die Brüder Franz und Karl Moor unüberbrückbare Gegensätze: Franz glaubt, Macht gewinnen und den Verlauf der Dinge beeinflussen zu können, indem er seelische Vorgänge mit mechanischen gleichsetzt und kalt und zynisch das menschliche Handeln danach berechnet. Karl lebt dagegen ganz aus dem Gefühl. Er empört sich gegen das konventionelle Recht und die Gesellschaft, als die Intrige seines Bruders selbst das Handeln des Vaters fragwürdig erscheinen läßt. Sobald Karl seinen Irrtum einsieht, liefert er sich freiwillig den Gerichten aus, um die von ihm selbst gestörte Ordnung wiederherzustellen.

Schiller treibt diese Gegensätze mit Hilfe einer pathetisch überhöhten Sprache bis an die Grenze des Erträglichen. Die Tendenz des Dramas „In Tyrannos" wird für seine Zeitgenossen zu einem Fanal.

2 a) In seiner zweiten Tragödie, ›Die Verschwörung des Fiesko zu Genua‹, entwirft Schiller zum ersten Male ein historisches Gemälde. Der Held scheitert, weil er den Versuchungen der Macht erliegt.

b) Ganz auf die Gegenwart bezogen ist dagegen die Handlung in ›Kabale und Liebe‹. Während Lessing das Geschehen noch an einen kleinen italienischen Hof verlegt (s. ›Emilia Galotti‹, S. 20), stellt Schiller die Verhältnisse so dar, wie er sie in seiner Heimat vorgefunden hat. Der dramatische Konflikt erwächst unmittelbar aus der Spannung zwischen Adel und Bürgertum. Der korrupten Welt des Hofes steht das einfache und ehrbare, aber auch enge und von starren Vorurteilen beherrschte Dasein der kleinen Leute gegenüber. Parallelen zu Lessing zeigen sich besonders, wenn man Odoardo Galotti mit Musikus Miller, Marinelli mit Wurm oder die Orsina mit Lady Milford vergleicht; die realistische Darstellung der Zustände, das Pathos der Sprache, aber auch die Gestaltung der Tragik machen das Drama jedoch deutlich zu einer typischen Schöpfung des Sturm und Drang.

3 *Goethe* verzichtet in ›Götz von Berlichingen‹ auf die Einheiten des Ortes und der Zeit; ja selbst die Einheit der Handlung wird im Grunde nicht gewahrt: Trotz Straffung des Stoffes in der zweiten Fassung (1773) bleibt das Drama eine lockere Folge lebendiger Bilder, die einmal Weislingen, dann wieder Götz in den Mittelpunkt stellt (s. Herder: „Shakespeare hat Euch genug verdorben!"). Die erste dramatisierte Fassung erscheint 1771/72 unter dem Titel ›Die Geschichte Gottfriedens von Berlichingen mit der eisernen Hand‹.

4 Die Selbstbiographie des schwäbischen Ritters Gottfried von Berlichingen führt Goethe in die bewegte Zeit der Reformation, des Bauernkrieges und des Aufstandes der Reichsritter. Kaiser und Reich, Fürsten und Städte, Ritter und Bauern stehen gegeneinander. In dieser Welt des Umbruchs und der Gegensätze sucht der Held des Dramas die Freiheit des Handelns zu behaupten.

5 Goethe verschmilzt in ›Die Leiden des jungen Werthers‹ literarische Tradition, ein tragisches Einzelschicksal (Selbstmord des jungen Juristen Jerusalem in Wetzlar) und unmittelbares persönliches Erleben (Begegnung mit Charlotte Buff). Nach dem Vorbild Richardsons und Rousseaus wählt er die Form des Briefromans, um das Schicksal eines ganz aus dem Gefühl lebenden Menschen zu gestalten, dessen Tragik zugleich die Tragik einer ganzen Generation kennzeichnet. Naturvorgänge wie der Wechsel von Jahres- und Tageszeiten, von Sonne und Regen, von Ruhe und Sturm spiegeln die innere Situation des Helden ebenso wider wie die lichte und klare Welt Homers (s. S. 1) und die düstere Landschaft Ossians (s. S. 21). Für Goethe wird die Arbeit am ›Werther‹ zu einem Akt der Selbstbefreiung. Während der Held seines Romans scheitert, findet der Dichter zu sich selbst zurück.

Mit dem Entschluß, in Weimar zu bleiben, beginnt ein neuer Abschnitt im Leben Goethes. Leipzig (1765/68), Straßburg (1770/71) und Frankfurt (1773/75) sind bisher die entscheidenden Stationen seines Weges; nach einer kurzen Begegnung mit der anmutig-zierlichen und zugleich witzig-geistvollen Welt des Rokokos ist Goethe schließlich zur herausragenden Gestalt der Sturm-und-Drang-Generation geworden. In Weimar (seit 1775) zeichnet sich bald eine entscheidende Wendung ab, auch wenn der Dichter und sein herzoglicher Freund sich zunächst sehr genialisch gebärden: Äußere Pflichten (Goethe ist zuletzt als Kammerpräsident höchster Beamter im Staate) schärfen den Blick für die Wirklichkeit; die Natur wird nicht länger mystisch erlebt (s. ›Werther‹, S. 22), sie erscheint jetzt als ein Gegenstand sinnlicher Erfahrung. Noch entscheidender ist die Begegnung mit Charlotte von Stein. Unter ihrem Einfluß läutert sich Goethes Wesen; ein Ausgleich zwischen den Ansprüchen des Ich und den Forderungen der Welt der Ordnung und des Maßes wird möglich. Neben Gedichten an Frau von Stein (›Warum gabst du uns die tiefen Blicke‹) entstehen ›Wandrers Nachtlied‹, ›An den Mond‹ und die ersten Balladen (›Der Fischer‹, ›Erlkönig‹, ›Der Zauberlehrling‹). Daneben arbeitet Goethe an ›Egmont‹, ›Tasso‹ und ›Iphigenie‹. Um der Enge des Lebens am Weimarer Hof zu entgehen und in südlicher Landschaft die Harmonie zwischen Natur und Kunst zu suchen, flieht der Dichter schließlich 1786 nach Italien.

Goethe: Italienische Reise, 1786/88
Egmont, 1788
Iphigenie auf Tauris, 1787
Torquato Tasso, 1790

---

1 Worin liegt die Bedeutung der Italienreise für Goethe? 2 Warum kann man ›Egmont‹ als ein Werk des Übergangs bezeichnen? 3 Wie zeigt sich die Vollendung der klassischen Form in der ›Iphigenie‹? Welches Menschenbild entwirft Goethe? 4 Warum hat man ›Tasso‹ einen „gesteigerten Werther" genannt? 5 Inwiefern ist Goethes Lyrik seit dem Sturm und Drang Ausdruck einer inneren Wandlung?

1 *Goethe* überwindet in der Begegnung mit der Antike die rein subjektive, alle Formen sprengende Dichtung des Sturm und Drang und wendet sich der Form und Gehalt zu einer Einheit verbindenden Kunst der Klassik zu. Begriffe wie Gestalt und Gesetz sind Ausdruck einer neuen Haltung. ›Egmont‹, ›Tasso‹ und ›Iphigenie‹ können vollendet werden.

2 ›Egmont‹, bereits 1775 begonnen, wird erst 1787 in Italien abgeschlossen und 1788 veröffentlicht. Neben Prosa stehen jambische Verse, neben lebendigen Volksszenen im Stile des ›Götz‹ Dialoge, in denen sich (wie in der ›Iphigenie‹) seelische Zusammenhänge erschließen. Sie geben dem Drama

seine innere Einheit. Freiheit fordert Behaupten des alten, ehrwürdigen Rechts. Egmonts Scheitern zeigt zugleich eine neue Auffassung vom Wesen des Tragischen: Der Held trägt keine moralische Schuld an seinem Untergang. Er folgt einer Macht, an die das Schicksal des Menschen gekettet ist: seinem Dämon.

3 Erst in der 4. Fassung der ›Iphigenie‹ (zwei Prosafassungen und eine Version in freien jambischen Versen gehen voraus) findet Goethe eine sprachliche Form, die dem geistigen Gehalt des Dramas entspricht. Seine Blankverse sind in ihrer Klarheit und Harmonie zugleich Ausdruck einer bestimmten seelischen Haltung. Iphigenie kann ihren Bruder und sich selbst von dem Tantaliden-Fluch befreien, weil Güte und Wahrhaftigkeit ihr Wesen auszeichnen. Auch Thoas, der König der Taurier, beugt sich schließlich der Menschlichkeit, nachdem er zunächst von Iphigenie als Priesterin Dianas gefordert hat, einer barbarischen Sitte zu folgen und Orest und Pylades zu opfern. Im Gegensatz zu Goethes Vorlage, den Iphigenie-Dramen des Euripides, erfolgt die Lösung nicht durch unmittelbares Eingreifen der Götter: Es sind aus der menschlichen Seele aufsteigende Kräfte, die helfen, eine fast ausweglose, im Kern tragische Situation zu bewältigen. „In der Heilung des Orest hat Goethe dem abklärenden Einfluß der Frau von Stein ein unvergängliches Denkmal gesetzt." (Krell)

4 Das Schicksal des Dichters Tasso ist das Schicksal des Künstlers, der, allein einem grenzenlosen Subjektivismus folgend, gegen Sitte und Anstand verstößt und sich dabei selbst zerstört. Der Weltmann Antonio wird zum Gegenspieler Tassos. Prinzessin Leonore kann in diesem Konflikt zwischen Künstlertum und Wirklichkeit nicht vermitteln, weil es keine Brücke gibt zwischen der ungezügelten Leidenschaft Tassos und der Welt von Sitte, Ordnung und Maß, die sie selbst verkörpert. Wie im ›Werther‹ (s. S. 22) stellt Goethe auch in diesem Drama einen Teil seiner selbst dar; wie im ›Werther‹ gelingt es ihm, den Zwiespalt zwischen Subjektivismus und wirklichem Leben zu überbrücken, jetzt aber auf der Ebene der geläuterten klassischen Form; wie in der ›Iphigenie‹ werden leidenschaftliche seelische Bewegungen im Blankvers gebändigt.

5 Ruhe und Selbstbeherrschung verdrängen den oft stürmischen Subjektivismus der frühen Gedichte. Auch wenn Goethe in freien Rhythmen das Verhältnis Gott – Mensch – Natur gestaltet (›Grenzen der Menschheit‹, 1781; ›Das Göttliche‹, 1783), bleibt seine Sprache verhalten, bestimmen Maß und Gesetz Form und Gehalt.

Der Ursprung des ›Faust‹ und des ›Wilhelm Meister‹ liegt in der Epoche des Sturm und Drang. Unter Schillers Einfluß setzt Goethe die Arbeit fort, schließt 1796 ›Wilhelm Meisters Lehrjahre‹ und 1808 den ersten Teil des ›Faust‹ ab. ›Wilhelm Meisters Wanderjahre‹ und ›Faust II‹ werden in den Jahrzehnten nach Schillers Tod vollendet; ›Faust II‹ erscheint erst nach Goethes Tod. Beide Werke gewähren Einblick in die menschliche und künstlerische Entwicklung Goethes; gleichzeitig vermitteln sie ein Bild des geistigen und kulturellen Lebens zwischen 1770 und 1830. Mit dem ›Faust‹ erhält ein alter Stoff seine klassische Form – über 70 Bearbeitungen folgen, darunter Grabbe: ›Don Juan und Faust‹, 1829; Lenau: ›Faust‹, 1836; Thomas Mann: ›Doktor Faustus‹, 1947. ›Wilhelm Meister‹ ist als Bildungs- und Entwicklungsroman bis in die Gegenwart Vorbild geblieben.

Goethe: Faust, der Tragödie erster Teil, 1808
Faust, der Tragödie zweiter Teil, 1833
Wilhelm Meisters Lehrjahre, 1795 f
Wilhelm Meisters Wanderjahre oder Die Entsagenden, 1821

---

1 *Wie entwickelt sich der Fauststoff?*   2 *In welchen Stufen entwickelt sich Goethes Faustdichtung?*   3 *Warum kann das Schicksal Fausts als das Schicksal des strebenden und irrenden Menschen gedeutet werden?*   4 *Wie stellt Goethe Fausts Weg im zweiten Teil des Dramas dar?*   5 *Wodurch unterscheiden sich* ›Wilhelm Meisters Lehrjahre‹ *von Goethes Sturm-und-Drang-Dichtung?*   6 *Warum erscheinen die* ›Wanderjahre‹ *als typisches Alterswerk?*

1 Der historische Faust lebt zwischen 1480 und 1560. 1587 erscheint in Frankfurt ein Volksbuch, worin Fausts Streben nach Wissen und Macht in Tod und ewige Verdammnis führen.
Der englische Dichter Christopher Marlowe verfaßt 1588 eine Tragödie, die Faust vor allem als titanischen Menschen zeigt. Englische Komödianten bringen das Drama nach Deutschland. In völlig veränderter Form wird es zum Volksschauspiel und gleichzeitig zur Grundlage eines Puppenspiels. In einer Bearbeitung des alten Volksbuches stellt 1725 der ›Christliche Meynende‹ Faust als einen überheblichen, von Gott abgefallenen Gelehrten dar. In Lessings Faustfragment (s. 17. Literaturbrief, S. 20) kann Faust gerade seines Wissensdranges wegen erlöst werden.

2 a) Der ›Urfaust‹, 1773 begonnen und erst 1889 veröffentlicht, ist formal (Prosa, Knittelverse) ein typisches Werk des Sturm und Drang. b) ›Faust, ein Fragment‹, gegenüber dem Urfaust lediglich um einige Szenen erweitert, wird 1790 in Goethes Werken veröffentlicht. c) ›Faust, der Tragödie erster Teil‹ erscheint 1808. d) Seit 1823 arbeitet Goethe am 2. Teil, den er erst kurz vor seinem Tode abschließt.

3 Schon der „Prolog im Himmel" läßt erkennen: Faust bleibt Gottes Knecht, auch als er sich aus Verzweiflung am Nichtwissen mit Hilfe Mephistos in die Welt des Genusses und der Sinnlichkeit stürzt, weil ihm weder die Erinnerung an die Kindheit noch die Begegnung mit Natur und einfachem Leben noch die Magie Halt bieten können. Verführt von Mephisto und getrieben von der eigenen Maßlosigkeit, lädt Faust schwere Schuld auf sich. Als er in der Kerkerszene ausruft: „O wär ich nie geboren", deutet sich ein Umschwung an. Der Taumel der Sinne verfliegt (Höhepunkt „Walpurgisnacht"), er bleibt „Gottes Knecht", der sich gerade durch sein Irren und Streben als Mensch erweist. Auch Mephisto ist nur eine Größe im Plane der Schöpfung, in der er selbst als ‚Teufel' wirken und schaffen muß.

4 Die Grenzen von Raum und Zeit werden im zweiten Teil gesprengt: Faust erscheint an einem mittelalterlichen Kaiserhof, sucht in seinem Gang zu den „Müttern" die Urbilder alles Lebens, durchlebt die „klassische Walpurgisnacht" und vermählt sich mit Helena — der mittelalterliche Ritter aus der Welt des Nordens mit dem Sinnbild klassischer Schönheit. Mit dem jähen Tod Euphorions, ihres Sohnes, zerreißt diese Verbindung. Faust sucht nun Erfüllung im tätigen Leben; aber auch hier wird er schuldig. Und dennoch verliert Mephisto seine Wette, denn eine höhere Macht erlöst Faust. Das reale Geschehen tritt zurück. Alle Vorgänge werden zu Symbolen der Grundkräfte und Grundvorgänge des Daseins. Die dramatische Spannung weicht oft lyrischer Gestimmtheit, epische Breite beherrscht das Werk.

5 In dem Bruchstück ›Wilhelm Meisters theatralische Sendung‹ sucht der Held, ganz im Sinne des Sturm und Drang, Erfüllung in der Welt der Kunst, in der Welt des Theaters. Auch in ›Wilhelm Meisters Lehrjahre‹ fühlt sich Wilhelm zum Schauspieler berufen, ist aber dem tätigen Leben bestimmt. In seinem ursprünglichen Verhältnis zu Drama und Bühne lebt die Geniezeit weiter. Auch die geheimnisvollen Gestalten Mignons und des Harfners wurzeln in ihr, obwohl sie bereits auf die Romantik hinweisen. Aber Welt und Individuum, Mensch und Gesellschaft ergänzen sich jetzt. Die „Gesellschaft des Turms", eine Gruppe erfahrener Männer, hilft Wilhelm, den rechten Weg zu finden. Auch die klare, formvollendete Sprache des Romans zeigt die Wandlung, die sich seit dem ›Werther‹ (s. S. 22) vollzogen hat.

6 In ›Wilhelm Meisters Wanderjahre‹ droht der epische Zusammenhang in einer lockeren Reihe von Erzählungen, Abhandlungen und Lebensweisheiten fast verlorenzugehen. Wilhelm Meister wird Wundarzt; denn Erfüllung kann der Mensch nur in einer Tätigkeit zum Wohle der Mitmenschen finden. Ehrfurcht vor Gott und dem Menschen und Dienst an der Gemeinschaft betrachtet Goethe als Voraussetzung jener Selbstachtung, die er „Ehrfurcht vor uns selbst" nennt (s. „Pädagogische Provinz").

›Faust‹ und ›Wilhelm Meister‹ umfassen das gesamte Lebenswerk Goethes; die Dramen der frühen Zeit und der klassischen Epoche stellen Meilensteine in der Entwicklung seines Schaffens dar; in den Gedichten der Straßburger, Frankfurter und der frühen Weimarer Jahre entfaltet sich die Erlebnisdichtung. Aber auch epische Werke wie ›Hermann und Dorothea‹ und ›Die Wahlverwandtschaften‹, autobiographische Schriften und naturwissenschaftliche Studien und Abhandlungen sind wie Goethes Lyrik seit dem Ende der italienischen Reise „Bruchstücke einer großen Konfession“.

> Goethe: Balladen, 1797
> Hermann und Dorothea, 1798
> Die Wahlverwandtschaften, 1809
> Aus meinem Leben, Dichtung und Wahrheit, 1811/22
> West-östlicher Divan, 1819
> Urworte Orphisch, 1817

1 Welches Bild vom Menschen und von der Gesellschaft entwirft Goethe in ›Hermann und Dorothea‹? 2 In welchem Verhältnis erscheinen die Gesetze der Natur und die Gesetze der sittlichen Ordnung in ›Die Wahlverwandtschaften‹? 3 Warum nennt Goethe sein Werk ›Aus meinem Leben‹ „Dichtung und Wahrheit“? Welche Schriften ergänzen seine Selbstbiographie? 4 Welches Verhältnis besteht zwischen dem Dichter und dem Naturforscher Goethe? 5 Wie läßt sich das lyrische Werk Goethes nach der italienischen Reise einteilen? Welche Titel charakterisieren die wichtigsten Abschnitte?

1 In ›Hermann und Dorothea‹ überträgt *Goethe* das Schicksal der 1732 aus religiösen Gründen vertriebenen Salzburger Protestanten auf die Gegenwart: Die Flucht vor den Gefahren der Französischen Revolution führt Menschen aus dem Elsaß vor die Tore eines süddeutschen Landstädtchens. Not und Elend begegnen bürgerlicher Sicherheit und Geborgenheit. Die Verbindung Hermanns, des Sohnes wohlhabender Eltern, mit Dorothea, die neben der Heimat auch Hab und Gut verloren hat, weist auf größere Zusammenhänge hin: Nur auf dem Boden einer gesicherten Ordnung können sich Verständnis und Güte und mit ihnen tätiges Wirken entfalten. Unbeherrschtheit und Leidenschaftlichkeit bedrohen dagegen den Menschen und lassen ihn scheitern (s. ›Werther‹). Sicherheit des Gefühls zeigt sich im Bewahren von Anstand und Sitte und hilft das Leben meistern. Das Werk ist (wie schon das 1793 entstandene Tierepos ›Reineke Fuchs‹) in Hexametern geschrieben und in neun Gesänge gegliedert, die die Namen der neun Musen tragen.

2 ›Die Wahlverwandtschaften‹ zeigen, wie Glück und Sicherheit, die Eduard und Charlotte zunächst in ihrer Ehe finden, sich bald als brüchig erweisen: Eduard verliebt sich leidenschaftlich in Ottilie, die Nichte seiner Frau; Edu-

ards Freund, ein Hauptmann, beeindruckt mit seiner starken Persönlichkeit Charlotte. Wie in der Natur verwandte Stoffe sich anziehen und nach Verbindung streben (Wahlverwandtschaften), so erfaßt die dämonische Kraft der Liebe und Leidenschaft die Menschen. Sie haben nur die Wahl, ihrem Dämon zu folgen und sich selbst zu zerstören oder zu entsagen und sich damit dem Gesetz von Ordnung und Sitte zu unterwerfen, das auch die Ehe als „Anfang und Gipfel aller Kultur" einschließt.

›Die Wahlverwandtschaften‹ sind ursprünglich als Beitrag zu ›Wilhelm Meisters Wanderjahren‹ gedacht, genau wie die ›Novelle‹, ein Muster der epischen Form gleichen Namens.

3 Goethe will in ›Dichtung und Wahrheit‹ nicht nur seine eigene Entwicklung bis 1775 nachzeichnen und die Lebensmächte darstellen, die sie vor allem prägen. Er sucht in jedem Geschehen eine höhere Wahrheit; sein eigenes Leben erscheint als Symbol des Verhältnisses Mensch–Welt.

›Italienische Reise‹ (erst 1813/1817 für die Veröffentlichung bearbeitet), ein Bericht über Erlebnisse im ersten Koalitionskrieg (›Kampagne in Frankreich‹, 1822 erschienen), der Briefwechsel mit Schiller (s. S. 26) und die Gespräche mit Eckermann geben Einblick in die Entwicklung Goethes nach 1781.

4 Goethe sucht in seinen anatomischen, geologischen, botanischen und optischen Forschungen organische Gesetzmäßigkeit in der Natur als Ausdruck einer sinnvollen Ordnung. Die Vielfalt der Erscheinungsformen deuten auf „Urphänomene" hin, Zeichen des Typischen und Wesentlichen, das auch den Menschen als geist-seelisches Wesen prägt und formt. Da sich die Erscheinungen in einer dauernden „Metamorphose" (Wandel und Entwicklung) befinden, zeigt sich ein Bild einer verwirrenden Vielfalt, das aber dennoch Ausdruck einer strengen Gesetzmäßigkeit ist.

5 a) Nach der italienischen Reise entstehen, ganz vom Erlebnis des Südens bestimmt, die ›Venezianischen Epigramme‹ (1790) und die ›Römischen Elegien‹ (1795).

b) Die Balladen des Jahres 1797 zeigen, wie der Mensch sich mit seinen Möglichkeiten und Grenzen auseinandersetzt (z. B. ›Der Schatzgräber‹, ›Der Zauberlehrling‹) oder dem Göttlichen begegnet (›Der Gott und die Bajadere‹, ›Die Braut von Korinth‹). Bekannte Gedichte wie ›Der Totentanz‹ und ›Die wandelnde Glocke‹ entstehen erst 1813. c) 1819 erscheint der ›West-östliche Divan‹, eine Sammlung von Liedern und Sprüchen, die den Geist orientalischer Poesie und persönliches Erleben verbindet. d) Aus den Versen ›Urworte Orphisch‹ spricht die Welt- und Lebenserfahrung des Dichters, Entsagung aus der ›Trilogie der Leidenschaft‹ mit der ›Marienbader Elegie‹ (erschienen 1827).

Während der Beschäftigung mit dem ›Don Carlos‹ kommt Schiller zu einer neuen Auffassung vom Wesen des Dramatischen. Die Spannungen zwischen Mensch und Gesellschaft, zwischen Gefühl und Verstand werden jetzt objektiver gesehen; unter dem Einfluß Wielands und, zunächst mittelbar, auch Goethes gewinnt die Antike immer größere Bedeutung (1788: Gedicht ›Die Götter Griechenlands‹). Der Begegnung mit der Geschichte und einer Auseinandersetzung mit der Philosophie Kants folgt endgültig die Wandlung vom Sturm und Drang zur Klassik. Als es Schiller schließlich gelingt, die eigene Position nach eindringlicher Analyse der Kunst Goethes klar zu bestimmen, sind nach jahrelangem Ringen die geistigen Voraussetzungen für die große Gedankenlyrik und die Dramen der klassischen Periode geschaffen.

Schiller: Geschichte des dreyßigjährigen Kriegs, 1791/93
Über Anmuth und Würde, 1793
Über das Erhabene, 1795/98(?)
Über die ästhetische Erziehung des Menschen, 1795
Über naive und sentimentalische Dichtung, 1795 f
Gedankenlyrik, seit 1795   Balladendichtung, seit 1797

---

1 Wie sind Schillers historische Werke zu verstehen?   2 Warum wird die Begegnung mit Kants Philosophie zu einem entscheidenden Ereignis?   3 Zu welchen Ergebnissen führen Schillers ästhetische Schriften?   4 Wieweit ist Schillers Lyrik Ausdruck seiner geistigen Entwicklung?

1 Beschäftigung mit der Geschichte ist für *Schiller* Begegnung mit dem handelnden Menschen. Freiheit und Notwendigkeit, Geist und Natur offenbaren sich im historischen Geschehen. Das Schicksal des Don Carlos führt zur ›Geschichte des Abfalls der vereinigten Niederlande von der Spanischen Regierung‹ (1788). Die ›Geschichte des dreyßigjährigen Kriegs‹ weist auf Wallenstein hin.

2 Kants Philosophie bestätigt Schillers Auffassung von der selbständigen Existenz einer höheren, dem Zugriff der irdisch-sinnlichen Erfahrung entzogenen Welt; sie lehrt, daß die Gebote der Pflicht auch gegen die natürlichen Neigungen erfüllt werden müssen (s. Kategorischer Imperativ), und zeigt, daß Freiheit Gehorsam gegenüber dem Gewissen voraussetzt.

3 a) In der Abhandlung ›Über Anmuth und Würde‹ sucht Schiller den schroffen Gegensatz zwischen Pflicht und Neigung zu überwinden, der Kants Ethik kennzeichnet. Wenn der sittliche Wille den ganzen Menschen durchdringt, ist Harmonie zwischen Pflicht und Neigung möglich (Anmut). Überwindet der Mensch seine Triebe und Neigungen, wenn sie den Forderungen der Pflicht widersprechen, so zeigt er Würde.

b) Die Schrift ›Über das Erhabene‹ enthält Schillers Auffassung vom Wesen des Tragischen. Zeigt sich im Schönen, der reinen Form, die Harmonie von

Seelischem und Sinnlichem, so entfaltet sich im Erhabenen die Freiheit des Geistes. Sie bewährt sich, wenn der Mensch untergeht, weil er dem Sittengesetz folgt oder ein Ideal verwirklicht.

c) Die Briefe ›Über die ästhetische Erziehung des Menschen‹ stellen dar, wie der Mensch mit Hilfe der Kunst zu innerer Harmonie (Ausdruck echter Humanität) kommen kann: Stofftrieb (Neigung des Menschen, seine Grenzen zu überschreiten) und Formtrieb (Streben des Menschen, sich zur Pflicht zu bekennen) müssen sich decken.

d) In der Abhandlung ›Über naive und sentimentalische Dichtung‹ greift Schiller die bereits in einem Brief an Goethe (23. 8.1794) aufgeworfene Frage nach dem Wesen antiker und moderner Kunst wieder auf: Fühlt sich der Dichter eins mit der Natur, sind Geist und Sinnlichkeit noch harmonisch miteinander verbunden, so ist er naiv (antike Kunst). Trennen sich Geist und Natur, sucht die Dichtung allein aus der Idee zu leben, so wird sie sentimentalisch (moderne Kunst). Sie verliert dadurch an Unmittelbarkeit und Reichtum, gewinnt aber an Würde. Beide Haltungen ergänzen sich im Streben nach einer Harmonie zwischen der Fülle und dem Reichtum der Natur und dem sich in der Idee verwirklichenden Geist.

4 a) Schillers Jugendlyrik ist typische Sturm-und-Drang-Dichtung: Getragen von einer pathetisch überhöhten Sprache, bewegt sie sich zwischen Begeisterung für die Ideale der Menschheit und Zynismus, zwischen erhabener Gebärde nach dem Vorbild Klopstocks und übersteigerter Drastik. Diese Gedichte sind nicht nur Ausdruck einer Gefühlsbewegung (s. Goethes Erlebnislyrik), sondern zugleich Zeichen des Strebens nach einer Verbindung des Menschen mit dem Unendlichen (s. Lauralieder, 1782, ›An die Freude‹, 1786).

b) ›Die Götter Griechenlands‹ (1788) und ›Die Künstler‹ (1789) stehen wie ›Don Carlos‹ (1787) zwischen Geniezeit und klassischer Dichtung. Im ersten Gedicht begeistert sich Schiller für die Antike, die er der Zerrissenheit des modernen Weltbildes gegenüberstellt, im zweiten zeigt er die Aufgaben der Kunst im Dienste der Humanität. Zwischen 1795 und 1799 erscheinen Gedichte wie ›Das Ideal und das Leben‹, ›Die Teilung der Erde‹, ›Der Spaziergang‹, ›Das eleusische Fest‹ und ›Das Lied von der Glocke‹. In ›Das Ideal und das Leben‹ löst die Kunst als Verkörperung des Guten und Schönen den Menschen aus seiner Gebundenheit an das Irdische, ›Der Spaziergang‹ verfolgt den Weg des Menschen aus der Natur zur Kultur, im ›Lied von der Glocke‹ wird schließlich ein Bild des einfachen, bescheidenen Lebens und der Mächte entworfen, denen sich der Mensch als Individuum und als Glied der Gesellschaft stellen muß. Die zwischen 1797 und 1799 entstehenden Balladen behandeln episch breit Stoffe aus Antike und Mittelalter; dramatische Dialoge verleihen ihnen innere Spannung, der Triumph einer sittlichen Idee bestimmt ihren Gehalt (›Der Taucher‹, ›Die Bürgschaft‹, ›Die Kraniche des Ibykus‹ usw.).

Als Schiller 1787 den ›Don Carlos‹ vollendet, hat er den Geist der Geniezeit bereits überwunden. Aber erst 12 Jahre später, nach fruchtbarer Auseinandersetzung mit historischen und philosophischen Problemen, erscheint
der ›Wallenstein‹. ›Maria Stuart‹ (1801), ›Die Jungfrau von Orleans‹ (1801),
›Die Braut von Messina‹ (1803) und ›Wilhelm Tell‹ (1804) folgen. 1805
erliegt Schiller einer langen und heimtückischen Krankheit. ›Demetrius‹
bleibt unvollendet.

Schiller: Don Carlos, Infant von Spanien, 1787
           Wallenstein, 1800
           Wilhelm Tell, 1804

---

1 *Welchen Einfluß hat die lange Entstehungszeit des ›Don Carlos‹ auf Gehalt
und Form?   2 a) Wie ist der Stoff des ›Wallenstein‹ gegliedert? b) In welchem Verhältnis erscheinen Feldherr und Heer?   3 Wie zeichnet Schiller
die Gestalt Wallensteins? Welche Rolle spielt Max Piccolomini?   4 Warum
ist ›Maria Stuart‹ ein analytisches Drama?   5 Wie sucht Schiller seine
Auffassung vom Tragischen in ›Die Jungfrau von Orleans‹ und ›Die Braut von
Messina‹ zu verwirklichen?   6 Wie gelingt es ihm, das Schweizer Volk zum
eigentlichen Helden des ›Wilhelm Tell‹ zu machen?*

1 Mit ›Don Carlos‹ will *Schiller* zunächst „ein Familiengemälde aus fürst-
lichem Hause" schaffen (Bauerbacher Entwurf, 1783). Bald gibt sich der
Dichter mit dieser Lösung nicht mehr zufrieden: Weil der Liebe die berech-
tigten Forderungen der Staatsraison gegenüberstehen, geraten alle Mitglieder des königlichen Hauses in einen unlösbaren Konflikt. Posa will diese
Spannung überwinden, er fordert einen Staat, der vor allem dem Menschen dient: Gedankenfreiheit soll ihn zu sich selbst führen. Sobald Posa
aber konkrete Ziele ins Auge faßt, wird sein Handeln zweideutig. Der König
fühlt sich verraten. Als er seinen eigenen Sohn der Inquisition übergeben
muß, wird er zur tragischen Gestalt.

Die geistige und künstlerische Entwicklung Schillers spiegelt sich auch in
der sprachlichen Form wider. Nur die erste Fassung ist in Prosa geschrieben,
dann zügeln Blankverse das Pathos des Ausdrucks.

2 a) Im ›Wallenstein‹ drängt Schiller die geschichtlichen Vorgänge zwischen
dem 5. 1. und 25. 2. 1634 auf vier Tage zusammen und gliedert den sehr
umfangreichen Stoff in 3 Teile: in das Vorspiel ›Wallensteins Lager‹ und
in die beiden fünfaktigen Dramen ›Die Piccolomini‹ und ›Wallensteins
Tod‹.

b) Im ›Lager‹ entwirft der Dichter ein buntes Bild des Heeres, auf dem
Wallensteins Macht beruht. Die Soldaten stammen aus allen Ländern Europas; primitive Lust am Rauben und Plündern, aber auch überzeugtes Ein-
treten für Ehre und Freiheit haben sie zusammengeführt. Alle folgen aber

unbedingt den Befehlen ihres Feldherrn Wallenstein, genau wie die Generale, welche Ehrgeiz und Streben nach Reichtum und Macht in die Armee des Friedländers getrieben haben (Akt I und II der ›Piccolomini‹). Aber die Stellung Wallensteins erscheint von Anfang an erschüttert: Octavio ist vom Kaiser zum Nachfolger bestimmt, noch ehe der Feldherr sich zum Handeln entschließt.

3 Wallensteins Macht, aber auch die Zweideutigkeit seiner Haltung spiegeln sich im Treiben des „Lagers" ebenso wider wie im Verhalten der Generale. Er fühlt sich als Herr einer Welt, die er selbst geschaffen hat. Im Bewußtsein seiner Größe und getragen von einem unerschütterlichen Vertrauen in eine höhere Bestimmung, glaubt er, selbst mit dem Gedanken an Verrat spielen zu können. Als er sich zum Handeln entschließt, weil die Sterne günstig stehen, ist es bereits zu spät. Während sich das unabwendbare Schicksal erfüllt, wächst Wallensteins menschliche Größe, seine Würde. Max aber wird zum eigentlichen Gegenspieler des von ihm bewunderten und verehrten Feldherrn, weil er nur aus der Eindeutigkeit seines Gewissens leben kann. Als diese Eindeutigkeit durch den Verrat Wallensteins zerstört ist, wählt Max den Tod. Im Untergang bewahrt er sich die Freiheit, die Wallenstein im Spiel mit der Macht verloren hat.

4 In ›Maria Stuart‹ ist das Schicksal der Heldin bereits besiegelt, noch ehe die Handlung beginnt: sie muß „physisch" oder „moralisch" untergehen (s. S. 26, 3). Mortimers Opfer ist umsonst, die Begegnung mit Elisabeth vertieft die persönliche Feindschaft der Königinnen, die Maria den Tod und damit Selbstüberwindung und Läuterung bringt. Elisabeth muß ihren äußeren Triumph mit Einsamkeit und Verlassenheit bezahlen.

5 Schiller bezeichnet ›Die Jungfrau von Orleans‹ als „romantische Tragödie". Die Geschichte Johannas spielt an der Grenze zwischen historischer Wirklichkeit und dem Bereich übersinnlicher Mächte. Als die Retterin Frankreichs der Versuchung der Liebe erliegt, wird sie ihrer Sendung untreu; aber sie erkennt ihre Schuld, wächst über sich selbst hinaus und opfert sich im Kampf.

Die Geschichte von den feindlichen Brüdern, ›Die Braut von Messina‹, folgt dem Stil der antiken Tragödie. Nach dem Vorbild des Sophokles (s. S. 1, ›König Ödipus‹) hat der dramatische Vorgang nur ein unabwendbares Unheil sichtbar zu machen, das durch das Handeln der Brüder noch herausgefordert wird. Schiller will den Chor neu beleben. Er wird durch das Gefolge der beiden Hauptfiguren gebildet, soll innere Vorgänge deuten und auf den Sinn des Geschehens hinweisen.

6 In ›Wilhelm Tell‹ werden alle Lebensalter, Stände und Kantone in das Geschehen einbezogen. Die Gestalt des Tell verkörpert die Einheit: Seine Not ist die Not aller, seine Tat ruft das ganze Volk zum Handeln auf. Als er seine persönliche Freiheit erkämpft hat, ist auch das Volk frei.

Heinrich von Kleist, Zeitgenosse der Klassiker und Romantiker, kann – ähnlich wie Hölderlin und Jean Paul – keiner literarischen Richtung zugerechnet werden. Seine Welt wird nicht von einer Idee getragen, sondern sie ist fragwürdig, rätselhaft, ja chaotisch geworden. Gott ist verborgen und deshalb auch die irdische Bestimmung des Menschen. Weil die Sinnesorgane trügen und Irrtum und Mißverständnis den Menschen narren, ist das Gefühl die einzige Brücke zum Du und zugleich zur Selbstverwirklichung des Individuums in der Welt, um die alle Kleistschen Gestalten ringen. Zu Lebzeiten findet Kleist nur wenig Anerkennung. Sein ruheloses Leben kennt zahlreiche Krisen, bis er ihm ein freigewähltes Ende setzt. Erst in unserem Jahrhundert hat man seine Bedeutung erkannt und in vielen Interpretationen den Gehalt seiner Dichtung erschlossen.

> Kleist: Die Familie Schroffenstein, 1803
> Amphitryon, 1807
> Penthesilea   Der zerbrochene Krug   Robert Guiskard
> (Fragment), 1808
> Das Käthchen von Heilbronn, 1808
> Die Hermannsschlacht   Prinz Friedrich von Homburg, von
> Ludwig Tieck aus dem Nachlaß herausgegeben, 1821

1 *Welche Bedeutung hat die Philosophie Kants für Kleist?* **2** *Welches Bild von der Welt zeichnet Kleist in seinem ersten Drama?* **3** *In welcher Situation wird der Held des ›Guiskard-Fragments‹ dargestellt?* **4** *Wie wandelt Kleist den ›Amphitryon‹-Stoff ab?* **5** *Was verbindet ›Penthesilea‹ und ›Das Käthchen von Heilbronn‹?* **6** *Durch welche Anregung entsteht ›Der zerbrochene Krug‹, und wodurch ist das Lustspiel gekennzeichnet?* **7** *Wie verläuft die Haupthandlung in ›Prinz Friedrich von Homburg‹?* **8** *Welches Problem steht im Mittelpunkt von Kleists letztem Drama?*

1 *Kleist,* der entgegen der Familientradition die Offizierslaufbahn aufgibt und Philosophie und Mathematik studiert, zieht aus der Kantschen Philosophie die Folgerung, daß es für den Menschen keine absolute Wahrheit gebe. Diese Erkenntnis erschüttert ihn tief und schlägt sich in seinen Dichtungen – besonders in der ›Familie Schroffenstein‹ – nieder.

2 ›Die Familie Schroffenstein‹, ein ins Grotesk-Grausige gesteigertes Romeo-und-Julia-Drama, ist die Darstellung einer chaotisch-absurden Welt, in der Zufälle, Irrtümer und trügerische Indizien entsetzliche Taten auslösen. Nur die beiden Liebenden finden im Vertrauen zueinander. Am Ende aber triumphiert das Verhängnis: Beide Väter morden unwissend ihre eigenen Kinder; der blinde Großvater erkennt den Irrtum.

3 Das ›Guiskard-Fragment‹ ist eine lyrische Bilderfolge von Angst, Todesgrauen, Verrat, Aufbegehren und Hoffnung, in deren Zentrum der von der

Pest gezeichnete Normannenfürst im Feldlager vor Byzanz steht. Der äußere Vorgang wird in der Seele des Helden reflektiert und läßt ihn im Angesicht des Todes in erhabener Größe erscheinen. Von brennendem Ehrgeiz getrieben, will Kleist in diesem Drama Aischylos, Sophokles und Shakespeare vereinen; aber das Werk bleibt Fragment.

4 Kleist hat nach der Gesellschaftskomödie Molières über ein galantes Abenteuer Jupiters im ›Amphitryon‹ das Drama der aus der unbedingten und unbeirrbaren Gewißheit des Gefühls lebenden Frau geschaffen. Am Ende muß der Gott die Vollkommenheit seines Geschöpfes bewundernd anerkennen.

5 Kleist bezeichnet das Käthchen als die „Kehrseite der Penthesilea, ebenso mächtig durch Hingebung, als jene durch Handlung". Beide Gestalten folgen unbeirrt der Bestimmung ihres Ichs: Käthchen ist durch einen inneren Zwang an den Geliebten gebunden. Auch für Penthesilea ist die Liebe zu Achill Bestimmung; aber sie steht auch unter dem Gesetz des Amazonenstaates. Während im romantischen Märchen eine glückliche Lösung möglich ist, scheitert Penthesilea; sie sieht die Heiligkeit ihres Gefühls verletzt und tötet ihren Geliebten.

6 Das Lustspiel entsteht in einem Dichterwettstreit zwischen Kleist und einigen Freunden, angeregt durch den Kupferstich ›Der zerbrochene Krug‹. Die Komik auf tragischem Hintergrund kommt aus der Identität des Übeltäters mit dem Dorfrichter, der sich in der Absicht, den Verdacht von sich abzulenken, immer tiefer in ein Lügengewebe verstrickt, bis er schließlich entlarvt wird. Das bäuerliche Milieu und die Gestalten sind kraftvoll, derb und realistisch gezeichnet.

7 Der Prinz von Homburg hat durch sein eigenmächtiges verfrühtes Eingreifen in die Schlacht von Fehrbellin nach Ansicht des Kurfürsten die völlige Vernichtung der Schweden vereitelt. Nach Kriegsrecht wird er zum Tode verurteilt. In Todesfurcht fleht er die Geliebte an, sich beim Kurfürsten für seine Begnadigung zu verwenden. Der Kurfürst willigt ein, falls der Prinz das Urteil für Unrecht halte. Dieser ringt sich als Richter in eigener Sache zur Anerkennung des Schuldspruchs durch und ermöglicht so seine Begnadigung.

8 Im Mittelpunkt des ›Prinz Friedrich von Homburg‹ steht das Verhältnis zwischen der Freiheit des Individuums und dem Gesetz des Staates. Weder die „Ordre des Herzens", die das Handeln des Prinzen bestimmt, noch ein idealistisch-abstraktes Staatsgesetz, dem der Kurfürst folgt, werden verherrlicht. Nachdem der Prinz das Todesgrauen überwunden hat und vom Kurfürsten zum Richter über seine eigene Schuld gesetzt wird, erkennt er seine Verpflichtung gegenüber Gemeinschaft und Staat, in deren Ordnung sein Wirken erst seinen Sinn erhält. Der Kurfürst dagegen erkennt das Recht des Menschen an, sein Gefühl als Richtschnur des Handelns zu nehmen.

Kleists sprachliche Meisterschaft und sein dramatisches Talent offenbaren sich auch in seinen Novellen, die durch formstrenge Komposition, Spannung, psychologische Tiefe und Realismus der Darstellung gekennzeichnet sind. ›Der Findling‹ spiegelt wie die ›Familie Schroffenstein‹ (s. S. 28) in seinem tiefen Pessimismus die Kantkrise wider. Auch in seinen späteren Erzählungen stehen verzweifelte Menschen im Mittelpunkt. Immer geht es — wie in den Dramen — um den Zwiespalt zwischen Schein und Wirklichkeit, um Vertrauen und Mißtrauen, um Gefühl und Wahrheit. Kleists Aufsatz ›Über das Marionettentheater‹ (1810) bietet einen Schlüssel zu seinen Dichtungen. Als Journalist und Zeitungsherausgeber versucht sich Kleist mehrfach; doch er hat hier genausowenig Erfolg wie — zu seinen Lebzeiten — als Dramatiker und Erzähler. Seine Briefe gehören zu den erschütterndsten Dokumenten der Literaturgeschichte.

Kleist: Das Erdbeben in Chili (in Cottas Morgenblatt), 1807
Die Marquise von O. (im Phöbus), 1808
Gesammelte Erzählungen
(Michael Kohlhaas, Die Verlobung in St. Domingo, Der Findling, Der Zweikampf u. a.), 1810/11

---

1 *Inwiefern ist die Novelle ›Der Findling‹ ein Ausdruck der Dämonie des Bösen?* **2** *Welches Thema gestaltet Kleist im ›Erdbeben in Chili‹?* **3** *Welche Rolle spielen Irrtum und Mißverständnis in der ›Verlobung in St. Domingo‹?* **4** *Wie behauptet sich die ›Marquise von O.‹ gegenüber ihrem Schicksal?* **5** *Was zeigt ein Vergleich von Michael Kohlhaas und Karl Moor?* **6** *Welche Rolle spielt das Gottesurteil im ›Zweikampf‹?* **7** *Welche theoretischen Abhandlungen verfaßt Kleist?* **8** *Welche journalistische Tätigkeit übt Kleist aus?*

1 *Kleists* ›Findling‹ ist das perfekte Abbild einer teuflischen Welt. Das Böse tritt in der rührenden Gestalt des pestkranken Knaben auf. Der Sohn des Retters wird sein erstes Opfer; dann richtet er seine Adoptivmutter zugrunde, bis ihn sein Adoptivvater — gleichsam angesteckt durch das Böse — grausam tötet. Die Novelle ist ein „Karussell des Bösen, das, durch eine Guttat in Gang gesetzt, in mörderischer Fahrt rotiert und selbst mit dem Tod der Insassen noch nicht zum Stehen kommt". (G. Blöcker).

2 Im ›Erdbeben in Chili‹ rettet ein Naturereignis zwei Liebende vom Tod und führt sie in einer paradiesischen Landschaft wieder zusammen. Doch als sie Gott dafür danken wollen, werden sie vom fanatisierten Pöbel umgebracht. Kleist hat Naturgeschehen und Handeln der Menschen als gleichermaßen erschreckend und unberechenbar verbunden.

3 Die gesamte Handlung der ›Verlobung in St. Domingo‹ ist auf Irrtum, Mißverständnis und Täuschung aufgebaut. Toni, die junge Mestize, die früher geholfen hat, Weiße zu verderben, verliebt sich in Gustav und muß eine gefährliche Doppelrolle spielen, um den Geliebten zu retten. Dieser tötet seine Retterin als vermeintliche Verräterin. „... du hättest mir nicht mißtrauen sollen!" sind ihre letzten Worte.

4 In der ›Marquise von O.‹ wird das höchste Glück der Frau, die Mutterschaft, zu einem existenzvernichtenden und zum Wahnsinn treibenden Ereignis. Doch die Marquise überwindet – ähnlich wie Alkmene – den Widerspruch zwischen der Wirklichkeit und der Reinheit ihres Gefühls.

5 Karl Moor ist ein schwärmerischer Jüngling, der aus persönlicher Enttäuschung über Menschen, Welt und Gott sein Leid an der entarteten Menschheit rächen und der Welt die Idee der Gerechtigkeit aufzwingen will. – Kohlhaas ist ein reifer, nüchterner Mann, der erst dann zur Selbsthilfe greift, als alle anderen Versuche, sein Recht zu erhalten, ergebnislos verlaufen. Ihm geht es nicht um irdischen Besitz; er sieht seine Würde und seine Existenz als Mensch in Frage gestellt, wenn Obrigkeit und Staatsordnung ihn der Willkür preisgeben. Er weiß, daß sein Kampf in dieser Welt nicht rein bleiben kann, steht zu seinen Taten und nimmt den Tod willig auf sich, als sein Recht wiederhergestellt ist.

6 Im ›Zweikampf‹ entscheidet das Gottesurteil scheinbar gegen Friedrich von Trota, der für Littegardes verletzte Ehre kämpft. Trotzdem glaubt er fest an ihre Unschuld. Seine Gefühlssicherheit und sein unbedingtes Vertrauen bewähren sich. Seine fast tödlichen Verletzungen heilen, während sein Gegner an einer unbedeutenden Wunde stirbt.

7 Vor seiner Bekanntschaft mit der Kantschen Philosophie verfaßt Kleist den ›Aufsatz, den sichern Weg des Glücks zu finden‹ (1799), der ganz im Banne der moralisierenden Aufklärungsphilosophie steht. – Seine Abhandlung ›Über die allmähliche Verfertigung der Gedanken beim Reden‹ (1805) spiegelt sein Verhältnis zur Sprache wider. – Im Aufsatz ›Über das Marionettentheater‹ (1810) stellt er die Marionette als Symbol für die „antigrave", d. h. schwerelose Haltung der aus der Sicherheit des Gefühls handelnden Menschen dar.

8 In Dresden gibt Kleist zusammen mit Adam Müller 1808 die Monatszeitschrift ›Phöbus‹ heraus, in der Teilabdrucke seiner Werke erscheinen. Sie erweist sich als Mißerfolg und geht bald ein. In Prag plant er die Zeitschrift ›Germania‹, die aus politischen Gründen nie erscheinen kann. 1810 gründet er mit den ›Berliner Abendblättern‹ die erste täglich erscheinende Zeitung Berlins. Sie enthält Nachrichten über Verbrechen, Unglücksfälle usw. und viele Anekdoten Kleists.

Das Werk Friedrich Hölderlins bleibt über hundert Jahre unbeachtet. Erst die Generation des Ersten Weltkrieges findet Zugang zu seinen Hymnen, die, auf anderen Wegen als Goethes Erlebnislyrik und Schillers Gedankendichtung, eine tiefgreifende Verbindung zwischen Griechentum und dem Geist des Deutschen Idealismus herstellen. Auf der Suche nach einer Einheit mit den göttlichen Mächten findet die Sehnsucht des Dichters Ausdruck in vielfältigen rhythmisch-musikalischen Formen, entstehen Kunstwerke von höchstem Rang, die der Lyrik und damit der deutschen Sprache überhaupt neue Bereiche des Seelischen erschließen.

Hölderlin: Gedichte an die Ideale der Menschheit, 1792 f
Hyperion oder der Eremit in Griechenland, 1797/99
Der Tod des Empedokles, 1798/99
Hymnen der Spätzeit, 1801 ff.

---

1 Was kennzeichnet Inhalt und Form der frühen Gedichte? 2 Welchen Einfluß hat die Begegnung mit Susette Gontard auf die Entwicklung Hölderlins? 3 Wie verläuft Hölderlins weiteres Leben, und welche Themen behandeln die großen Hymnen der Spätzeit? 4 In welchem Verhältnis stehen äußeres Geschehen und innerer Vorgang im ›Hyperion‹? 5 Was will der Dichter mit dem ›Tod des Empedokles‹ sichtbar machen?

1 Während seiner Studienzeit am Tübinger Stift lernt *Hölderlin* die Gedankenwelt des Deutschen Idealismus kennen. Eine schwärmerische Begeisterung für die Ideale der Menschheit teilt er mit Schelling und Hegel; vor allem aber wird Schillers Gedankenlyrik zum großen Vorbild: In Gedichten wie ›Hymne an die Menschheit‹, ›Hymne an die Freiheit‹ oder ›Hymne an die Göttin der Harmonie‹ besingt Hölderlin die höchsten geistigen Güter.

2 1796 tritt Hölderlin eine Hauslehrerstelle in der Familie des Frankfurter Bankiers Gontard an. Die Mutter seiner Schüler, Susette Gontard, erscheint dem Dichter als Verkörperung der Harmonie zwischen Leib und Seele; als Diotima wird sie zum verklärten Abbild einer Welt, in der Mensch, Natur und das Göttliche noch miteinander verbunden waren, der Welt der Griechen. Im Feiern und Nennen der göttlichen Mächte will Hölderlin wieder dem Reinen und Schönen begegnen, denn ohne sie muß er einsam und verloren in einer seelenlos gewordenen Welt leben. Im Dienste dieser großen Aufgabe erhalten die Gedichte eine neue Form: Es entstehen Preislieder nach antiken Vorbildern (s. Ode: Sapphische, Alkäische und Asklepiadeische Strophe).

3 Hölderlin muß unter demütigenden Umständen das Haus der Familie Gontard verlassen. Damit beginnt ein unruhiges Wanderleben, das ihn 1802 bis nach Bordeaux führt. Von dort kehrt er bald zurück; die ersten Anzei-

chen einer geistigen Erkrankung machen sich bemerkbar. In den wenigen Jahren, die noch bis zum endgültigen Zusammenbruch (1806) bleiben, entstehen die großen Hymnen der Spätzeit. Der Horizont weitet sich. Vom Vaterland, jetzt ein Raum, in dem sich das Wirken göttlicher Mächte mit Volk und Landschaft zu mythischer Einheit verbindet, schweift der Blick über Griechenland bis nach Asien. Im Bild der Ströme (s. ›Der Rhein‹, ›Der Main‹, ›Am Quell der Donau‹) vereint sich die Liebe zur Heimat mit der Sehnsucht nach der Ferne. In ›Der Archipelagus‹ begegnet der Dichter inmitten einer großartigen Natur der Schönheit der Antike. Er trauert über eine Welt, die seine Stimme nicht hören will. Auch die großen Hymnen ›Brot und Wein‹ und ›Heimkunft‹ sind Ausdruck der Sehnsucht nach einer Gemeinschaft mit dem Göttlichen in einer gottfernen Zeit. Immer mehr sieht sich Hölderlin als Seher und Künder zeitloser Wahrheit. Hymnen wie ›Patmos‹, ›Der Einzige‹ und ›Germanien‹ entstehen. In freien Rhythmen, getragen von einer geheimnisvollen Symbol- und Chiffrensprache, die mehr verhüllt als offenlegt, vereinigen sie in mythischer Schau Antike und Christentum, Vergangenheit und Gegenwart.

4 Hyperion will sein Volk aus Unterdrückung und Dunkelheit zu neuer Größe führen. (Historischer Hintergrund: der Aufstand der Griechen 1770.) Das Unternehmen mißlingt. Verlassen von seinem Freunde Alabanda und zurückgestoßen vom Kleinmut seiner Landsleute, geht Hyperion nach Deutschland, nachdem ihm der Tod auch Diotima geraubt hat. Als er auch dort nur Dumpfheit und Enge findet, kehrt er enttäuscht in die Heimat zurück.

Hauptanliegen dieses Briefromans ist die Darstellung innerer Vorgänge. Hölderlin zeigt, wie das Erlebnis der Natur und der Vergangenheit, auch wenn nur noch Trümmer von der einstigen Größe Griechenlands zeugen, in Hyperion Begeisterung für ein hohes Ziel weckt und wie die Liebe zu Diotima ihm Kraft gibt, sein Leben für die Freiheit des Vaterlandes zu wagen. Als alles zusammenbricht, geht Hyperion nicht den Weg Werthers: Er sucht und findet Ruhe in der Natur; Hingabe an ihre heilenden Kräfte rettet ihn aus drohender Verzweiflung.

5 Die Geschichte des griechischen Naturphilosophen Empedokles (um 430 v. Chr.) bildet den Rahmen des dramatischen Geschehens. In seinem Streben, die Menschen zu einem neuen Glauben zu erziehen, maßt sich Empedokles göttliche Gewalt an. Verfemt und tief erschüttert über die eigene Vermessenheit, opfert er sich, indem er sich in den Ätna stürzt, und sucht in der Vereinigung mit den Elementen der Natur sein Volk und sich selbst zu erlösen. Im Schicksal des Empedokles wird etwas von der Aufgabe sichtbar, die sich der Dichter selbst stellt, und von den Gefahren, die er heraufbeschwört, wenn er diese Aufgabe im Dienste der Menschheit erfüllen will.

Jean Paul, eigentlich Johann Paul Friedrich Richter, gehört zu jenen bedeutenden Gestalten der Goethezeit, die sich nicht in das Schema Klassik – Romantik einordnen lassen. Inhalt und Form seiner Romane und Erzählungen unterscheiden sich deutlich von den Werken Goethes und Schillers, lassen aber auch zugleich, trotz vieler verwandter Züge, andere Grundprobleme als die Dichtung der Romantik erkennen. Nach hartem Ringen mit der Tradition und mit sich selbst findet Jean Paul die Grundlage, auf der sich sein Werk entfalten kann. Das widerspruchsvolle Treiben der Menschen, Ausdruck der Endlichkeit und Begrenztheit des Daseins, kann mit dem Lächeln des Humors überwunden werden. Einer „tollen Welt" begegnet der Dichter mit der Schärfe der Satire, aber auch mit Liebe und Verstehen. Deshalb stellt er vor allem psychische Vorgänge dar. Von schwärmerischer Begeisterung bis zum Erschauern vor der Macht des Todes werden alle Bereiche seelischen Empfindens in ihrer Vieldeutigkeit und Verworrenheit durchmessen. Das äußere Geschehen seiner Romane ist Spiegel dieser Welt und läßt deshalb Ordnung und Übersichtlichkeit vermissen.

Eine in ihren Mitteln unendlich reiche, aber oft bizarre und mit Bildern und Vergleichen überladene Sprache erschwert uns heute den Zugang zu den einst gefeierten Werken Jean Pauls. Sie haben aber die Möglichkeiten der Darstellung innerer Vorgänge wesentlich erweitert und den Roman erst zu einer auch von den Gebildeten anerkannten Gattung gemacht. Die großen Erzähler des 19. Jahrhunderts, vor allem Keller, Gotthelf und Raabe, und bedeutende Vertreter des modernen Journalismus wie Heine und Börne haben Jean Paul viel zu verdanken.

Jean Paul: Leben des vergnügten Schulmeisterlein Maria Wuz, 1790
Blumen-, Frucht- und Dornenstücke oder Ehestand, Tod und Hochzeit des Armenadvokaten F. St. Siebenkäs, 1796/97
Titan, 1800/03
Flegeljahre, 1804 f

---

1 *Auf welche Weise suchen die Gestalten Jean Pauls das Leben zu meistern?*
2 *Welches Bild vom Menschen entwirft er a) im ›Schulmeisterlein Wuz‹ und b) im ›Siebenkäs‹?* 3 *Was kennzeichnet ›Titan‹ als Zeit- und Entwicklungsroman?* 4 *Welches Problem steht im Zentrum der ›Flegeljahre‹?* 5 *In welchen Schriften setzt sich Jean Paul mit Problemen der Dichtung, der Erziehung und der Politik auseinander?*

1 **Jean Paul** unterscheidet den Weg zur Höhe, der über die Enge des Daseins mit seinen „Wolfsgruben" und „Beinhäusern" hinausführt und den nur der „hohe" Mensch zu Ende gehen kann, vom Weg in die Zufriedenheit, in ein einfaches, beschränktes Leben. Hier finden schlichte und idyllische Na-

turen Glück und Geborgenheit. Wer den dritten Weg zwischen den Extremen wählt, läuft Gefahr, sich zu verlieren, wer ihn meistert, hat die größte Leistung vollbracht.

2 a) Das Leben des kleinen Dorfschulmeisters Wuz bewegt sich in engsten Grenzen. Da er in ihnen Glück und Zufriedenheit findet, können die Widrigkeiten des Daseins ihn nicht erreichen. Als ihm Bücher fehlen, schreibt er sich selbst eine Bibliothek; als ihn das Alter plagt, flüchtet er sich in die Jugend zurück. Der Dichter hebt mit Hilfe des Humors seelische Vorgänge ins Bewußtsein, die dem kindlichen Wuz selbst verborgen bleiben.
b) Auch der Advokat Siebenkäs sucht die Ruhe und Geborgenheit des einfachen Lebens. Da er in seiner ersten Ehe nur krassem Materialismus und Kleinlichkeit begegnet, täuscht er Krankheit und Tod vor; nach seiner „Auferstehung" heiratet er eine Frau, bei der er Verständnis und Liebe findet.

3 Im ›Titan‹ tritt die oft nur angedeutete Handlung hinter einer tiefgreifenden Auseinandersetzung mit den geistigen Kräften der Zeit zurück. Die unmenschliche Haltung des „öffentlichen Lebens" wird im Angesichte des Todes entlarvt, der Anspruch des „klassischen Menschen" auf Selbstvollendung ebenso zurückgewiesen wie der Versuch der Romantik, sich allein in der Welt der Phantasie und der Kunst zu verwirklichen. Nicht die sich „titanisch" gebärdenden Gestalten des Romans bewähren sich (s. Roquairol, Schoppe und Linda), sondern der „hohe" Mensch, der heranreifen muß, ehe er den für ihn bestimmten Platz einnehmen kann. Albano vermag erst seine Aufgaben als Fürst zu erfüllen, nachdem ihn Kindheit und Jugend mit dem Hofleben und ein Besuch in Italien mit der großen Welt vertraut gemacht haben. Als er sich mit einer ebenbürtigen Frau verbindet, ist seine innere Entwicklung abgeschlossen: Aus Gefühlen und Leidenschaften ist echte Liebe erwachsen.

4 Die ›Flegeljahre‹, die Geschichte der Brüder Walt und Vult, behandeln noch einmal den Gegensatz zwischen dem in sich versponnenen und wirklichkeitsfernen Träumer (Walt) und dem ruhelosen, der Welt zugewandten, aber von Selbstübersteigerung bedrohten Tatmenschen (Vult). Gefühl und Phantasie stehen Tätigkeitsdrang und rastlosem Streben gegenüber. Ein Ausgleich zwischen ihnen könnte alle Spannungen aufheben. Der Roman wird nicht vollendet.

5 In der ›Vorschule der Aesthetik‹ (1804) sucht Jean Paul seinen Standort zu bestimmen, indem er die Bedeutung des Humors als dichterisches Mittel untersucht. Die Erziehungsschrift ›Levana‹ (1807) vermittelt Einblicke in die Entwicklung der kindlichen Seele, die noch heute gelten; politische Abhandlungen wie die ›Friedenspredigt an Deutschland‹ (1808) und ›Politische Fastenpredigten‹ (1816) nehmen unmittelbar Anteil an den Napoleonischen Kriegen und ihren Folgen.

Die Romantik ist die letzte Phase einer geistigen Bewegung, die mit dem Sturm und Drang beginnt und um die Mitte des 19. Jahrhunderts allmählich vom Realismus abgelöst wird. Herder, die Geniezeit und die Philosophie des Deutschen Idealismus leben in der romantischen Bewegung weiter, die ihrerseits die Klassik zu überwinden sucht. Entwirft diese ein von Maß und Gesetz, Ordnung und Sitte geprägtes Bild des Menschen, strebt sie nach Harmonie zwischen Gehalt und Form, so sprengt in der Romantik ein grenzenloses Gefühl alle Bindungen; in Phantasie und Traum erschließt sich das Unendliche, mit ihm zugleich aber auch das Paradoxe und Hintergründige, von dem sich der Dichter bedroht sieht. Der Blick öffnet sich für die Vergangenheit, besonders das christliche Mittelalter.

Bereits in den Werken der frühen Romantik treten die Grundkräfte der gesamten romantischen Bewegung in Erscheinung.

Athenäum, 1798–1800
Wackenroder: Herzensergießungen eines kunstliebenden Klosterbruders, 1797
Novalis: Heinrich von Ofterdingen, 1799 f
        Hymnen an die Nacht, 1800

---

1 Welche Kunstauffassung vertritt Friedrich von Schlegel?   2 Welche Bedeutung hat das Werk August Wilhelm von Schlegels?   3 Welche Bereiche erschließen Wackenroders ›Herzensergießungen‹?   4 Wie gestaltet Novalis das Verhältnis des Menschen zu Liebe und Tod?   5 Was kennzeichnet ›Heinrich von Ofterdingen‹ als romantischen Roman?   6 Wie entwickelt sich Tiecks Epik?   7 Welche romantischen Elemente zeigen sich in seinen Dramen?

1 *Friedrich von Schlegel* entwirft in der Zeitschrift ›Athenäum‹ das Programm einer Poesie, die „Musik für das innere Ohr und Malerei für das innere Auge" sein soll. Eine strenge Bindung an poetologische Gattungen wird abgelehnt, denn „die romantische Poesie ist eine progressive Universalpoesie", in der „die Willkür des Dichters kein Gesetz über sich duldet". Die „romantische Ironie" (s. Tieck) überwindet den Zwiespalt zwischen Ideal und Wirklichkeit.

Als Dichter ist Friedrich Schlegel weniger bedeutsam: Sein Drama ›Alarcos‹ (1802) kann sich die Bühne nicht erobern, sein Roman ›Lucinde‹ (1799) erregt zunächst wegen heftiger Angriffe gegen die bürgerliche Moral Aufmerksamkeit und Mißfallen, gerät aber bald in Vergessenheit.

2 *August Wilhelm von Schlegel* erschließt in Vorlesungen und Aufsätzen die Welt der romantischen Dichtung und ermöglicht durch geniale Übertragungen und Nachdichtungen (Shakespeare, Calderon, Dante, Petrarca) einen Zugang zu den großen Werken der europäischen Literatur.

3 *Wackenroder* entdeckt die Welt des Mittelalters und der Volksdichtung. Er poetisiert die Natur; Musik und Malerei sind Ausdruck des Unendlichen in einer Kunst, die gleichberechtigt neben der Religion steht.

4 Für *Novalis* (Friedrich von Hardenberg) wird der Tod seiner Braut, der erst 15jährigen Sophie von Kühn, zum entscheidenden Erlebnis. In den ›Hymnen an die Nacht‹ (rhythmische Prosa mit Reimversen) erscheint die Liebe als Zeichen der Vereinigung des Menschen mit dem Göttlichen. In Traum und Poesie können sich Phantasie und Gefühl frei entfalten. Für die Liebenden bilden Leben und Tod eine magische Einheit, die sie für immer umschließt.

5 Im Fragment ›Heinrich von Ofterdingen‹, der Geschichte eines sagenhaften Minnesängers, greift Novalis auf einen Stoff aus dem Mittelalter zurück, das er schon 1799 in seinem Aufsatz ›Die Christenheit oder Europa‹ als festgefügte, im Glauben wurzelnde Ordnung verklärt. Natur und Leben erscheinen von Poesie durchdrungen; Traum und Märchen verwischen die Grenzen zwischen Wirklichkeit und Phantasie. Als Heinrich der Liebe begegnet, überwindet er die Enge der Wirklichkeit und wird zum Dichter. Er findet die Blaue Blume, Symbol der romantischen Sehnsucht.

6 *Ludwig Tiecks* erster Roman, ›William Lovell‹ (1795 f), erzählt die Geschichte eines innerlich zerrissenen Menschen. Der Einfluß des ›Werther‹ (s. S. 22) ist deutlich erkennbar (Briefroman). Mit ›Franz Sternbalds Wanderungen‹ (1798) entsteht dagegen ein Bildungs- und Künstlerroman (s. ›Wilhelm Meister‹, S. 24), der die Kunst des Mittelalters und der Renaissance wiederbeleben will.

Ganz aus der Begeisterung für das Mittelalter erwachsen Tiecks Bearbeitungen alter Volksbücher (›Die Haimonskinder‹, ›Die Schildbürger‹, 1799/ 1800) und Kunstmärchen (›Der Runenberg‹, ›Der blonde Eckbert‹, 1797), die sich dem Volksmärchen nähern, aber wegen ihrer Vorliebe für das Geheimnisvolle und Abgründige typisch romantische Dichtungen sind. Die Novellen der späteren Zeit (1823/28) lassen dagegen schon realistische Züge erkennen (z. B. ›Des Lebens Überfluß‹). Die umfangreiche Geschichte ›Der Aufruhr in den Cevennen‹ (1826) deutet bereits auf den historischen Roman voraus.

7 Im Märchenspiel ›Der gestiefelte Kater‹ (1797) löst sich jede Ordnung auf. Schauspieler und Zuschauer diskutieren über den weiteren Verlauf der Handlung, Freude am Spiel triumphiert über alle Kunstregeln. Der Dichter erhebt sich über alle Schwächen und Unzulänglichkeiten, auch über die eigenen, mit Hilfe einer überlegenen Ironie und sucht damit den unüberbrückbaren Gegensatz zwischen Ideal und Wirklichkeit (s. Fr. von Schlegel) zu beseitigen.

In ›Leben und Tod der heiligen Genoveva‹ (1799) bestimmen naive Frömmigkeit, in ›Kaiser Octavianus‹ (1804) phantastisch-märchenhafte Motive das Geschehen; Tieck knüpft hier an Volksbuch und Legende an.

Entscheidend für die Dichtung der späteren oder Heidelberger Romantik ist die Begegnung mit der Welt des Mittelalters, mit Volkstum und Natur. Besonders die Volkspoesie, im Sinne Herders lebendiger Ausdruck der in der menschlichen Seele wirkenden Kräfte, wird Vorbild für das Schaffen Brentanos, Eichendorffs und der Brüder Grimm. Eine verklärte Vergangenheit läßt Christentum, Staat und Nation auch in der Gegenwart als höchste Güter erscheinen. Sie werden gegen Napoleon verteidigt, ihnen widmet sich eine neue Literatur- und Geschichtswissenschaft.

> Des Knaben Wunderhorn, 1806/08
> Eichendorff: Ahnung und Gegenwart, 1815
> Kinder- und Hausmärchen der Brüder Grimm, 1812 f
> Eichendorff: Aus dem Leben eines Taugenichts, 1826

1 *Was kennzeichnet die Volksliedersammlung ›Des Knaben Wunderhorn‹?*
2 *Inwieweit sind ältere und jüngere Romantik im Werke Brentanos lebendig?*
3 *Wie bildet Brentano die Form des romantischen Kunstmärchens weiter? Wie gestaltet er seine Erzählungen?* 4 *Welche Stoffe behandelt Arnims erzählende Dichtung?* 5 *Wodurch wird Eichendorffs Lyrik zum reinsten Ausdruck romantischer Poesie?* 6 *Wie löst Eichendorff die Spannung zwischen der Sehnsucht nach dem Unendlichen und den Forderungen des realen Lebens in seinem Roman ›Ahnung und Gegenwart‹ und in der Novelle ›Aus dem Leben eines Taugenichts‹?* 7 *Von welchen Ereignissen erzählt er in ›Das Marmorbild‹ und ›Das Schloß Dürande‹?* 8 *Worin liegt die Bedeutung der Brüder Grimm?*

1 ›Des Knaben Wunderhorn‹ ist eine Sammlung deutscher Volks- und Kunstlieder vom ausgehenden Mittelalter bis zur Gegenwart. *Arnim* und *Brentano* fügen selbstverfaßte Gedichte bei, arbeiten viele der alten Lieder um, verleihen aber gerade dadurch dem Werk seine innere Geschlossenheit. Wie Görres in seinen ›Teutschen Volksbüchern‹ (1807, Abhandlung), folgen die Freunde damit den Anregungen Wackenroders und Tiecks.

2 *Brentano* veröffentlicht 1801 den Roman ›Godwi‹, der regellos phantastische Abenteuer, ironisch-witzige Einfälle und lyrische Partien miteinander vermischt. In dem Lustspiel ›Ponce de Leon‹ (1804) triumphieren Witz und Ironie. In seiner Lyrik zeigt Brentano dagegen, stark beeinflußt von ›Des Knaben Wunderhorn‹, einen Reichtum an Tönen, Bildern und Stimmungen, der nur noch von einigen Gedichten Eichendorffs übertroffen wird. Auch seine Balladen (z. B. ›Lore Lay‹) und der unvollendete Zyklus der ›Romanzen vom Rosenkranz‹ stehen der Volksdichtung nahe oder sind Ausdruck christlich-katholischer Frömmigkeit.

3 Brentanos Märchen — oft Nach- oder Umdichtungen — (z. B. ›Rheinmärchen‹, ›Gockel, Hinkel, Gackeleja‹, 1838) wollen in freiem Spiel der Phan-

tasie den tieferen Sinn des Daseins sichtbar machen. In ›Aus der Chronika eines fahrenden Schülers‹ (1802/17, Fragment) erweckt der Dichter in schlichter Sprache die geistige Welt des Mittelalters; in der ›Geschichte vom braven Kasperl und dem schönen Annerl‹ (1838) erzählt er vom tragischen Geschick zweier einfacher Menschen. Gestalten und Milieu weisen auf die Dorfgeschichte voraus.

4 Nach *Arnims* in der Gegenwart spielendem Roman ›Armuth, Reichthum, Schuld und Buße der Gräfin Dolores‹ (1810) erscheinen 1817 ›Die Kronenwächter‹ (Fragment). Das späte Mittelalter und die Zeit Luthers bilden den Hintergrund eines teils realen, teils phantastischen Geschehens, das die staufische Kaiserherrlichkeit neu beleben will. Eine unheimliche Welt beschwört der Dichter in den Novellen ›Isabella von Ägypten‹ (1812); knapp und realistisch, fast im Stile Kleists, erzählt er die Geschichte ›Der tolle Invalide auf dem Fort Ratonneau‹ (1818).

5 Die Lyrik *Eichendorffs* spiegelt eine vollkommene Einheit von Mensch und Natur, Leben und Glauben wider. Waldeinsamkeit, Fernweh und die Unendlichkeit des Sternenhimmels sind die Themen seiner innigen, liedhaften Verse. Gedichte wie ›Der frohe Wandersmann‹, ›Das zerbrochene Ringlein‹, ›O Täler weit, o Höhen‹, oft in Erzählungen eingestreut, sind zu Volksliedern geworden.

6 Der Held des Bildungsromans ›Ahnung und Gegenwart‹ (1815) überwindet in der Geborgenheit eines Klosters den Konflikt zwischen Ideal und Wirklichkeit, für den es in einem Leben der Tat und des Abenteuers keine Lösung gibt. Die Titelgestalt der Erzählung ›Aus dem Leben eines Taugenichts‹ wandert mit einer Geige durch eine ewig frühlingshafte Welt, getrieben von der Sehnsucht nach der Ferne und der Liebe zu einer hohen Dame. Am Ende erfüllen sich alle Wünsche; allerdings auf einer sehr realen Ebene, denn die angebetete Dame ist ein Mädchen gleichen Standes, und der Taugenichts ergreift einen durchaus bürgerlichen Beruf. Das Geschehen erscheint dadurch in einem ironischen Licht: Der Dichter kennt die Herrlichkeit des Ungebundenseins, aber auch seine Fragwürdigkeit.

7 In der Novelle ›Das Marmorbild‹ (1819) steigt eine Statue der Venus von ihrem Sockel und verzaubert einen jungen Mann; in ›Das Schloß Dürande‹ (1837) erzählt Eichendorff die Geschichte zweier Liebender, denen die Französische Revolution zum Verhängnis wird.

8 Mit ihren ›Kinder- und Hausmärchen‹ und der Sammlung ›Deutsche Sagen‹ machen die *Brüder Grimm* wertvolle Überlieferung allen Schichten des Volkes zugänglich; sie veröffentlichen die ›Deutsche Mythologie‹ (1835), geben ›Deutsche Rechts-Alterthümer‹ (1828) heraus und arbeiten an einem umfangreichen ›Deutschen Wörterbuch‹. Damit begründen sie die Wissenschaft von der deutschen Sprache und Literatur (Germanistik).

Auch die Spätromantik muß sich mit dem Gegensatz zwischen Phantasie und Wirklichkeit auseinandersetzen. Haben Friedrich Schlegel und Tieck ihn mit romantischer Ironie überwunden, hat Novalis in der Welt der „Blauen Blume", Brentano im christlichen Glauben Ruhe gefunden, so will Fouqué in oft fragwürdiger Verklärung der Vergangenheit einen Ausweg finden (s. Dramen wie ›Der Held des Nordens‹, 1810; lebendig bleibt allein sein Märchen ›Undine‹, 1811), während E. T. A. Hoffmann die dunklen, unheimlichen Seiten des Lebens darstellt. Chamisso versucht, mit Hilfe eines neuen Wirklichkeitsbewußtseins alle Spannungen aufzuheben, die noch in den ›Nachtwachen des Bonaventura‹ als unabwendbares Schicksal erscheinen.

Die Nachtwachen des Bonaventura, 1804
Chamisso: Peter Schlemihls wundersame Geschichte, 1814
E. T. A. Hoffmann: Phantasiestücke in Callot's Manier, 1814 f   Die
                    Elixiere des Teufels, 1815 f   Lebens-Ansichten
                    des Katers Murr nebenst fragmentarischer Bio-
                    graphie des Kapellmeisters Johannes Kreisler in
                    zufälligen Makulaturblättern, 1820/22

---

1 *Wie zeigt sich der Gegensatz zwischen Ideal und Wirklichkeit in den ›Nachtwachen des Bonaventura‹?*   **2** *Was unterscheidet ›Peter Schlemihl‹ vom romantischen Kunstmärchen?*   **3** *Wie hebt E. T. A. Hoffmann im ›Goldenen Topf‹ die Grenzen zwischen Realem und Phantastischem auf?*   **4** *Was will er in ›Das Fräulein von Scudery‹ an einem Kriminalfall zeigen?*   **5** *a) Wie behandelt E. T. A. Hoffmann das Motiv des Doppelgängers in ›Die Elixiere des Teufels‹, b) wie den Gegensatz zwischen Kunst und Leben im ›Kater Murr‹?*   **6** *Wodurch unterscheidet sich ›Meister Martin der Küfer‹ von E. T. A. Hoffmanns anderen Erzählungen?*   **7** *Was kennzeichnet die Lyrik der Zeit?*

1 Der Held des schon 1804 anonym erschienenen Buchs ›Die Nachtwachen des Bonaventura‹ (von Ernst August Friedrich Klingemann), nach einem bewegten Leben zwischen Zigeunern, Handwerkern, Schauspielern und Gauklern endlich Nachtwächter geworden, entwirft ein düsteres Bild vom Leben. Löst sich der Mensch von seinen Bindungen, so drohen Chaos und Untergang, wendet er sich der Wirklichkeit zu, so erfaßt ihn ein Schauder angesichts der Nichtigkeit und Leere des Daseins.

2 *Chamissos* ›Peter Schlemihl‹ ist die geheimnisvolle und phantastische Geschichte eines Mannes, der seinen Schatten verkauft, um ihn gegen das Glückssäckel des Fortunatus einzuhandeln. Sie wird fast in der Sprache einer realistischen Novelle erzählt. Auch der Schluß führt in die Wirklichkeit. Schlemihl entflieht dem Versucher, er findet Glück und Zufriedenheit im Studium der Natur. Der Dichter will wohl zeigen, daß jedes Bemühen, nur der Kunst zu leben, zum Scheitern verurteilt ist.

3 *E. T. A. Hoffmann,* Dichter, Musiker und Maler, aber auch Inhaber eines juristischen Amtes, empfindet die Disharmonie zwischen Poesie und Alltag als schmerzliche Spannung. Diese Welten stehen sich auch im ›Goldenen Topf‹ (1814) gegenüber. Als der Student Anselmus sich mit Serpentina in Atlantis glücklich vereint, haben sich Alltag und Poesie miteinander verbunden. Im Reiche der Phantasie sind alle Gegensätze aufgehoben.

4 In der Erzählung ›Das Fräulein von Scudery‹ (1819) erscheint die Sehnsucht nach künstlerischer Vollendung als dämonischer Zwang. Der Goldschmied Cadillac kann ohne seine Werke nicht existieren; er raubt und mordet, um sie wieder in seinen Besitz zu bringen.

5 a) In ›Die Elixiere des Teufels‹ will Bruder Medardus mit Hilfe eines geheimnisvollen Trankes neue, schönere Welten ergründen, stürzt aber statt dessen in alle Abgründe der Sünde. Auf seinem Wege in die Verdammnis tritt ihm immer wieder als Doppelgänger sein zweites Ich warnend entgegen. Der Dichter kann so symbolisch die dämonischen Kräfte sichtbar machen, die frei werden, wenn der Mensch in der Spannung zwischen Phantasie und Wirklichkeit seine seelische Einheit verliert. b) Der nicht vollendete Roman ›Lebensansichten des Katers Murr‹ vermischt, angeblich durch ein Mißverständnis, die selbstgefälligen und engstirnigen Betrachtungen eines Katers und Abschnitte aus der Lebensgeschichte des vom Wahnsinn bedrohten Kapellmeisters Kreisler. Hinter dem geistreich-ironischen Spiel mit zwei ineinandergeschobenen Handlungen verbirgt sich der alte Gegensatz zwischen enger Wirklichkeit und in sich gefährdetem Künstlertum.

6 Die Novelle ›Meister Martin der Küfer‹ (1818) spielt im Nürnberg der beginnenden Neuzeit; dämonische Menschen und spukhafte Gestalten haben hier keinen Raum (s. dagegen ›Klein Zaches‹, 1819 und ›Prinzessin Brambilla‹, 1821 oder die ›Nachtstücke‹, 1817). Ein Bürgersohn gewinnt die Tochter Meister Martins im Wettbewerb mit einem Patrizier und einem Ritter. Inhalt, Sprache und Aufbau zeigen deutlich realistische Züge.

7 Die Lyrik der späten Romantik läßt erkennen, daß die Welt der „Blauen Blume" und „des Knaben Wunderhorn" nicht mehr selbstgenügsam weiterbesteht. Politische Ereignisse fordern zur Stellungnahme auf, ein neues Verhältnis zu sozialen Fragen wird sichtbar. So schreibt *Chamisso* neben gefühlvollen Gedichten um ›Frauenliebe und Leben‹ (1831) Balladen, die bereits Probleme des Alltags einbeziehen (›Das Riesenspielzeug‹, ›Die alte Waschfrau‹). *Wilhelm Müller* verfaßt Gedichte wie ›Am Brunnen vor dem Tore‹, ›Das Wandern ist des Müllers Lust‹ (1821/24), die zu Volksliedern geworden sind, und setzt sich zugleich leidenschaftlich für die Sache der Griechen ein. Vaterlandsliebe und Sehnsucht nach Freiheit sprechen aus den Liedern und Gedichten *Arndts* (›Was ist des Deutschen Vaterland‹, ›Der Gott, der Eisen wachsen ließ‹, 1813), *Körners* (in der Sammlung ›Leyer und Schwerdt‹, 1814 veröffentlicht) und *von Schenkendorfs* (›Muttersprache‹, ›Freiheit, die ich meine‹, 1815).

35 Geistesgeschichtliche Entwicklung im 19. Jahrhundert

Klassik, Romantik und die Philosophie des Deutschen Idealismus müssen bald neuen geistigen Strömungen weichen. Nationalismus, Liberalismus und Sozialismus prägen die Entwicklung des 19. Jahrhunderts entscheidend mit; eine weltimmanente, realistische, ja materialistische Haltung gegenüber allen Erscheinungen des Lebens drängt transzendente und metaphysische Bindungen in den Hintergrund. Das wachsende Selbstvertrauen der Völker, die großen wirtschaftlichen und politischen Leistungen des Liberalismus und die modernen Naturwissenschaften schaffen die Voraussetzungen für den Imperialismus des ausgehenden 19. Jahrhunderts mit seiner bis dahin nicht gekannten Konzentration von politischer, wirtschaftlicher und militärischer Macht.

Hinter dieser stürmischen Entwicklung verbirgt sich eine geistige und materielle Krise. Sie ist nicht nur die Krise des Industriearbeiters, der seelisch und materiell zugrunde zu gehen droht und für den sich der Sozialismus einsetzt; sie ist auch die Krise der europäischen Kultur und mündet schließlich in die Katastrophe des Ersten Weltkriegs. Hegel, Schopenhauer, Marx und Nietzsche setzen sich mit den Problemen dieses bewegten Jahrhunderts auseinander und bestimmen zugleich seine Entwicklung entscheidend mit.

Hegel:	Phänomenologie des Geistes, 1806
Schopenhauer:	Die Welt als Wille und Vorstellung, 1819
Marx:	Das Kommunistische Manifest, 1847
	Das Kapital, 1867, 1885, 1894
Nietzsche:	Unzeitgemäße Betrachtungen, 1873 f
	Also sprach Zarathustra, 1883/91

1 *Welches Bild von Geschichte und Staat entwirft Hegel?* **2** *Worauf beruht Schopenhauers pessimistische Welt- und Geschichtsbetrachtung?* **3** *Wie interpretiert Marx den Gang der Geschichte? Welche Lehre entwickelt er?* **4** *Wie sucht Nietzsche der drohenden Kulturkrise zu begegnen?* **5** *Worin liegt die Bedeutung Freuds?*

1 Nach *Hegel* stellt die Weltgeschichte einen Prozeß dar, in dem sich die göttliche Vernunft stufenweise verwirklicht. Sie entfaltet sich dialektisch, d. h. jede Thesis (Denkbegriff als Ausdruck einer geistigen Haltung, die auch auf materielle Dinge wirkt) ruft einen Widerspruch hervor (Antithesis) und damit eine Spannung, die sich in der Synthesis wieder aufhebt. Diese, jetzt zur neuen Thesis geworden, treibt den dialektischen Prozeß weiter. Am Ende steht der moderne Staat als höchste Form des objektiven Geistes. In ihm findet die politische, religiöse und philosophische (geistesgeschichtliche) Entwicklung ihren Abschluß, mit ihm identifiziert sich der moderne Mensch, der frei geworden ist, weil er gelernt hat, die Wirklichkeit vernünftig zu begreifen.

2 Nach *Schopenhauer* verkörpern weder Geist noch Vernunft ein Absolutes. Vielmehr drängt ein ursprüngliches Wollen den Menschen zu immer neuem Begehren, das immer neues Leid hervorruft, wie der Gang der Geschichte beweist. Nur wenn der Mensch sich selbst überwindet und lernt, Mitleid gegenüber seinen Mitmenschen zu empfinden, ist ein Weg aus der Krise möglich.

3 *Marx* übernimmt die dialektische Geschichtsbetrachtung Hegels, vertritt aber die Auffassung, daß nicht der Geist, sondern materielle Verhältnisse die Haltung des Menschen gegenüber der Welt bestimmen (Dialektischer Materialismus). Der Gang der Geschichte wird als eine Reihe von Klassenkämpfen begriffen; die letzte Auseinandersetzung findet zwischen Proletariat und Bourgeoisie statt. Am Ende steht der Sieg des Proletariats und damit die klassenlose Gesellschaft, die auch den Staat, ein Bollwerk der Herrschenden gegen die Unterdrückten, überflüssig macht.

Mit der Lehre vom Mehrwert sucht Marx zugleich die ausweglose Lage des Proletariers in einer kapitalistischen Gesellschaft zu enthüllen. Der Unternehmer zahle nicht mehr Lohn, als der Arbeiter für seine nackte Existenz brauche. Den größten Teil des Gewinns verwende er dazu, neue Produktionsmittel und damit neue Macht zu schaffen. Da die Kapitalisten sich auch gegenseitig zu entmachten strebten, stünden am Ende der Entwicklung, nach einem Kampf aller gegen alle, wenige Großunternehmer einem Heer Abhängiger gegenüber. Diese müßten sich, wollten sie ihr wahres Menschsein wieder zurückgewinnen, notfalls mit Gewalt der Produktionsmittel bemächtigen und sie als gemeinsames Eigentum zum Wohle aller nützen und verwalten. Damit sei auch die soziale Frage gelöst.

4 *Nietzsches* Kritik richtet sich gegen die Exponenten des geistigen, politischen und gesellschaftlichen Lebens seiner Zeit. Das Bürgertum wird ebenso angegriffen wie Staat, Kirche und die sozialistische Bewegung. Nietzsche beschwört im Bilde des Übermenschen eine Haltung, die, „jenseits von Gut und Böse", in einer Zeit des drohenden kulturellen Zerfalls, „aus der Enge und Behaglichkeit ... in schwindelnde Höhen einer grenzenlosen, heroisch gespannten Freiheit führt" (Martini). Als Meister der Sprache, als Denker, der den Blick in eine Welt voller Spannungen und Widersprüche, voller Größe und Hoffnung lenkt und die Geheimnisse der menschlichen Seele erschließt, ist Nietzsche eine der einflußreichsten Gestalten der Geistesgeschichte – trotz aller Widersprüche in seinem Werk.

5 *Freud* schafft mit der Begründung der modernen Psychoanalyse einen Zugang zu bisher unbekannten Bereichen der Seele. Seine Untersuchungen über das Wesen der Hysterie, seine Theorie von der Entstehung von Neurosen führen zu einem neuen Urteil über das Triebleben des Menschen, vor allem des Sexuellen, und damit zu einem neuen Verständnis für die Motive des Handelns. Von hier aus erklärt sich Freuds Einfluß auf Literatur, Religionswissenschaft, Kunstgeschichte und Philosophie.

Eine starke Abhängigkeit von Klassik und Romantik ist für diese Epoche des Übergangs genauso charakteristisch wie der Versuch, Mensch und Natur realistisch zu erfassen. Nur wenige Jahre nach Uhlands Balladen erscheinen Platens formstrenge Ghasele und Sonette und die ganz anders gearteten Gedichte Lenaus und Mörikes. Sie zeigen, daß der Zwiespalt zwischen Ideal und Wirklichkeit, die Spannung zwischen Kunst und Leben auch nach der Romantik nicht überwunden ist.

Hebel: Schatzkästlein des rheinischen Hausfreundes, 1811
Uhland: Gedichte, 1815
Platen: Sonette aus Venedig, 1825
Mörike: Maler Nolten, 1832 f
          Mozart auf der Reise nach Prag, 1856

---

1 *Wodurch ist die Dichtung Johann Peter Hebels gekennzeichnet?*   2 *Welche Haltung spricht aus dem Schaffen des „Schwäbischen Dichterkreises"?*
3 *Wie setzt Uhland die Tradition der deutschen Balladendichtung fort? Was kennzeichnet seine Lyrik?*   4 *Was bestimmt den Rang der Gedichte Mörikes?*
5 *Wie erscheint die Widersprüchlichkeit der Zeit in den Gedichten Lenaus, Platens und Rückerts?*   6 *Worin liegt die Bedeutung Hauffs als Erzähler?*
7 *Welche Erzählhaltung zeigt sich in Mörikes ›Maler Nolten‹, welche in ›Mozart auf der Reise nach Prag‹?*

1 In *Hebels* Erzählungen (›Schatzkästlein des rheinischen Hausfreundes‹) und den ›Alemanischen Gedichten‹ lebt der pädagogische Optimismus der Aufklärung weiter. Sie wurzeln in Stamm und Heimat und offenbaren einen Blick für die Sorgen und Nöte einfacher Menschen, wie ihn nur ein sehr realistisches Verhältnis zum Leben verleiht.

2 Starke Bindungen an die Landschaft zwischen Neckar und Schwarzwald und deutliche Abhängigkeit von ›Des Knaben Wunderhorn‹ kennzeichnen die Dichtung des schwäbischen Kreises. Das Unbeständige der Romantik fehlt. Selbst wenn *Kerner* Geister beschwört oder *Mörike* sein Leben in einer von ihm selbst als fragwürdig empfundenen Idylle verbringt, sind sie vor allem bürgerliche Menschen.

3 *Uhland* ist der Begründer der Geschichtsballade (s. Heine, s. S. 38; Platen; Annette v. Droste-Hülshoff, s. S. 44; Fontane, s. S. 44), die den Menschen in einer Situation der Entscheidung oder Bewährung zeigt. Wirklichkeitssinn und Liebe zur Vergangenheit finden Ausdruck in ›Roland Schildträger‹, ›Das Glück von Edenhall‹ oder ›Taillifer‹. Ganz auf die engste Heimat beziehen sich die Balladen um den Grafen Eberhard.
Gedichte wie ›Frühlingsglaube‹, ›Droben stehet die Kapelle‹, ›Ich hatt' einen Kameraden‹, stehen, wie einige Lieder *Kerners* (›Der Wanderer an der Sägemühle‹, ›Wohlauf noch getrunken‹) dem Volkslied nahe.

4 *Mörikes* nicht sehr umfangreiches lyrisches Werk verdankt Goethe und der Romantik sehr viel. Der Dichter verfügt jedoch so meisterhaft über alle Mittel der Sprache und Form, daß feinste Regungen des Gemüts, seelische Erschütterungen, Naturgefühl und Liebessehnsucht unmittelbar lebendig werden und jede Abhängigkeit von literarischen Vorbildern vergessen lassen (s. ›Mein Fluß‹, ›Gesang zu Zweien in der Nacht‹, die ›Peregrina-Lieder‹, ›Gebet‹, ›Er ist's‹). Geheimnisvolle Naturmächte werden in Balladen wie ›Die Geister am Mummelsee‹ und ›Der Feuerreiter‹ lebendig, tiefer Humor und feine Ironie verbergen sich hinter der Idylle ›Der alte Turmhahn‹ und dem didaktischen Märchen ›Der Bauer und sein Sohn‹.

5 Romantisches Erbe lebt auch in den Gedichten *Lenaus*. Voll unerfüllter Sehnsucht nach innerer Ruhe und Harmonie malt er Natur und Landschaft in düsteren Farben (›Wald- und Schilflieder‹), schwermütig-sentimental oder mit jäh aufbrechender Leidenschaft besingt er das Leben von Zigeunern und Hirten in der Weite der Puszta. Selbst der Zauber einer Maiennacht wird durch die Begegnung mit dem Tode zerstört (›Der Postillion‹).

Ein strenger Formwille herrscht in *Platens* Oden, Sonetten und Ghaselen, schwermütige Stimmung liegt über Balladen wie ›Das Grab im Busento‹ und ›Der Pilgrim von St. Just‹. Innere und äußere Konflikte treiben den Dichter schließlich in ein freiwilliges Exil nach Italien.

Auch *Rückert* ist ein Meister der äußeren Form. Er schreibt ›Geharnischte Sonette‹ (Angriffe gegen Napoleon), volkstümliche Lieder (z. B. ›Aus der Jugendzeit‹) und vollendete Alexandriner (›Die Weisheit des Brahmanen‹). In Übersetzungen aus dem Persischen, Indischen und Arabischen setzt er die Bemühungen der Romantik um die Dichtung anderer Völker fort.

6 In *Hauffs* Roman ›Lichtenstein‹ (1826) zeigt sich zum ersten Male in Deutschland (nach dem Vorbild Sir Walter Scotts) neben romantischer Liebe zur Vergangenheit auch Freude an der Darstellung realen Geschehens. Erzählungen wie ›Phantasien im Bremer Rathskeller‹ (1827) erinnern an E. T. A. Hoffmann, Märchensammlungen (1828) wie ›Die Karawane‹, ›Das Wirtshaus im Spessart‹ an Brentano, zeigen aber zugleich eine bewußte Distanz vom Geschehen. In ›Die Bettlerin vom Pont des Arts‹ (1827) und ›Jud Süß‹ (1827) hat sich der realistische Erzählstil endgültig durchgesetzt.

7 *Mörikes* ›Maler Nolten‹ ist ein Künstler- und Bildungsroman nach dem Vorbild des ›Wilhelm Meister‹ (s. S. 24) und der Romantik. Die Handlung ist schwer überschaubar. Der Dichter will vor allem die Entwicklung einer von Leidenschaften zerrissenen Seele zeigen. Das Geschehen tritt oft ganz hinter dem Stimmungsgehalt und der sprachlichen Schönheit eingestreuter Gedichte zurück. In der sehr klar aufgebauten Novelle ›Mozart auf der Reise nach Prag‹ kann auch ein idyllisches Geschehen nicht verbergen, wie sehr Glanz und Größe des Genius von der Macht des Todes und der Vergänglichkeit überschattet sind.

Viel deutlicher als die Dramen Uhlands (›Ernst, Herzog von Schwaben‹, 1818, ›Ludwig der Baier‹, 1819), Fouqués (›Der Held des Nordens‹, 1810) und Platens (›Die verhängnisvolle Gabel‹, 1826) zeugen Werk und Persönlichkeit Grillparzers von dem tiefen Zwiespalt zwischen Ideal und Wirklichkeit, der sich hinter den biedermeierlich-bürgerlichen Lebensformen dieser Epoche verbirgt. Zu Schwermut und Pessimismus neigend, oft an der eigenen Begabung zweifelnd, zeichnet Grillparzer innerlich zerrissene Gestalten, die mehr an sich selbst als an tragischen Situationen scheitern. Die geistige und politische Situation Österreichs im Zeitalter Metternichs ist in seinen Dramen genauso gegenwärtig wie klassisch-romantisches Erbe und die Tradition des Wiener Theaters mit seiner stark von barocken Elementen beeinflußten Schauspielkunst. Raimund und Nestroy sind Meister dieser volksnahen Dramatik.

> Grillparzer: Sappho, 1819   Das goldene Vließ, 1822
> König Ottokar's Glück und Ende, 1825
> Ein Bruderzwist in Habsburg, nach 1855 (1872)

1 Wieweit setzt Grillparzer in ›Die Ahnfrau‹ die Tradition des Schicksalsdramas fort?   2 Was kennzeichnet Form und Gehalt seiner Dramen? 3 Welche Konflikte werden in ›Sappho‹ und in ›Des Meeres und der Liebe Wellen‹ gezeigt?   4 Wie dramatisiert Grillparzer die Argonautensage?   5 Wie zeichnet er die Gestalt König Ottokars, wie die des Bancbanus?   6 Welche Einstellung zum Leben spricht aus Grillparzers Alterswerk?   7 Wie ist die Spannung zwischen Schein und Wirklichkeit, Lüge und Wahrheit in den Märchenspielen gestaltet?   8 Wie lebt das alte Wiener Volkstheater in den Werken Raimunds und Nestroys weiter?

1 Handlung und Requisiten in *Grillparzers* ›Ahnfrau‹ (1817) weisen auf das Schicksalsdrama Zacharias Werners zurück (›Der 24. Februar‹): Ein Fluch — er läßt den Sohn zum Vatermörder werden — zeigt die Abhängigkeit des Menschen von verhängnisvollen Mächten. Es gelingt dem Dichter aber auch, feinste seelische Regungen zu analysieren und die Wirkung dämonischer Mächte im Innern des Menschen sichtbar zu machen.

2 Sprache und Aufbau der Tragödien zeigen den Einfluß Goethes und Schillers. Aber zwischen Sehnsucht und Wollen und der Wirklichkeit klafft ein Abgrund. Sobald der Mensch aus seinen Bindungen heraustritt, ergreifen ihn Leidenschaften, die ihn in unlösbare Konflikte stürzen.

3 ›Sappho‹ ist die Tragödie der alternden Künstlerin, die an der Seite eines jungen Mannes das Glück sucht. Als ihre Neigung nicht erwidert wird, will Sappho zunächst gewaltsam, dann unter persönlichen Demütigungen ihr Ziel erreichen, sieht jedoch ein, daß sie damit ihre Würde als Frau und als Künstlerin zerstört. Verzweifelt tötet sie sich selbst.

In ›Des Meeres und der Liebe Wellen‹ (1831) reißt die Liebe zu Leander die Priesterin Hero aus der Geborgenheit ihres bisherigen Daseins und bringt ihr und dem Geliebten den Tod.

4 ›Der Gastfreund‹ und ›Die Argonauten‹ enthalten die Vorgeschichte; im dritten Teil der Trilogie (1822), ›Medea‹, wird die eigentliche Tragödie dargestellt. Die Katastrophe erwächst nicht aus dem Gegensatz zwischen Kolchern und Griechen, zwischen Barbarentum und einer alten Kultur, so deutlich er auch sichtbar wird; leidenschaftliche, unerfüllte Liebe läßt Medea zur Mörderin werden; Streben nach Ruhm und Macht verblendet Jason; er bleibt einsam und verhaßt zurück.

5 In ›König Ottokars Glück und Ende‹ ist Rudolfs Sieg über Ottokar der Sieg des Rechts über das Machtstreben des einzelnen. Ottokar verstrickt sich immer tiefer in Schuld, bis er schließlich der Rache eines von ihm gedemütigten Ritters zum Opfer fällt.

›Ein treuer Diener seines Herrn‹ (1830) zeigt den Reichsverweser Bancbanus als Menschen, der alles tut, um die staatliche Ordnung zu erhalten, selbst auf Kosten der Ehre seiner Frau.

6 In ›Ein Bruderzwist in Habsburg‹ retten weder der passive, aber liebenswerte Kaiser Rudolf noch sein gewissenloser und ehrgeiziger Bruder Matthias das Reich vor dem Verhängnis des Dreißigjährigen Krieges.

Libussa, die Heldin in der Sage um die Gründung Prags, muß einsehen, daß nicht allein Vertrauen auf das Gute im Menschen, sondern erst Recht und Gesetz ein geordnetes Zusammenleben ermöglichen.

Aus beiden Dramen spricht ein tiefer Pessimismus. Der Mensch kann nicht Herr seines Geschicks sein. Machtstreben ist gefährlich, und nur in Treue und Opferbereitschaft zeigt sich wahre Würde.

7 Rustan, der Held des Märchenspiels ›Der Traum ein Leben‹ (1840), will sich mit einem bescheidenen, aber glücklichen Dasein nicht zufriedengeben. Er erfährt im Traum, wie man in der großen Welt zwar mit Täuschung, Lüge und Verbrechen Macht und Ansehen gewinnen kann, aber nur, um ins Verderben zu stürzen. – Im Lustspiel ›Weh' dem, der lügt‹ (1840) täuscht der sonst um eine Lüge nicht verlegene Küchenjunge Leon, gerade weil er immer die Wahrheit sagt, den barbarischen Grafen Kattwald und befreit Attalus. Die Handlung mischt ernste und burleske Züge, um die Zwielichtigkeit menschlichen Handelns zu zeigen.

8 *Raimunds* Zauberspiele (›Der Bauer als Millionär‹, 1826, ›Der Alpenkönig und der Menschenfeind‹, 1828) verbinden eine ursprüngliche Freude an Spiel und Musik mit volksnahen Stoffen; sie lassen aber auch eine Neigung zu Schwermut und Weltschmerz erkennen. *Nestroy* parodiert mit beißender Ironie Werke seiner Zeitgenossen (z. B. Hebbels ›Judith‹, 1849), entlarvt satirisch die Verschwendungssucht im ›Lumpazivagabundus‹ (1835) und übt, fast schon naturalistisch, Kritik am besitzenden Bürgertum (›Zu ebener Erde und im ersten Stock‹, 1838).

Nationalismus und Liberalismus, seit der Französischen Revolution in ganz Europa verbreitet, werden von der staatlichen und geistlichen Obrigkeit mißtrauisch beobachtet und unterdrückt (s. Karlsbader Beschlüsse; Demagogenverfolgungen). Während sich bedeutende Dichter bewußt von der Tagespolitik fernhalten, andere sich sogar ganz aus ihr zurückziehen und mit der Dorf- und Heimatdichtung eine alte Gattung neu beleben, empört sich eine Gruppe junger Schriftsteller gegen die herrschenden geistigen und gesellschaftlichen Verhältnisse, sagt sich vom klassisch-romantischen Vorbild los und fordert Befreiung von staatlichen, religiösen und moralischen Bindungen. Dieses Ziel einigt sonst so verschiedene Gestalten wie Heine, Börne, Laube und Gutzkow. Ihre Schriften werden 1835 durch einen Beschluß des Bundestages verboten; er richtet sich gegen „Das junge Deutschland" und gibt damit dieser Bewegung erst einen Namen.

Heine:	Reisebilder, 1826/31 Buch der Lieder, 1827
	Deutschland. Ein Wintermärchen, 1844
Gutzkow:	Wally, die Zweiflerin, 1835
Laube:	Das junge Europa, 1833/37 Die Karlsschüler, 1846
Auerbach:	Schwarzwälder Dorfgeschichten, 1843/54

1 *Wie suchen die Vertreter des „Jungen Deutschland" ihre Ziele zu verwirklichen?*   2 *Welche Rolle spielen dabei die Hauptgattungen der Dichtung?*
3 *Worin liegt die literarische Bedeutung Heines?*   4 *Welche Aufgabe setzt sich die Dorf- und Heimatdichtung?*   5 *Was kennzeichnet die Werke ihrer wichtigsten Vertreter in Nord- und Süddeutschland?*

1 Die ,Jungdeutschen' schalten sich unmittelbar in den politischen Tageskampf ein, bestrebt, immer zeitnah zu sein und den als rückständig und wirklichkeitsfern abgelehnten Idealismus zu überwinden. Ihre Sprache paßt sich den Erfordernissen der Presse an. Das Feuilleton erreicht einen Höhepunkt. Reiseberichte und -bilder erweitern den Horizont der Leser, Theater- und Literaturkritik sollen auf das kulturelle Leben einwirken. Kennzeichnend für diese Haltung sind *Börnes* ›Briefe aus Paris‹ (1832/34), *Wienbargs* ›Aesthetische Feldzüge‹ (1834) und *Heines* ›Reisebilder‹.

2 Lyrik, Drama und epische Prosa stehen inhaltlich im Dienste politischer und weltanschaulicher Aufgaben, sind formal aber oft von klassisch-romantischen Vorbildern abhängig. In Liedern protestiert man gegen die Reaktion, tritt für die Elenden und Unterdrückten ein und fordert Recht und Freiheit für alle. *Heine* schreibt ›Die schlesischen Weber‹, *Freiligrath*, bekannt als Verfasser exotischer Gedichte wie ›Der Löwenritt‹, beklagt die herrschenden Mißstände (›Die Auswanderer‹, ›Aus dem schlesischen Gebirge‹); auch das Deutschlandlied *Hoffmann von Fallerslebens* und das 1863 entstandene ›Bundeslied des deutschen Arbeitervereins‹ von *Herwegh* sind Ausdruck dieses Einsatzes für eine neue politische und soziale Ordnung.

In Lustspielen wie ›Zopf und Schwert‹ (1844) und ›Der Königsleutnant‹ (1852) setzt sich *Gutzkow* mit der preußischen Geschichte und Goethes Jugend auseinander. Die Tragödie ›Uriel Acosta‹ (1847) schildert, wie ein die Wahrheit suchender jüdischer Rabbi an der starren dogmatischen Haltung seiner Gegner zugrunde geht (s. auch *Laube* ›Die Karlsschüler‹; ›Prinz Friedrich‹, 1848). Romane wie Gutzkows ›Wally die Zweiflerin‹ und Laubes ›Das Junge Europa‹ sind Auseinandersetzungen mit Geschichte und Gegenwart, mit sozialen und literarischen Problemen. Gattungsgeschichtlich bedeutend ist Gutzkows umfangreiche Romanfolge ›Die Ritter vom Geist‹ (1850/52): Die Handlung entwickelt sich nicht chronologisch; viele Ereignisse stehen nebeneinander.

3 *Heines* Gedichte treffen den schlichten Ton des Volksliedes (›Buch der Lieder‹), beschwören Gewalt und Größe der Natur (›Nordsee‹-Zyklus), gestalten Ereignisse aus Geschichte und Sage (›Belsazar‹, ›Ich weiß nicht, was soll es bedeuten‹, ›Die Grenadiere‹), zerstören aber oft durch plötzliche Umbrüche, durch geistreichen Witz und beißende Ironie die Eindeutigkeit von Stimmung und Aussage. Prosaschriften wie die ›Reisebilder‹ und ›Die romantische Schule‹ (1836) wirken mehr ihrer Sprache als des Inhalts wegen weiter. Geistreich und witzig, ironisch und kritisch, zugleich klar und hintergründig werden sie zu Vorbildern des modernen Journalismus.

4 Die Dorf- und Heimatdichtung zieht sich noch entschlossener als Roman und Novelle des poetischen Realismus (s. S. 41/44) in die einfache Welt schlichter Menschen zurück, denn das Leben in der Großstadt, vor allem aber das lautstarke Gebaren der jungdeutschen Literaten, sind für Schriftsteller wie *Auerbach, Anzengruber* und *Rosegger* Zeichen eines drohenden Verfalls. Nach dem Vorbild Hebels und Immermanns will Auerbach in seinen ›Schwarzwälder Dorfgeschichten‹ einfache Gestalten als Vertreter eines unverbildeten, echten Menschentums zeichnen. *Fritz Reuters* Schicksal zeigt, wie sehr die Heimatdichtung auch als eine Flucht vor der Gegenwart mit allen ihren Fragwürdigkeiten gesehen sein will (Reuter wird unschuldig als Demagoge zu lebenslänglichem Zuchthaus verurteilt).

5 *Reuter, Brinckman* und *Groth* schreiben Plattdeutsch. Persönliche Erfahrungen und die Schicksale von Bauern, Kleinstädtern, Seefahrern und Kaufleuten bilden den Inhalt ihrer Romane, Erzählungen und Gedichte.
In Süddeutschland setzt *Anzengruber* die Tradition des alten Wiener Volkstheaters fort (›Der Pfarrer von Kirchfeld‹, 1871; ›Der Meineidbauer‹, 1872). Kalendergeschichte und Roman (›Der Schandfleck‹, 1877, und ›Der Sternsteinhof‹, 1885) zeigen, wie einfache Menschen ihr Schicksal meistern. Der Steiermärker *Rosegger* verteidigt in autobiographischen Erzählungen wie ›Waldheimat‹ (1877), ›Die Schriften des Waldschulmeisters‹ (1875) und ›Jakob der Letzte‹ (1888) mit Güte und Humor eine einfache bäuerliche Welt gegen die Gefahren, die von Technik und Unglauben drohen.

Als nach den Napoleonischen Kriegen Nationalismus und Restauration um die Vorherrschaft ringen und epochemachende Erfindungen (Dampfmaschine, mechanischer Webstuhl) die erste industrielle Revolution einleiten, steht das Bürgertum im Brennpunkt der geistigen und politischen Auseinandersetzungen. Nach dem Sieg der Restauration tritt tiefe Enttäuschung an die Stelle nationaler Begeisterung. Der Bürger zieht sich in seine engere Heimat und in die gesicherte Welt der Familie zurück und überläßt wichtige politische, soziale und wirtschaftliche Entscheidungen allein der Obrigkeit (s. Biedermeier). Auch die Dichtung scheint von provinzieller Enge bedroht. Ihre Sprache nähert sich in Satzbau und Wortwahl der Umgangssprache, alltägliche Schicksale stehen oft im Mittelpunkt. Da es aber gelingt, scheinbar Alltägliches ins Allgemeingültige zu erheben, entstehen mit Hilfe eines Realismus, der Sprache und Menschenbild entscheidend prägt, Werke von bleibender Bedeutung. Auch die soziale Bewegung unter der geistigen Führung von Marx wirkt auf die Dichtung ein. Oft stellt sie sich mit den Mitteln eines modernen Journalismus in den Dienst der Revolution. Das Drama des frühen Realismus spiegelt die Erschütterung der alten Ordnung wider. Klassische Formen werden gesprengt, alte Bindungen zerrissen.
Vor diesem Hintergrund entstehen die Werke Grabbes und Büchners.

Grabbe: Napoleon oder Die hundert Tage, 1831
Büchner: Dantons Tod, 1835
        Woyzeck, entstanden 1836, Erstausgabe 1879, Uraufführung 1913
        Leonce und Lena, entstanden 1836, Erstausgabe 1842, Uraufführung 1885

---

1 *Woran erkennt man, daß sich Grabbe von der klassischen Tradition löst?*
2 *Wie stellt er das Verhältnis Mensch – Geschichte dar?* 3 *Welche Haltung nimmt Büchner gegenüber den revolutionären Bewegungen seiner Zeit ein?*
4 *Wie beurteilt Büchner die Möglichkeiten menschlichen Handelns in ›Dantons Tod‹?* 5 a) *Warum ist ›Woyzeck‹ mehr als ein soziales Drama? b) Worin liegt seine literarische Bedeutung?* 6 *Wie zeigt sich Büchners Auffassung von der Gebundenheit des Menschen auch in seinem Lustspiel ›Leonce und Lena‹?*

1 Wie schon in ›Scherz, Satire, Ironie und tiefere Bedeutung‹ (1827), einer witzigen und zugleich hintergründigen Literaturkomödie im Stil der Romantik, gibt *Grabbe* in allen seinen Dramen die strenge Einteilung in Szenen und Akte auf. Der Vers wird durch Prosa ersetzt; die Sprache nähert sich dem alltäglichen Ausdruck. Bilder, oft in epischer Breite gestaltet, zeigen den Menschen nur noch als Spielball irrationaler Mächte. Oft fehlt ihm die Fähigkeit, sich seiner Umgebung mitzuteilen. Einsamkeit, Isolierung und Verlorenheit bestimmen sein inneres und äußeres Dasein.

2 Titel wie ›Kaiser Friedrich Barbarossa‹ (1829), ›Napoleon oder Die hundert Tage‹ (1831), ›Hannibal‹ (1835), ›Die Hermannsschlacht‹ (1838) scheinen bei Grabbe auf historische Ereignisse hinzuweisen, in deren Mittelpunkt autonome Persönlichkeiten stehen. Aber der Held ist nicht Herr seines Schicksals, besitzt nicht die Freiheit des Handelns. Die in der Geschichte wirkenden unpersönlichen Mächte erweisen sich als stärker. Sie zerstören am Ende den Menschen, auch wenn er sich gegen sie aufbäumt und dadurch seine Würde zu wahren sucht.

3 *Büchner* stellt sich in einer Reihe von Flugschriften (Titel: ›Der Hessische Landbote‹, 1834) unter dem Schlagwort „Friede den Hütten, Krieg den Palästen" auf die Seite der sozialen Revolution. Von ihr, nicht von Reformbestrebungen des liberalen Bürgertums, erwartet er Hilfe für die Schichten des einfachen Volkes.

4 Der Held der Tragödie ›Dantons Tod‹ glaubt ursprünglich, durch entschlossenes Handeln der Welt eine neue Ordnung geben zu können. Nach dem Scheitern seiner Bemühungen steht er der heraufbeschworenen Anarchie gleichgültig und in passivem Fatalismus gegenüber. Jede Illusion von der Möglichkeit, das Schicksal selbst zu gestalten, ist zerstört. Der oft zynische Realismus der Sprache soll – unterstützt von meist wörtlich übernommenen historischen Dokumenten – das Bild einer chaotischen Welt verdeutlichen. Dem Menschen bleibt die Aufgabe, sich in dieser Welt ohne Gott und ohne Hoffnung zurechtzufinden. Nur das Nichts kann am Ende eine Erlösung bringen.

5 a) Woyzeck, Hauptfigur des gleichnamigen Dramas, als Offiziersbursche und Barbier Vertreter der niedersten Gesellschaftsschicht, wird von seinem Vorgesetzten und einem Arzt rücksichtslos und wie eine Sache behandelt. Sein Schicksal ist jedoch nicht ausschließlich milieubedingt; er ahnt etwas von den unheimlichen Mächten, die ihn bedrohen, er spürt, daß der Boden unter ihm wankt. Liebe und Eifersucht verwirren seinen einfachen, dumpfen Verstand; er tötet seine untreue Geliebte und kommt bei dem Versuch, die Tatwaffe zu beseitigen, ums Leben.

b) Die Tragödie, in ihrer Radikalität ein typisches Produkt des frühen Realismus, nimmt als Kunstwerk vieles vorweg, was erst im Expressionismus allgemeine Bedeutung gewinnt: Büchner löst das Geschehen in eine Folge nicht genau festgelegter Bilder auf (Bilderstil; s. Brecht, S. 53). Starke Verdichtung der Aussage läßt Hintergründiges, Ungesagtes Bedeutung gewinnen.

6 In ›Leonce und Lena‹ verbirgt sich hinter einem witzig-heiteren Spiel um ein fürstliches Paar (s. Lustspiel der Romantik, S. 32) bittere Satire auf die bestehenden gesellschaftlichen Verhältnisse und zugleich tiefe Resignation: Am Ende steht ein Lob auf die Faulheit.

Mit den Werken Friedrich Hebbels erreicht die dramatische Dichtung des Realismus ihren Höhepunkt. Auch Hebbel kennt die Autonomie des menschlichen Geistes nicht mehr; auch seine Grundhaltung ist pessimistisch. Das tragische Scheitern seiner Gestalten resultiert zwangsläufig aus ihrer Existenz. Formal zeigen Hebbels Tragödien – im Gegensatz zu den Werken Büchners und Grabbes – Einflüsse der antiken Tragödie und des klassischen deutschen Dramas. Otto Ludwig ringt in grüblerischer Auseinandersetzung mit Schiller, Hebbel und Shakespeare um ein neues Verständnis des Dramatischen. Von seinen eigenen Schöpfungen hat nur ›Der Erbförster‹ literarische Bedeutung (lebendiger und wirkungsvoller: die Erzählung ›Die Heiterethei‹, 1854 und der Roman ›Zwischen Himmel und Erde‹, 1856).

Hebbel: Maria Magdalene, 1844
Herodes und Mariamne, 1850
Agnes Bernauer, 1852
Die Nibelungen, 1861
Ludwig: Der Erbförster, 1850

---

1 *Welche Grundgedanken enthält Hebbels Abhandlung ›Mein Wort über das Drama‹?* 2 *Warum kann man ›Maria Magdalene‹ als das erste moderne bürgerliche Trauerspiel bezeichnen?* 3 *a) Woraus entwickelt sich der tragische Konflikt in ›Herodes und Mariamne‹? b) Welche verwandten Motive zeigen sich in ›Gyges und sein Ring‹?* 4 *Wie wird in ›Agnes Bernauer‹ der Konflikt zwischen Individuum und Gesellschaft dargestellt?* 5 *Auf welche Weise sucht Hebbel den Stoff des Nibelungenliedes dramatisch zu bewältigen?* 6 *In welchem Verhältnis stehen theoretische Auseinandersetzungen und dichterisches Schaffen im Werke Otto Ludwigs?*

1 Für *Hebbel* ist das Dasein bestimmt durch eine tragische Spannung zwischen Welt und Individuum. Dadurch erscheint das Leben als „eine furchtbare Notwendigkeit, die auf Treu und Glauben angenommen werden muß, die aber keiner begreift." Die Welt bleibt bestehen, auch wenn sie immer neue Formen ihrer Existenz entwickeln muß; der Mensch dagegen, der sich im Lebenskampf behaupten will, fordert gerade dadurch Mächte heraus, die seinen Untergang besiegeln. Aufgabe der tragischen Dichtkunst ist nach Ansicht Hebbels, diese „Grundverhältnisse ins Auge zu fassen, die bei dem beschränkten Gesichtskreis des Menschen grauenhaft sind."

2 ›Maria Magdalene‹, das Gegenwartsdrama Hebbels, entsteht, nachdem der Dichter in seinen ersten Tragödien, ›Judith‹ (1840) und ›Genoveva‹ (1843), bereits einen biblischen und einen legendären Stoff behandelt hat. Alle Konflikte erwachsen allein aus der Welt des Kleinbürgertums. Auf die Spannung zwischen Adel und niederen Ständen (s. Lessing, S. 20 und Schiller, S. 22) wird verzichtet. Die Macht einer erstarrten Tradition,

enge Bindung an überlebte Vorstellungen von Ehre und Moral und das Unvermögen, in Denken und Fühlen sich den Mitmenschen zu erschließen, lassen die Gestalten des Dramas scheitern. Repräsentant dieser Welt ist vor allem Meister Anton; seine starren Vorurteile treiben seine Tochter Klara in den Tod.

3 a) In ›Herodes und Mariamne‹ befiehlt König Herodes, um der Treue seiner Frau auch nach seinem Tode sicher zu sein, Mariamne zu töten, wenn er in der Schlacht fallen sollte. Mariamne ist bereit, ihm freiwillig in den Tod zu folgen, fühlt sich aber durch diese Mißachtung ihrer Menschenwürde tief verletzt. Als Herodes sein Versprechen bricht, den Befehl nicht zu wiederholen, täuscht Mariamne Untreue vor und wird hingerichtet.

b) Die Hauptgestalt der Tragödie ›Gyges und sein Ring‹ (1856), Rhodope, verlangt den Tod ihres Mannes Kandaules, weil er mit ihrem sittlichen Empfinden zugleich ihr Selbstbewußtsein mißachtet. Darauf geht sie freiwillig aus einem sinnlos gewordenen Dasein.

Beide Dramen stehen formal der Klassik am nächsten (s. Sprache – Hebbel verwendet den Blankvers – und Aufbau).

4 In ›Agnes Bernauer‹ wird am Schicksal der schönen Baderstochter aus Augsburg die Kluft sichtbar, welche die Forderung des Menschen nach Liebe und Glück von dem Anspruch der Gesellschaft auf Ordnung und Sicherheit trennt. Da durch die Vermählung des Thronfolgers mit einer nicht Ebenbürtigen der Staat gefährdet ist, muß Agnes „als reinstes Opfer, das der Notwendigkeit im Laufe der Jahrhunderte gefallen ist" (Hebbel), sterben. Herzog Ernst ist die eigentlich tragische Gestalt, weil er im Zwiespalt zwischen Menschlichkeit und politischer Notwendigkeit Schuld auf sich lädt, um die göttliche Ordnung, verkörpert im Staat, zu erhalten.

5 Hebbel gliedert den umfangreichen Stoff der Nibelungensage in drei Teile: ›Der gehörnte Siegfried‹, ›Siegfrieds Tod‹ und ›Kriemhilds Rache‹. Siegfried und Brunhild verkörpern den ewigen Gegensatz zwischen Mann und Weib. Ins Maßlose gesteigerte ethische Haltungen wie Gattentreue (Kriemhild) und Treue zwischen Herr und Gefolgsmann (Gunther/Brunhild – Hagen) bringen allen den Untergang. Mit den Burgunden versinkt die alte Welt, auf deren Trümmern Dietrich von Bern aus der Hand Etzels die Verantwortung für eine neue, christliche Ordnung übernimmt.

6 *Ludwig* setzt sich in seinen theoretischen Schriften vor allem mit Schiller, Hebbel und Shakespeare auseinander (Shakespeare-Studien). Schiller und Hebbel werden radikal abgelehnt, weil ihre Werke Ludwigs Vorstellungen von einer neuen Dramatik nicht entsprechen; alleingültiger Maßstab ist die Tragödie Shakespeares. Im Wettstreit mit Hebbel entsteht das bürgerliche Trauerspiel ›Der Erbförster‹ (1850). 1852 folgen ›Die Maccabäer‹, eine historische Tragödie. Eine Entfaltung echter Tragik gelingt Ludwig nicht. Zufälle und Mißverständnisse bestimmen das Geschehen (s. Schicksalstragödie. Grillparzer ›Die Ahnfrau‹, s. S. 37).

Noch deutlicher als in der dramatischen Dichtung zeigt sich ein Realismus der Sprache, des Welt- und Menschenbildes in Roman und Novelle. Immermanns Romane setzen sich zunächst leidenschaftlich mit Tradition (Klassik und Romantik) und Gegenwart auseinander. Aber schon in der Erzählung ›Der Oberhof‹ werden neue Wege gewiesen: Nur innerhalb seiner natürlichen Bindungen an die heimische Landschaft mit ihren einfachen Lebensformen vermag sich der Mensch ganz zu entfalten. Auch in den Werken der großen Erzähler wie Gotthelf, Stifter und Keller erweisen sich Geschichte und Landschaft als Mächte, die für die Stellung des Menschen im Dasein genauso wichtig sind wie die Kräfte der Seele. So kann der Realismus, an die Tradition des ›Wilhelm Meister‹ anknüpfend, den deutschen Entwicklungsroman neu beleben.

Immermann: Münchhausen (mit: Der Oberhof), 1838/39
Gotthelf: Uli der Knecht, 1841 Uli der Pächter, 1849
Keller: Der grüne Heinrich 1. Fassung, 1854 2. Fassung, 1879
Stifter: Der Nachsommer, 1857

---

1 *Worin liegt die literarische Bedeutung der Romane Immermanns?*
2 *a) Welche Haltung bestimmt Inhalt und Form der Romane Gotthelfs?*
b) Wie werden Natur und Mensch dargestellt? 3 *a) Worin unterscheidet sich die erste Fassung des ›Grünen Heinrich‹ von der zweiten? b) Welche Wandlung spricht aus diesen Unterschieden?* 4 *Welches Bild der Gegenwart entwirft Keller in ›Martin Salander‹?* 5 *Wie gestaltet Stifter das Verhältnis Mensch – Natur – Tradition in seinen Romanen ›Der Nachsommer‹ und ›Witiko‹?*

1 Schon in seinem ersten Roman, den ›Epigonen‹ (1836), versucht *Immermann*, ein realistisches Bild der Gesellschaft nach den Freiheitskriegen zu entwerfen. Mit bitterer Satire auf den Zeitgeist, als dessen Vertreter der Lügenbaron erscheint, greift er dieses Thema im ›Münchhausen‹ wieder auf. Einer von Schein und Lüge zum Narren gehaltenen Welt stellt der Dichter in der Geschichte vom Oberhof Gestalten wie den Hofschulzen, Elisabeth und Oswald entgegen, heimatverbundene Menschen, deren Handeln und Lieben ohne Falsch sind. ›Der Oberhof‹ leitet eine bedeutsame Entwicklung ein. (Wesentlicher Einfluß auf die Dorfgeschichte [Auerbach, Anzengruber, Rosegger], aber auch auf die Dichtung Stifters und Kellers.)

2 a) *Gotthelf* stellt seine Romane und Erzählungen wie seine Predigten in den Dienst der ethischen und religiösen Erziehung des Menschen in allen Lebensbereichen. Begabt mit dichterischer Phantasie und urwüchsiger Ausdruckskraft, beherrscht er meisterhaft Hochsprache und heimischen Dialekt. Zahlreiche predigthafte Einschübe, Bilderreichtum und Unmittelbarkeit des Ausdrucks stehen deutlich unter dem Einfluß der Bibel.

b) Diese Erzählhaltung zeigt sich besonders in den Uli-Romanen (›Uli der Knecht‹ und ›Uli der Pächter‹) und in ›Wie Anne Bäbi Jowäger haushaltet und wie es mit den Doktern geht‹ (1843/44). Gotthelf übt herbe Kritik an der von Habsucht und Sittenzerfall bedrohten bäuerlichen Welt. Die Natur, einfach und großartig zugleich, kann dem Menschen zum Vorbild werden: Nur in einem bescheidenen, naturverbundenen Leben in der Furcht Gottes findet er zu sich selbst zurück. Uli gewinnt Achtung und Ansehen, nachdem hilfreiche Menschen ihn auf den rechten Weg gewiesen haben, und die tüchtige Anne Bäbi muß einsehen, daß nicht nur Liebe, sondern auch Egoismus ihre Haltung mitbestimmt hat. Sie erlaubt schließlich ihrem Sohn, ein armes, aber fleißiges und anständiges Mädchen zu heiraten.

3 a) Die erste Fassung von *Kellers* Roman ›Der grüne Heinrich‹, in der Er-Form geschrieben, ist die Geschichte eines gescheiterten jungen Künstlers, der an Gram stirbt, weil er sich am Tode seiner Mutter schuldig glaubt. In der zweiten Fassung – der Dichter wählt jetzt die Form der Ich-Erzählung – ringt sich der Held zu einem einfachen, pflichtbewußten Leben durch.

b) Als Entwicklungs- und Künstlerroman steht Kellers ›Grüner Heinrich‹ in der Tradition des deutschen Bildungsromans. ›Wilhelm Meister‹ (s. S. 24), ›Titan‹ (s. S. 31), ›Heinrich von Ofterdingen‹ (s. S. 32) und ›Hyperion‹ (s. S. 30) sind seine Vorbilder. Während in der ersten Fassung romantischer Subjektivismus überwiegt, bekennt sich der Dichter in der zweiten zu Überlieferung und Gemeinschaft.

4 In ›Martin Salander‹ (1886) übt Keller harte Kritik an den politischen und sozialen Verhältnissen; Unehrlichkeit und Scheinpatriotismus drohen die Gemeinschaft auszuhöhlen. So wird der Roman zu einer mit großem Ernst und in einer herben, oft lehrhaften Sprache geschriebenen Zeitanalyse.

5 *Stifters* Menschen ordnen sich der Natur ein. Wie sich in ihr das Leben harmonisch entfaltet, so entfaltet der Mensch seine Kräfte, still und in Ehrfurcht vor dem Einfachen, Wahren. Ordnung, Notwendigkeit und Pflicht sind ihm selbstverständlich.

Der Roman ›Der Nachsommer‹ schildert, arm an äußerer Handlung, die Entwicklung des Kaufmannssohnes Heinrich Drendorf zu geläuterter Menschlichkeit, deren Ausdruck Liebe und Entsagung sind.

Die Entwicklung einer Gemeinschaft bildet den Inhalt des Romans ›Witiko‹ (1865/67; Böhmen im 12. Jahrhundert). Die Sprache ist verhaltener, weniger bildhaft als im ›Nachsommer‹. Stifter vertritt die Überzeugung, daß auch in dieser Welt der göttliche Wille verwirklicht werden kann, wenn sich die Menschen Recht und Ordnung unterwerfen.

Stärker als bei Keller und Stifter zeigt sich der Einfluß der europäischen Literatur in den ausgeprägt zeitkritischen Tendenzen der Werke Wilhelm Raabes und Theodor Fontanes. In Frankreich läßt bereits Henri Stendhal (›Rot und Schwarz‹, 1830, ›Die Kartause von Parma‹, 1839) neben psychologischen Interessen auch gesellschaftskritische Bestrebungen erkennen, und Honoré de Balzac gibt in den 40 Bänden seiner ›Comédie Humaine‹ eine Gesamtdarstellung der französischen Gesellschaft um 1830. Zeitgeschehen und Umwelt werden dabei genauso sorgfältig beobachtet und dargestellt wie Triebe und Leidenschaften. Nach Sir Walter Scott – seine Werke sind Vorbild vieler historischer Romane in Deutschland – erobert um die Mitte des Jahrhunderts Charles Dickens die Gunst des englischen und kontinental-europäischen Publikums. Romane wie ›Oliver Twist‹ (1838), ›Nicholas Nikleby‹ (1839) und ›David Copperfield‹ (1850) zeichnen nicht nur mit Humor und Herz die Licht- und Schattenseiten des Lebens, sie enthalten auch herbe Kritik an sozialen Mißständen und tragen damit wesentlich zu Reformen bei. Schonungsloser noch als Dickens, mit oft beißender Ironie, entlarvt Thackeray die Neigung, Reichtum und Macht über Bildung und Menschlichkeit zu stellen (s. ›Vanity Fair‹, 1848).

Raabe: Der Hungerpastor, 1864   Der Schüdderump, 1870
Fontane: Frau Jenny Treibel, 1892   Effi Briest, 1895
Der Stechlin, 1899

---

1 *Was wird im ›Hungerpastor‹ durch das Motiv des Hungers sichtbar? Wie steigert sich der Pessimismus des Dichters in ›Abu Telfan‹ und ›Der Schüdderump‹?* 2 *Inwiefern setzt sich in ›Stopfkuchen‹ eine andere Haltung durch?* 3 *Wie zeichnet Fontane den Menschen und seine Welt, besonders in ›Frau Jenny Treibel‹?* 4 *In welchem Licht erscheinen Konvention und Sitte in ›Effi Briest‹?* 5 *Was kennzeichnet den Roman ›Der Stechlin‹ als typisches Alterswerk?* 6 *Wie setzen Freytag, Dahn und Scheffel die Tradition des historischen Romans fort?*

1 Hans Unwirsch, der Held in *Raabes* Roman ›Der Hungerpastor‹, findet, vom Hunger nach Bildung, nach Wissen und Einsicht getrieben, nach entbehrungsreichen Schüler- und Studentenjahren auf einer Pfarrstelle ein bescheidenes Glück. Sein Jugendfreund Moses Freudenstein muß äußeren Glanz mit innerer Leere bezahlen. Wie schon in seinem ersten Werk, ›Die Chronik der Sperlingsgasse‹ (1857), sucht Raabe auch hier das Glück in „Winkeln und Gassen". Pessimismus und Resignation erfüllen ihn, wenn er erkennen muß, wie Lug und Trug die Menschen beherrschen. So sehnt sich Leonhard Hagebucher in ›Abu Telfan‹ (1868) wieder nach einem Leben in Sklaverei bei einem Negerstamm zurück, als er das hektische Treiben in seiner Heimat beobachtet. Erst an der Seite einer einfachen Frau findet

er Ruhe und Geborgenheit. In ›Der Schüdderump‹ wird der Pestkarren zum Symbol der Hinfälligkeit menschlichen Strebens.

2 Humor und hintergründiger Spott durchdringen Form und Gehalt der Erzählung ›Stopfkuchen‹ (1891). Der Held, in seiner Jugend wegen Gefräßigkeit und Dummheit von allen verspottet, gewinnt Würde im Kampf um das Glück seiner Frau. Eine Mordgeschichte bildet nur den äußeren Rahmen für innere Vorgänge.

3 Als *Fontane*, fast sechzigjährig, seinen ersten Roman veröffentlicht, hat er als Verfasser von Balladen und Reisebeschreibungen bereits einen Namen. In den ›Wanderungen durch die Mark Brandenburg‹ (1862/82) schildert er seine Heimat und ihre Menschen, vor allem den Adel und das Bürgertum. Gestalten aus dieser Welt und aus der seit 1870 starken Wandlungen unterworfenen Berliner Gesellschaft sind auch die Helden seiner großen Erzählungen. Wir beobachten ihr Verhalten beim Aufstand gegen Napoleon (›Vor dem Sturm‹, 1878), sehen in ›Schach von Wuthenow‹ (1883), wie eine erzwungene Heirat und überkommene Ehrbegriffe die Liebenden in Schuld verstricken, und lernen in ›Frau Jenny Treibel‹ die Familie eines neureichen Kommerzienrates kennen. Die Rätin strebt, trotz großer zur Schau getragener Bildungsbeflissenheit, nur nach Geld und gesellschaftlichem Ansehen. Fontane entwirft ein ironisch gesehenes Bild der Gründerjahre. Äußere und innere Vorgänge werden genau beobachtet und sachlich wiedergegeben. Besondere Bedeutung gewinnt das Gespräch: Die Menschen stellen sich in ihm selbst dar, lassen Charakter und Herkunft, aber auch feinste seelische Regungen und damit die Motive ihres Handelns erkennen.

4 In ›Effi Briest‹ bringt ein erst nach Jahren entdeckter Fehltritt die Katastrophe. Die Gesetze gesellschaftlicher Konvention und Moral sind zwar erschüttert, erweisen sich jedoch als stärker als der Mensch. In ›Irrungen und Wirrungen‹ (1887) unterwerfen sich die Liebenden ihren Forderungen und trennen sich, Effi geht unter, weil sie das Urteil der Gesellschaft nicht anerkennt.

5 Fontane erzählt in ›Der Stechlin‹ breit und mit Liebe für Details vom Leben eines alten Majors. Die Handlung tritt fast ganz zurück. Gespräche und Rückbesinnungen enthüllen das Denken und Fühlen eines Mannes, der gelassen feststellt, daß die Epoche des Adels und seiner Lebensformen zu Ende geht und eine neue Gesellschaft Anerkennung fordert.

6 *Freytag* will in der Romanreihe ›Die Ahnen‹ (1872/80), wie schon vorher in den ›Bildern aus der deutschen Vergangenheit‹ (1859/67), einer kulturgeschichtlichen Sammlung, alte Zeiten neu beleben (s. auch ›Soll und Haben‹, 1855, und ›Die verlorene Handschrift‹, 1864). Auch *Dahns* historische Romane (›Ein Kampf um Rom‹, 1878) zeigen neben Freude an der Geschichte eine pädagogische Absicht, und *von Scheffel* zeichnet in dem sagenhaft-phantastischen Geschehen des ›Ekkehard‹ (1855) ein Bild mittelalterlichen Klosterlebens während der Ungarneinfälle.

Seit Goethe und Kleist behauptet die Novelle einen wichtigen Platz in der deutschen Dichtung. Das Naturgefühl der Romantik findet in ihr genauso Raum wie deren Neigung, Hintergründiges mit Komischem ironisch zu vermischen. In den Erzählungen Hauffs und Chamissos überwiegen – wie in Grillparzers Erzählung ›Der arme Spielmann‹ (1848) – bereits realistische Züge. Der Mensch in seinen Bindungen an Geschichte und Heimat, an Gemeinschaft und Familie, sein Leben zwischen Freiheit und ständiger Bedrohung durch ein übermächtiges Schicksal sind die Themen der großen Erzähler von Büchner bis Storm. Die äußere Form ihrer Werke weist alle Elemente zwischen klassischer Strenge und krassem Naturalismus auf.

Büchner:	Lenz, 1839
Droste-Hülshoff:	Die Judenbuche, 1842
Gotthelf:	Die schwarze Spinne, 1842
Stifter:	Bunte Steine, 1853
Keller:	Die Leute von Seldwyla, Teil 1 1856, Teil 2 1874
C. F. Meyer:	Das Amulett, 1873 Gustav Adolfs Page, 1882

1 Wie zeichnet Büchner in ›Lenz‹ den geistigen Verfall eines Menschen? 2 Wie wird das Verhältnis von Schuld und Sühne in ›Die Judenbuche‹ (Droste-Hülshoff) und ›Die schwarze Spinne‹ (Gotthelf) dargestellt? 3 Wieweit ist das Geschehen in Stifters Erzählungen Ausdruck des „Sanften Gesetzes"? 4 Welche Themen behandeln Kellers Novellenzyklen? 5 Wie stellt Keller den Gegensatz zwischen Sein und Schein in ›Kleider machen Leute‹, wie das Verhältnis Individuum – Gemeinschaft in ›Das Fähnlein der sieben Aufrechten‹ dar? 6 Warum gestaltet C. F. Meyer vor allem historische Stoffe? 7 Welche Ereignisse werden in ›Das Amulett‹, welche in ›Der Heilige‹ erzählt? Welche Haltung setzt sich in ›Der Schuß von der Kanzel‹ durch?

1 Für *Büchner* ist der dem Wahnsinn verfallende Dichter Lenz ein medizinischer „Fall". Jeder Stimmungswechsel, jede Änderung im äußeren Verhalten wird registriert, Naturvorgänge werden in die Beobachtungen einbezogen; sie spiegeln, wie schon in Goethes ›Werther‹ (s. S. 22), den Gemütszustand des Helden, der das Furchtbare, das mit ihm geschieht, zwar bekämpft, ihm aber schließlich unterliegt.

2 Die Geschichte vom Leben und Tod des Friedrich Mergel wird in *Droste-Hülshoffs* Novelle ›Die Judenbuche‹ dramatisch verdichtet. Zwischen Schuld und Sühne bleibt für die Freiheit der Entscheidung wenig Raum. Neben einer fast naturalistischen Darstellung des Dorfes und seiner Bewohner stehen Bilder und Symbole (s. Judenbuche).
Dumpfe Verzweiflung und frevelhaftes Spiel mit dem Bösen rufen die „Schwarze Spinne" auf den Plan, Glaube und Opferbereitschaft beenden ihr fürchterliches Wüten. Der Mensch ist vor Gott für sein Tun verantwortlich.

3 Auch in *Stifters* Novellen (›Studien‹, 1844/50, ›Bunte Steine‹) prägen Sitte und Maß, Liebe und Hilfsbereitschaft, wenn auch oft schwer errungen, das Verhalten der Menschen zueinander (s. ›Das Haidedorf‹, 1840, ›Die Mappe meines Urgroßvaters‹, 1841; ›Der Hochwald‹, 1842; ›Brigitta‹, 1843). Tragisch ist das Geschick des Juden in ›Abdias‹ (1842). Er verfällt dem Wahnsinn, als ihm ein Blitzschlag den letzten Halt, seine Tochter, raubt. In ›Der Hagestolz‹ (1844) muß ein Mann einsam und verbittert sein Leben beschließen. Versöhnlich endet in ›Bergkristall‹ (1845) das Geschehen um zwei Kinder, die sich nach einem Besuch bei den Großeltern im Gebirge verirrt haben.

4 Leben und Treiben der ›Leute von Seldwyla‹ werden zum Spiegel des Daseins. Scharf beobachtet *Keller* die Verschrobenheit der ›Drei gerechten Kammacher‹; mit verstecktem Humor schildert er, wie eine tapfere Witwe das Leben meistert (›Frau Regel Amrain und ihr Jüngster‹) und wie Pankraz (›Pankraz der Schmoller‹) doch noch ein hilfsbereiter Mensch wird. Wie meisterhaft der Dichter seelische Vorgänge darzustellen versteht, zeigt sich vor allem in ›Romeo und Julia auf dem Dorfe‹.
Die ›Züricher Novellen‹ (1878) behandeln Stoffe aus der Geschichte der Heimat Kellers (darunter ›Hadlaub‹, ›Das Fähnlein der sieben Aufrechten‹). In ›Das Sinngedicht‹ (1882) bildet die Liebesgeschichte eines jungen Naturforschers den Rahmen für 6 weitere Erzählungen.

5 Die Geltungssucht einiger Goldacher Bürger, aber auch sein eigenes Verhalten, verwandeln in ›Kleider machen Leute‹ (aus ›Die Leute von Seldwyla‹) einen einfachen Schneidergesellen in einen polnischen Grafen. Als die Wahrheit bekannt wird, bewährt sich nur die Liebe Nettchens; mit ihrer Hilfe wird aus dem armen Strapinski ein angesehener Handwerker und Kaufmann.
›Das Fähnlein der sieben Aufrechten‹, eine Geschichte um sieben kleinbürgerliche Männer und der von manchen Vorurteilen bedrohten Liebe Karls zur Tochter des reichen Frymann, zeigt den einzelnen als lebendiges Glied der Gemeinschaft; in ihr hat er eine seinen Fähigkeiten angemessene Pflicht zu erfüllen (s. die Rede Karls).

6 *C. F. Meyer* sucht in der Geschichte, besonders in der Renaissance und im Zeitalter der Glaubenskämpfe, nach dem Wirken machtvoller Gestalten. Strenger Aufbau und sorgfältige Darstellung des Geschehens zeichnen seine in ihrem Handlungsreichtum dem Drama verwandten Novellen aus (s. ›Die Versuchung des Pescara‹, 1887, ›Gustav Adolfs Page‹ und, trotz des großen Umfangs, ›Jürg Jenatsch‹, 1876).

7 Im ›Amulett‹ erlebt ein junger Schweizer die Schrecken der Bartholomäusnacht. Die Zuneigung eines Landsmannes rettet ihn und seine Geliebte vor dem Tod. Die Novelle ›Der Heilige‹ (1879) schildert die Geschichte Thomas Beckets, der seine Treue zur Kirche mit dem Leben bezahlt. ›Der Schuß von der Kanzel‹ (1878) gehört wie ›Plautus im Nonnenkloster‹ (1882) zu den wenigen Erzählungen Meyers, die Humor und Heiterkeit erkennen lassen.

Theodor Storm ist neben Raabe und Fontane im 19. Jahrhundert der bedeutendste Vertreter der realistischen Novelle in Norddeutschland. Das Schicksal seiner von der Landschaft zwischen Meer und Geest geprägten Gestalten ist der ewige Kampf gegen die Nordsee. Raabe zeigt dagegen eine Vorliebe für historische Stoffe, und Fontane stellt reale Vorgänge dar, so z. B. in der Erzählung ›Unterm Birnbaum‹ (1885) einen Kriminalfall.

In den Balladen des Realismus lebt vor allem die seit Uhland bestehende Vorliebe für historische Stoffe weiter. Die Gedichte Kellers und Hebbels, aber auch die der Droste und C. F. Meyers, sind stark von Klassik und Romantik beeinflußt.

Raabe: Die schwarze Galeere, 1865   Des Reiches Krone, 1873
Storm: Pole Poppenspäler, 1874   Der Schimmelreiter, 1888

---

1 *In welchem Verhältnis stehen äußeres Geschehen und innere Spannung in Fontanes Erzählung ›Unterm Birnbaum‹?* 2 *Welche Haltung zeigen die Menschen in Raabes Novellen?* 3 *Wie gestaltet Storm das Verhältnis Mensch – Schicksal?* 4 *Welche Motive werden in ›Pole Poppenspäler‹ und ›Der Schimmelreiter‹ gestaltet?* 5 *Was kennzeichnet die Balladendichtung des Realismus?* 6 *Wie begegnen sich Tradition und Suchen nach neuen Wegen in der Lyrik des Realismus?*

1 Genaue Milieuschilderung, ein lebendiger, der Umgangssprache nahestehender Dialog und die Kunst, die Spannung durch Andeutungen zu erhöhen, zeichnen *Fontanes* Erzählung ›Unterm Birnbaum‹ aus. Äußere und innere Vorgänge, Schuld und Vergeltung vollziehen sich im realen Bereich. Im Gegensatz zu der Droste und zu Gotthelf will Fontane ein Eingreifen höherer Mächte nicht direkt sichtbar machen; trotzdem erkennt der Leser deutlich, wie der Mensch durch sein Schuldigwerden eine höhere Gerechtigkeit herausfordert.

2 In *Raabes* Erzählung ›Die schwarze Galeere‹, der Geschichte zweier Liebender, die trotz Kriegswirren zueinander finden, siegen Liebe und Freiheitsgefühl über Gewalt und Unterdrückung. Tiefer Pessimismus spricht dagegen aus der Novelle ›Else von der Tanne‹ (1865). Ein Mädchen wird von Dorfbewohnern umgebracht, die der Krieg mißtrauisch, abergläubisch und unmenschlich gemacht hat. Dieses Sterben erscheint so sinnlos, daß auch der Pfarrer an der Güte Gottes zweifelt und den Tod sucht.

3 Im Mittelpunkt von *Storms* frühen lyrisch-stimmungsvollen Erzählungen stehen Menschen, die der Härte des Lebens nicht gewachsen sind (s. ›Immensee‹, 1850). Seine Spukgeschichten (›Bulemanns Haus‹, 1864 u. a.) nehmen den härteren Ton der späten Novellen vorweg und lassen deren dramatische Spannung bereits erkennen. In Erzählungen wie ›Aquis submersus‹ (1876) und ›Ein Fest auf Haderslevhus‹ (1885) werden Vergangenheit und Gegen-

wart lebendig. Storms gesamtes Werk wird getragen von der Überzeugung, daß „die Menschen …, jeder für sich, in furchtbarer Einsamkeit" leben müssen.

4 In ›Pole Poppenspäler‹ führen Stolz und Selbstbewußtsein den Helden in die Einsamkeit, aus der ihn die Liebe befreit. Spielt diese Geschichte noch im engen Raum der Familie und Kleinstadt, so durchdringen sich in der Tragödie Hauke Haiens (›Der Schimmelreiter‹) Vergangenheit und Gegenwart, Natur und Schicksal, menschliche Größe und Begrenztheit.

5 Die Ballade des Realismus bevorzugt historische Stoffe, aber auch Natur und Landschaft gewinnen Bedeutung. *Annette von Droste-Hülshoff* gestaltet (1841/42) das Walten schicksalhafter Mächte (›Die Vergeltung‹, ›Der Tod des Erzbischofs Engelbert von Köln‹) oder dämonischer Naturkräfte (›Der Knabe im Moor‹).

C. F. Meyer stellt dagegen, wie oft in seinen Novellen, das Geschick großer Gestalten (›Konradins Knappe‹, ›Napoleon im Kreml‹) dar oder berichtet von historischen Ereignissen, die den Menschen im Kampfe mit sich selbst oder mit einem übermächtigen Schicksal zeigen.

Fontane wendet sich zunächst der märkisch-preußischen Geschichte zu (›Der alte Zieten‹, ›Seydlitz‹), wählt dann Stoffe aus dem englisch-schottischen oder nordischen Bereich (›Archibald Douglas‹, ›Gorm Grymme‹) und schließlich aus der Gegenwart wie in ›Die Brück'am Tay‹. Äußeres Geschehen und innere Vorgänge werden aus überlegener Distanz knapp und eindrucksvoll gestaltet.

6 Die Gedichte *Hebbels* und *Kellers* stehen deutlich unter dem Einfluß Goethes und der Romantik. Das Verhältnis Mensch – Natur – Schicksal spiegelt sich in den herben, von strengem Formwillen geprägten Versen Hebbels (›Herbstbild‹, ›Nachtlied‹), Weltfrömmigkeit und Freude an der Schöpfung sprechen aus Kellers ›Abendlied‹ oder ›Stille der Nacht‹.

Annette von Droste-Hülshoff beobachtet auch die kleinsten Naturvorgänge (›Im Moose‹, ›Im Grase‹); die herbe und düstere westfälische Landschaft wird in der Ballade ›Der Knabe im Moor‹ und in Gedichten wie ›Das Heidefeuer‹ lebendig. Von schweren inneren Kämpfen zeugt die unter dem Titel ›Das geistliche Jahr‹ 1851 herausgegebene religiöse Lyrik.

Volksliedhafter, mit feinem Sinn für Klänge und Stimmungen, gestaltet *Storm* in meist kurzen Gedichten Motive aus der Natur und aus dem menschlichen Leben: Liebe und Glück, Tod und Vergänglichkeit. Im Stile der Spruchdichtung stellt er das Verhältnis Mensch – Gesellschaft dar (›An meine Söhne‹).

C. F. Meyers Lyrik deutet auf Rilke und George voraus. Das Erlebnishafte tritt zurück; der Dichter ringt um eine vollendete äußere Gestalt, die innere Vorgänge symbolhaft sichtbar machen kann (s. ›Der römische Brunnen‹). Ein strenger Formwille zeigt sich auch in den Naturgedichten (›Unter den Sternen‹, ›Himmelsnähe‹, ›Firnelicht‹).

45 Naturalismus I

Die Zeit nach dem Deutsch-Französischen Krieg 1870/71, für das Reich eine Epoche nationalen Glanzes und raschen wirtschaftlichen Fortschritts, ist zugleich eine Zeit des Umbruchs. Eine neue Gesellschaft entsteht. Eine junge Generation stellt sich den Problemen der Zeit. Beeinflußt von den Lehren des philosophischen und dialektischen Materialismus, aber auch von der Philosophie Nietzsches, und tief beeindruckt von der modernen Naturwissenschaft, lehnt sie jede metaphysische und religiöse Bindung ab und weist der Dichtung eine neue Aufgabe zu: die Darstellung der Wirklichkeit. Der Mensch erscheint als Produkt von Milieu und Vererbung, seine Freiheit wird noch viel radikaler in Frage gestellt als in der Kunst des Realismus. In Berlin begeistern sich die Brüder Hart, in München Conrad für die Romane des Franzosen Zola. Die Russen Tolstoj und Dostojewskij werden gefeiert, die Dramen der Norweger Björnson und Ibsen zur Nachahmung empfohlen. Holz und Schlaf geben der neuen Bewegung schließlich ein Programm und versuchen, es in Theorie und Praxis zu verwirklichen.

Brüder Hart: Kritische Waffengänge, 1882/84
Holz und Schlaf: Familie Selicke, 1890
Hauptmann: Bahnwärter Thiel, 1892 (entstanden 1887)

---

1 Welches sind die literarischen Tendenzen der Brüder Hart und Conrads?
2 Warum ist Zola das große Vorbild der Naturalisten?   3 Mit welchen Problemen beschäftigen sich Ibsens gesellschaftskritische Dramen?   4 Wodurch werden Tolstoj und Dostojewskij zu literarischen Vorbildern ihrer Zeit?
5 a) Welches Programm entwirft Holz? b) Wie sucht er es zu verwirklichen?
6 Welche Züge kennzeichnen die Epik des Naturalismus?   7 Warum ist die Novelle ›Bahnwärter Thiel‹ charakteristisch für die Erzählkunst Hauptmanns?

1 1882 erscheinen in Berlin die ›Kritischen Waffengänge‹ der *Brüder Hart*. Sie schwärmen für Sozialismus und „Moderne", halten Gericht über die deutsche Literatur, stellen die alten Leitbilder von Moral, Religion und Staat in Frage und fordern ein Bekenntnis zu einer neuen, naturnahen und deshalb wahren Kunst.
Ähnliche Ideen verbreitet *Conrad* in der seit 1885 in München herausgegebenen Zeitschrift ›Die Gesellschaft‹, einem Sprachrohr junger Dichter.

2 *Zola* zeigt in seinen Romanen die düsteren, häßlichen Seiten des Lebens. Jede Einzelheit gewinnt Bedeutung; die Schattenseiten des Daseins werden rücksichtslos enthüllt, die Abhängigkeit des Menschen von Milieu und Vererbung wird mit wissenschaftlicher Präzision dargelegt. Der Einzelmensch geht in der Gruppe, in der Masse auf.

3 Die gesellschaftskritischen Dramen des Norwegers *Ibsen* zeigen den Kampf des in seiner Eigenständigkeit bedrohten Menschen gegen Lüge und Heuchelei, aber auch seine Ohnmacht gegenüber Milieu und Vererbung. Das

Geschehen entfaltet sich mit gesetzlicher Notwendigkeit aus einer klar umrissenen Situation. (Beispiele: ›Nora‹, 1879; ›Gespenster‹, 1881.) In den ›Gespenstern‹ büßt der Sohn für den sittenlosen Lebenswandel seines Vaters.

4 Besonders in seinen großen Romanen ›Anna Karenina‹ (1878) und ›Krieg und Frieden‹ (1869) erweist sich *Leo N. Tolstoj* als scharfer, kritischer Beobachter menschlicher Verhaltensweisen und gesellschaftlicher Verhältnisse. *Dostojewskij* erschließt das Seelen- und Triebleben bis in die tiefsten Schichten, warnt vor drohendem geistigen Verfall und prangert soziale Mißstände an (s. ›Raskolnikow‹, 1866; ›Der Idiot‹, 1868; ›Die Brüder Karamasow‹, 1881; ›Die Dämonen‹, 1873).

5 a) *Holz* meint, der Dichter müsse die Wirklichkeit in allen Einzelheiten genau erfassen und darstellen: „Die Kunst hat die Tendenz, die Natur zu sein." Damit wird er zum Begründer des „konsequenten Naturalismus".

b) Mit *Schlaf* entwickelt *Holz* in ›Papa Hamlet‹ (1889), einer Sammlung von Skizzen aus dem Berliner Alltag, den Sekundenstil: Umwelt und Verhalten einfacher Menschen werden mit größter Präzision erfaßt. In ›Familie Selicke‹ überträgt er diese Methode auf das Drama. Die erst 1929 abgeschlossene umfangreiche Gedichtsammlung ›Phantasus‹ sprengt alle Grenzen der Form und des Ausdrucks.

6 Vor allem unter dem Einfluß Zolas entstehen Romane und Novellen, die ohne Rücksicht auf die äußere Form die Schattenseiten des Lebens in der modernen Industriegesellschaft darstellen (z. B. *Conrad* ›Was die Isar rauscht‹, 1887; *Kretzer* ›Meister Timpe‹, 1888). Der Glaube an geistige Werte ist tiefer Resignation gewichen. Auch *Sudermanns* Romane und Erzählungen (z. B. ›Frau Sorge‹, 1887; ›Litauische Geschichten‹, 1917) sind von dieser Grundhaltung bestimmt. Hinzu kommt, besonders in ›Der Katzensteg‹ (1890), eine Neigung zum Sensationellen, Unwahrscheinlichen.

7 Die Titelgestalt in *Hauptmanns* ›Bahnwärter Thiel‹, ein gutmütiger, aber in Dumpfheit dahinlebender Mensch, bäumt sich vergebens gegen eine von Roheit und Sinnlichkeit bedrohte Welt auf. Die Einsamkeit der Landschaft und eine einförmige Tätigkeit haben seinen Charakter und sein Verhalten genauso geprägt wie die Menschen der Umgebung. Bei der Schilderung realer Vorgänge erweist sich Hauptmann als Meister des Sekundenstils. Sein Vermögen, den Leser mitdenken, mitfühlen und mitleiden zu lassen, sprengt aber den engen Rahmen naturalistischer Erzählkunst. Es belebt auch seine späteren epischen Werke, den Roman ›Der Narr in Christo Emanuel Quint‹ (1910), Die Erzählung ›Der Ketzer von Soana‹ (1918) und das umfangreiche Hexameterepos ›Des großen Kampffliegers Till Eulenspiegel Abenteuer‹ (1928).

Hauptmann ist der bedeutendste Dramatiker des Naturalismus. Sein umfangreiches, formal und stofflich vielschichtiges Werk läßt sich jedoch nicht in ein starres Schema einordnen. Neben Dramen von eindeutig naturalistischem Charakter (›Vor Sonnenaufgang‹, ›Rose Bernd‹, ›Fuhrmann Henschel‹, ›Die Weber‹) stehen Schöpfungen, die in eine Traum- und Märchenwelt führen (›Hanneles Himmelfahrt‹, ›Die versunkene Glocke‹, 1897; ›Und Pippa tanzt‹, 1906). Mit ›Florian Geyer‹ (1896) gestaltet Hauptmann einen Stoff aus den Bauernkriegen, in ›Der weiße Heiland‹ (1920) bringt er das phantastische Geschehen der Eroberung Mexikos durch Cortez auf die Bühne. Ein mittelalterlicher Stoff wird in ›Der arme Heinrich‹ (1902) bearbeitet, antike Mythen werden in ›Der Bogen des Odysseus‹ (1914) und in der ›Atridentetralogie‹ dramatisiert.

Der Ruhm von Hermann Sudermann und Max Halbe ist heute verblaßt.

Hauptmann: Vor Sonnenaufgang, 1889   Die Weber, 1892
Hanneles Himmelfahrt, 1894
Fuhrmann Henschel, 1898   Rose Bernd, 1903
Atridentetralogie (›Iphigenie in Delphi‹, ›Iphigenie in Aulis‹, ›Agamemnons Tod‹ und ›Elektra‹), 1940/49

---

1 Welche für die Kunst Hauptmanns typischen Elemente erscheinen bereits in ›Vor Sonnenaufgang‹?   2 Welche Probleme werden in ›Fuhrmann Henschel‹ und in ›Rose Bernd‹ behandelt?   3 Was kennzeichnet Form und Inhalt der ›Weber‹?   4 Über welche Möglichkeiten dramatischer Aussage verfügt Hauptmann in seinen Lustspielen?   5 Wie ist die Vermischung naturalistischer und romantischer Elemente in ›Hanneles Himmelfahrt‹ zu erklären? 6 In welchen Dramen geht Hauptmann diesen Weg weiter?   7 Wie dramatisiert er die Sage vom Schicksal der Atriden?

1 In seinem ersten Drama, ›Vor Sonnenaufgang‹, zeichnet *Hauptmann* reich gewordene Bauern, die dem Alkohol und sexueller Gier verfallen sind. Dramatisch wirksame Szenen werden so aufeinander bezogen, daß ein Einblick in eine ganz bestimmte seelische Situation möglich ist; denn die Menschen verstummen, wo sie eigentlich sprechen müßten, oder sie steigern sich in sinnlose Wut, wo Sachlichkeit am Platze wäre. Mimik und Gebärde drücken oft mehr aus als Worte.

2 Fuhrmann Henschel, ein gutmütiger und schwacher Mensch, heiratet nach dem Tod seiner ersten Frau die Magd Hanne Schäl und wird von ihr zum Selbstmord getrieben. Herzensgüte und biederer Gerechtigkeitssinn können sich gegen Triebhaftigkeit und Gemeinheit nicht behaupten.

Auch Rose Bernd geht an ihrer Umwelt zugrunde. Weil sie schön ist, wird sie von den Männern wie ein Wild gehetzt. Aus Furcht vor Schande bringt sie ihr Kind um.

3   In einer lockeren Folge bildhafter Szenen lernt der Zuschauer die Not der Weber und die Geldgier verantwortungsloser Fabrikanten kennen. Held des Geschehens sind die Weber als Gruppe, nicht als Einzelgestalten. Ihr Elend bindet sie aneinander und läßt sie schließlich gegen die herrschende Ordnung aufbegehren. Das „Blutgericht" (Weberlied) wird neben der in eindrucksvollen Szenen beschworenen Not eine der Klammern, die das dramatische Geschehen zusammenhalten: Es drückt die allgemeine Empörung noch unmittelbarer aus als Worte und Gebärden dieser unterdrückten und gequälten Menschen. Genaue Szenenanweisungen, schlesischer Dialekt und eindringliche Bilder prägen den Stil des Dramas, mit dem Hauptmann vor allem an das Gewissen der verantwortlichen Schicht appelliert.

4   In seinen Lustspielen bietet der Dichter genaue Charakteranalysen, arbeitet soziale Gegensätze scharf heraus, läßt sie oft in der Auseinandersetzung zwischen Mutterwitz und Standesdünkel aufeinanderprallen und weiß die dabei entstehende Situationskomik – meist durch den Dialekt noch gesteigert – dramatisch zu nutzen. Sein erstes Lustspiel, ›College Crampton‹ (1892), beschreibt den Charakter eines trunksüchtigen Professors. ›Der Biberpelz‹ (1893) gestaltet eine dramatisch wirkungsvolle Episode aus dem Leben der Mutter Wolffen. Die Meisterdiebin erscheint am Ende als Muster biederer Ehrbarkeit, dank ihrer Schläue und unverfrorenen Haltung, mit der sie beim Verhör über alle Beteiligten triumphiert. Spätere Lustspiele wie ›Schluck und Jau‹ (1900) und ›Der rote Hahn‹ (1901) erreichen nicht die Wirkung des ›Biberpelz‹.

5   ›Hanneles Himmelfahrt‹ wahrt die lockere Form des naturalistischen Dramas. Auch das bekannte Milieu ist geblieben: Ein trunksüchtiger Vater, der Hannele in den Tod treibt, und die armseligen Bewohner eines Armenhauses. In den Fieberphantasien des sterbenden Mädchens – einer Möglichkeit, der Trostlosigkeit des Lebens zu entfliehen – öffnet sich das Paradies: Christus und seine Engel nehmen Hannele in eine Welt ohne Armut und Elend auf.

6   Auch in dem Glashüttenmärchen ›Und Pippa tanzt‹ (1906) vermischen sich bedrückende Wirklichkeit und ein nur noch in mythischen Bildern zu fassendes Geschehen. ›Die versunkene Glocke‹ (1896) ist dagegen reines Märchenspiel, hinter dem sich die Tragödie eines Künstlers verbirgt, der für sein Werk jeden Einsatz wagt.

7   Das Verhängnis, das über dem Hause des Atreus liegt, soll in der Atridentetralogie in seiner ganzen Ausweglosigkeit sichtbar werden. Es gibt keine Lösung im Sinne Goethes, nicht einmal das Walten der Götter verleiht dem furchtbaren Geschehen höheren Sinn. Eigenes Versagen und schicksalhafte Bindungen vernichten den Menschen. Die düstere Welt der naturalistischen Dramen Hauptmanns erscheint hier in klassischem Gewand (s. jambische Verse. Aufbau in Szenen und Akte).

Der literarische Impressionismus stellt keine klar zu umgrenzende Epoche dar: Wirklichkeitsbewußtsein verbindet ihn mit dem Naturalismus, Streben nach Verinnerlichung mit der Neuromantik. Die Welt wird sinnenhaft erlebt; Eindruck und Empfindung verdrängen die Reflexion über die Dinge. – Der Impressionismus als Kunstform wird von der Malerei geprägt. In Frankreich lösen Monet und Manet, in Deutschland Liebermann feste Formen in Farbflecke und Punkte auf, die sich erst unter einer bestimmten Perspektive wieder zusammenfügen und neue und überraschende Eindrücke hervorrufen. Entsprechend reiht Liliencron in seinen Gedichten und Erzählungen Beobachtung an Beobachtung, Bild an Bild, verdichtet Dehmel bildhaft erlebte Wirklichkeit zu ekstatisch geschilderten seelischen Prozessen, gestaltet Schnitzler extrem subjektiv erotische Beziehungen.

> Liliencron: Adjutantenritte, 1883   Poggfred, 1896
> Schnitzler: Reigen, 1900
> Dehmel: Aber die Liebe, 1893   Zwei Menschen, 1903

1 *Welche impressionistischen Stilelemente zeigen die Gedichte Liliencrons?*
2 *Welche Möglichkeiten lyrischen Sprechens werden bei Dehmel, welche bei Dauthendey und Morgenstern sichtbar?* 3 *Wie entwickelt sich die Balladendichtung weiter?* 4 *Welche Stoffe behandelt die erzählende Dichtung des Impressionismus?* 5 *Welche Züge sind für die Dramen Schnitzlers charakteristisch?* 6 *Wieweit zeigt Stefan Zweig eine ähnliche Grundhaltung wie Schnitzler?*

1 *Liliencron* geht von Einzelbeobachtung und -bild aus; dann fließen Gedanken und Stimmungen zusammen und verdichten sich zu unmittelbarem Erleben. Der stete Wechsel verdrängt die naturalistische ‚Methode‘, Vorgänge festzuhalten. Vergleiche, meist nur hauptwörtlich wiedergegeben, treten an die Stelle direkter Aussagen. Aus Gedichtsammlungen wie ›Der Haidegänger‹ (1890), ›Bunte Beute‹ (1903) spricht Freude an einem freien, männlichen Leben, aber auch das Bewußtsein, daß Schicksal und Tod allgegenwärtig sind. – Die dem Volkslied nahestehende Lyrik *Löns'* und *Falkes* ist von Liliencron stark beeinflußt.

2 *Dehmels* frühe Lyrik (›Erlösungen‹, 1891) ist noch vom Naturalismus abhängig. 1893 erscheint ›Aber die Liebe‹; weitere Bände wie ›Weib und Welt‹ (1896) und ›Schöne, wilde Welt‹ (1913) schließen sich an. In ihnen gestaltet der Dichter in kühner, oft rauschhaft überhöhter Sprache das Verhältnis Mann – Weib, Mensch – Natur – Kosmos. Nimmt er dabei wesentliche Stilelemente des Expressionismus vorweg, so ist er in den Gedichten ›Der Arbeitsmann‹ und ›Traum eines Armen‹ aufgeschlossen für soziale Probleme. Träumerischer, eingesponnen in eine Welt von Farben und Tönen, erlebt *Dauthendey* Liebe und Natur (s. ›Ultra-Violett‹, 1893). Bemüht,

alle Naturerscheinungen zu beseelen und Heimat und exotische Ferne einander näherzubringen, schafft er Wort- und Satzgebilde, die bereits auf den Surrealismus hinweisen. – Auch *Morgensterns* phantastisch-hintergründige ›Galgenlieder‹ (1905; s. auch ›Palmström‹, 1910, und ›Der Gingganz‹, 1919) und die gedankentiefen Gedichte der Sammlungen ›Melancholie‹ (1906) und ›Einkehr‹ (1910) lassen ähnliche Stilelemente erkennen.

3 In seinen Balladen zeichnet *Liliencron* vor allem Stimmungsbilder aus der Geschichte seiner engeren Heimat. Mannesstolz, Härte und Unbeugsamkeit werden in ihnen verherrlicht (›Pidder Lüng‹, ›Trutz, blanke Hans‹). Ähnliche Stoffe behandelt *Börries von Münchhausen* (s. ›Bauernaufstand‹, ›Des Braunschweigers Ende‹). Er überwindet die Abneigung des Naturalismus gegenüber der Ballade, unterstützt von *Lulu von Strauß und Torney* (›Die Tulipan‹) und *Agnes Miegel,* die den Kampf einfacher Menschen gegen Natur und Schicksal (›Die Frauen von Nidden‹) und eine hintergründig-mystische Welt darstellt (›Die Mär vom Ritter Manuel‹; ›Schöne Agnete‹).

4 *Liliencrons* Romane (›Der Mäcen‹, 1890; ›Mit dem linken Ellenbogen‹, 1899; ›Leben und Lüge‹, 1908) sind literarisch weniger bedeutsam als seine Novellen, die, ganz im Banne des augenblicklichen Eindrucks, Erlebnisse aus den Kriegen 1866 und 1870/71 wiedergeben (›Eine Sommerschlacht‹, 1886; ›Unter flatternden Fahnen‹, 1888). Das Epos ›Poggfred‹ erzählt vom freien Leben eines ritterlichen Herrn. In *Dehmels* „Roman in Romanzen", ›Zwei Menschen‹, führt ein von allen konventionellen Fesseln befreiter Eros die Liebenden von der „Erkenntnis" über die „Seligkeit" zur „Klarheit". *Löns'* Tier- und Jagdgeschichten (›Mein grünes Buch‹, 1901; ›Mein braunes Buch‹, 1906; ›Aus Forst und Flur‹, 1916) beobachten das Naturgeschehen und schildern Episoden aus dem Leben der Tiere (›Mümmelmann‹; ›Widu‹). ›Der Werwolf‹ (1910), der bekannteste seiner Romane, zeigt den harten Kampf bäuerlicher Menschen gegen die Not des Dreißigjährigen Krieges.

5 *Schnitzlers* Einakter zeichnet ein gewandter Dialog aus. In ihm werden alle Stimmungen lebendig – von heiterster Ironie bis zu tiefster Schwermut und Verzweiflung. Die Atmosphäre des ›Anatol‹ (1893) ergibt sich aus dem Gefühl des Dichters, am Ende einer Epoche zu leben; erotische Erlebnisse und Konflikte kennzeichnen den Inhalt. Auch die Szenenfolge ›Der Reigen‹ und das groteske Geschehen im ›Grünen Kakadu‹ (1899) ordnen sich hier ein, ebenso die Novellen ›Lieutenant Gustl‹ und ›Fräulein Else‹ (1901 und 1924), in denen es vor allem um die Gestaltung seelischer Prozesse geht.

6 Auch *Stefan Zweig* weiß in Erzählungen wie ›Amok. Novelle der Leidenschaft‹ (1922) und ›Schachnovelle‹ (1941) innere Vorgänge bis in ihre feinsten Wurzeln freizulegen und ihre Bedeutung für das äußere Schicksal sichtbar zu machen. Gestalten wie Fouché, Maria Stuart, Erasmus von Rotterdam, werden historisch, vor allem aber als Charaktere gedeutet. Die ›Sternstunden der Menschheit‹ (1927 und 1943) stellen die Bedeutung persönlichen Handelns in entscheidenden geschichtlichen Augenblicken dar.

Der Symbolismus gewinnt in Deutschland zuerst um 1890 durch die Dichtung Baudelaires und Verlaines Einfluß. Er ist vor allem eine Reaktion gegen den Naturalismus: Die Kunst hat nicht Sachverhalte mitzuteilen oder gar Lehren zu vermitteln (s. die Rolle, die Milieu und Vererbung bei Zola und Hauptmann spielen), sondern soll mit Hilfe einer bewußt gestalteten Sprache, die symbolische Kraft und Musikalität vereint, eine tiefere Wirklichkeit erschließen.

In Deutschland sind George, Rilke und Hofmannsthal die bedeutendsten Repräsentanten dieser Richtung. Unter dem Einfluß der Franzosen bekennt sich Stefan George zur strengen Form, zur Distanz vom Alltäglichen und Gemeinen, und stellt dem Alltagsjargon der Naturalisten eine zuchtvolle Sprache entgegen. Paul Ernst und Wilhelm von Scholz begründen diese neue Kunstauffassung auch theoretisch und übertragen sie auf alle Gattungen der Dichtung.

Für Rilke wird eine Reise nach Rußland zum entscheidenden Erlebnis, Hofmannsthal schöpft aus dem reichen kulturellen Erbe, vor allem aus der Barock-Tradition, des alten Österreich.

George: Der Teppich des Lebens, 1899
         Der siebente Ring, 1907
         Der Stern des Bundes, 1914

---

1 Welche Haltung kennzeichnet Georges frühe Lyrik? 2 Welche inhaltliche und formale Wendung wird in der Gedichtsammlung ›Der Teppich des Lebens‹ sichtbar? 3 Wie gestaltet George das Verhältnis Dichter – Welt in seinen späteren Zyklen? 4 Wie wirkt er als Mensch und Dichter auf seine Zeitgenossen? 5 Auf welche Weise ergänzen die Schriften Paul Ernsts und von Scholz' die Bemühungen Georges?

1 In den ›Hymnen‹ (1890) ringt *George* selbstbewußt um eine neue Einheit von Form und Gehalt. Seine hohe Auffassung vom Dichtertum zeigt sich noch deutlicher in ›Algabal‹ (1892), einer Ludwig II. von Bayern gewidmeten Sammlung. Algabal vereinigt priesterliche und königliche Gewalt und damit Hoheit und Macht in einer Person. In dem Zyklus ›Das Jahr der Seele‹ (1897) ist die Einheit von Sprache und Gehalt erreicht. Der Dichter gestaltet Liebe und Natur im Wechsel der Jahreszeiten mit den Mitteln reiner Lyrik.

2 In ›Der Teppich des Lebens‹ wird der Teppich zum Symbol eines geordneten und doch rätselhaften Daseins, der Dichter zum Schöpfer und Seher, der die Geheimnisse des Lebens ergründet und sittliche Normen und Leitbilder gibt. Schon der strenge Aufbau ist bezeichnend: Drei Teile umfassen je 24 Gedichte, jedes Gedicht besteht aus vier Strophen, jede Strophe aus vier Versen.

3 Im Zentrum der Gedichtsammlung ›Der siebente Ring‹ steht die verklärte Gestalt Maximins, eines früh verstorbenen Freundes des Dichters. Sie symbolisiert nach dem Willen Georges die ewige Wiederkehr des Göttlichen in einer von Tod und Vergänglichkeit bedrohten Welt. George schafft sich einen Mythos, dessen höchster Priester er selbst ist. An ihm werden im ersten und zweiten Teil, den Zeitgedichten und Gestalten, Vergangenheit und Gegenwart gemessen. Dante, Goethe und Hölderlin sind dabei die großen Vorbilder.

Auch ›Der Stern des Bundes‹ basiert auf dem Maximinerlebnis. Der Dichter übt Kritik an seiner Zeit und verkündet als Seher und Prophet, daß nur hohe Gesinnung und eine erneuerte Liebe zu den höchsten geistigen Gütern Rettung bringen können.

Noch unmittelbarer setzt sich George in ›Das neue Reich‹ (1928) mit der Gegenwart auseinander. 13 Gesänge haben den 1. Weltkrieg und seine Folgen zum Thema, 44 Sprüche sind Menschen aus der unmittelbaren Umgebung des Dichters gewidmet, 12 Gedichte unter der gemeinsamen Überschrift „Das Lied" deuten das Wesen der Dichtung.

4 Seit 1890 erscheinen die ›Blätter für die Kunst‹ als literarisches Zeugnis eines Kreises, in dessen Mittelpunkt George selbst steht. Bedeutende Gestalten des deutschen Geisteslebens gehören ihm für kürzere oder längere Zeit an: Dichter wie der junge Hofmannsthal und Dauthendey, Gelehrte wie die Literarhistoriker Gundolf und Kommerell, der Historiker Kantorowicz und die Philosophen Klages und Simmel. Selbst Rilke steht für einige Zeit unter dem Bann Georges. Mit bedeutenden Übersetzungen und Umdichtungen greift der Dichter über die Grenzen der deutschen Literatur hinaus: Sie umfassen Baudelaires ›Die Blumen des Bösen‹, Teile aus Dantes ›Göttlicher Komödie‹, Shakespeares Sonette und in der Sammlung ›Zeitgenössische Dichter‹ Werke der Engländer Swinburne und Rossetti und der Franzosen Mallarmé, Verlaine und Rimbaud u. a.

5 Auch *Paul Ernst* will der Dichtung wieder Würde verleihen; er versucht es mit einer Erneuerung klassischer Formen. Er bemüht sich besonders um Epos und Drama, um die beiden Gattungen also, die der Georgekreis wenig beachtet (›Der Weg zur Form‹, 1906; ›Der Zusammenbruch des Idealismus‹, 1919). Als Dramatiker (›Demetrios‹, 1905; ›Brunhild‹, 1909) hat Ernst wenig Erfolg, seine ›Komödianten- und Spitzbubengeschichten‹ (1920) und die ›Geschichten von deutscher Art‹ werden dagegen neben den ›Erdachten Gesprächen‹ (1920) noch heute gelesen (s. ›Förster und Wilddieb‹).

Wilhelm von Scholz lehnt den Naturalismus ab und setzt sich in den ›Gedanken zum Drama‹ für eine Erneuerung der Tragödie nach klassischem Vorbild ein. Romane wie ›Perpetua‹ (1926) und Dramen wie ›Der Wettlauf mit dem Schatten‹ (1921) und ›Die gläserne Frau‹ (1924) zeigen, daß die Geheimnisse und Abgründe der Seele den Dichter mehr fesseln als formal-ästhetische Probleme.

Rilke öffnet sich dem Menschen, der Natur und Religion und steht der Romantik, vor allem Novalis, und Hölderlin näher als der Klassik (s. seinen umfangreichen Briefwechsel). Hofmannsthal teilt in Gedichten und Dramen Rilkes Aufgeschlossenheit für feinste Regungen der Seele, für Religion und Geschichte. In bedeutenden Prosawerken (neben dem Romanfragment ›Andreas oder die Vereinigten‹, 1932, und einigen Erzählungen zahlreiche Briefe, Aufsätze und Reden) nimmt er Stellung zu Zeit- und Kunstproblemen und verteidigt eine seit dem 1. Weltkrieg tödlich bedrohte große Tradition.

Rilke:	Die Weise von Liebe und Tod des Cornets Christoph Rilke, 1906 Das Stunden-Buch, 1905 Die Aufzeichnungen des Malte Laurids Brigge, 1910 Duineser Elegien, 1923
Hofmannsthal:	Der Tor und der Tod, 1894 (1900) Jedermann, 1911 Das Salzburger große Welttheater, 1922

1 *Warum kann man ›Das Stunden-Buch‹ als ersten Höhepunkt in Rilkes Schaffen bezeichnen?*   **2** *Inwieweit zeigt sich in den ›Neuen Gedichten‹ eine andere Haltung?*   **3** *Wie zeichnet Rilke die Aufgabe des Dichters in den ›Duineser Elegien‹? Wie sucht er sie in den ›Sonetten an Orpheus‹ zu verwirklichen?*   **4** *Wie ordnen sich der ›Cornet‹ und der Roman ›Malte Laurids Brigge‹ in das Gesamtwerk ein?*   **5** *Welche Form und welche Themen bestimmen Hofmannsthals frühe Werke?*   **6** *Was kennzeichnet Hofmannsthals Dramen nach der Chandoskrise und die Operntexte?*   **7** *In welcher Tradition stehen ›Jedermann‹ und ›Das Salzburger große Welttheater‹?*   **8** *Wie zeichnet Hofmannsthal die Welt des österreichischen Adels in seinen Lustspielen?*   **9** *Welche Rolle spielt die Macht in der Tragödie ›Der Turm‹?*

1 ›Das Stunden-Buch‹ *Rilkes* entsteht unter dem Eindruck der ersten Rußlandreise (1899/1900). Während in früheren Gedichten Gefühle und Stimmungen wohlklingend umspielt werden, geht es jetzt um das Verhältnis des Menschen zu Gott, dessen Größe sich nur dem Demütigen erschließt. Wer auf sich selbst baut, ist von Unsicherheit und Einsamkeit bedroht.

2 Rilke gewinnt während seines Aufenthaltes in Paris (1903, Begegnung mit Rodin) ein neues Verhältnis zur Wirklichkeit. Pflanzen, Tiere und Bauwerke werden fast plastisch in Erscheinung oder Bewegung erfaßt. Die „anschaubare Innerlichkeit der Dinge" („Dinggedicht") bewegt den Dichter (1907 ›Neue Gedichte‹, fortgesetzt in ›Der neuen Gedichte anderer Teil‹, 1908; s. ›Der Panther‹, ›Römische Fontäne‹, ›Archaischer Torso Apollos‹).

3 In den ›Duineser Elegien‹ geht es „nicht mehr um eine vertraute Erlebniswelt, die sich lyrisch ausspricht, sondern um einen erst zu erhellenden Auftrag" (Paul Böckmann). Diesen Auftrag, den Menschen mit seinem Dasein zu versöhnen, will der Dichter erfüllen, indem er alles in der Welt, auch den

Tod, rühmend besingt. Aus den ›Sonetten an Orpheus‹ (1923) spricht der Glaube, daß die Macht des dichterischen Wortes – auch im Zeitalter der Maschine – bedrohte Werte retten kann.

4 Der ›Cornet‹ erinnert nach Form und Inhalt an die frühen Gedichte: Die Sprache ist lyrisch-gemütvoll, Stimmungen sind wichtiger als Vorgänge. In ›Malte Laurids Brigge‹ zerbricht ein junger Dichter am Zwiespalt zwischen seinem Innern und der Welt. Während der Held des Romans zugrunde geht, findet Rilke zu sich selbst zurück (s. Goethes ›Werther‹, S. 22).

5 Aus *Hofmannsthals* Frühwerk, das schwermütig-klangvolle Gedichte und lyrische Dramen umfaßt, sprechen Sehnsucht nach einem erfüllten Leben und Schauder vor Tod und Vergänglichkeit. So erkennt Claudio in ›Der Tor und der Tod‹ erst, als es mit seinem Leben zu Ende geht, wie ziellos und flüchtig sein Dasein gewesen ist, und erst dem sterbenden Künstler gelingt es in ›Der Tod des Tizian‹ (1901), die ganze Fülle des Lebens auf ein Bild zu bannen, das aber, wie das Drama, unvollendet bleibt.

6 Dramen wie ›Elektra‹ (1904) und ›Ödipus‹ (1906) entstehen nach einer tiefen Krise, die der Dichter im Chandosbrief selbst analysiert („Es ist mir völlig die Fähigkeit abhanden gekommen, über etwas zusammenhängend zu sprechen und zu denken"). Hofmannsthal folgt im Handlungsablauf meist dem Vorbild des Sophokles; er zeichnet jedoch Menschen, die nicht an einem im Schicksal verkörperten Willen der Götter, sondern an ihren psychischen Spannungen scheitern (Einfluß Freuds). – Diese psychologische Motivierung prägt auch die Operntexte ›Elektra‹, ›Der Rosenkavalier‹ (1911), ›Ariadne auf Naxos‹ (1912) und (1910) ›Die Frau ohne Schatten‹ (von Richard Strauss vertont).

7 Mit ›Jedermann‹ will Hofmannsthal das Mysterienspiel des Mittelalters erneuern (Vorlagen: ein englisches Spiel von Mr. Everyman und Hans Sachs ›Comedi vom reichen sterbenden Menschen‹). Das ›Salzburger große Welttheater‹ knüpft unmittelbar an Calderon an. Max Mells ›Schutzengelspiel‹ (1922) und ›Apostelspiel‹ (1924) sind von Hofmannsthal beeinflußt.

8 In dem Lustspiel ›Der Schwierige‹ (1921) ist dem aus dem 1. Weltkrieg heimgekehrten Grafen Kari Bühl das Leben so doppeldeutig geworden, daß jede Äußerung Unheil anrichten kann. Erst die Liebe befreit ihn von seiner Skepsis. – Anklänge an das Wiener Volkstheater lockern die Handlung der Komödie ›Der Unbestechliche‹ (1923) auf. Der Diener Theodor entscheidet letztlich über das Wohl und Wehe seiner adligen Herrschaft – ein deutlicher Hinweis auf die gesellschaftlichen Veränderungen nach dem 1. Weltkrieg.

9 ›Der Turm‹ (1925; 2. Fassung 1927) ist eine „große Tragödie" nach dem Vorbild Calderons. König Basilius läßt aus Sorge um die Macht seinen Sohn Sigismund in einem Turm gefangenhalten. Vom Herrn des Turmes und von dessen hinterhältigem Gehilfen heimlich entlassen, verfällt Sigismund selbst der Dämonie der Macht und geht an ihr zugrunde. Aus dem Geschehen spricht die Sorge des Dichters um die Zukunft Europas.

Wie der Naturalismus ist auch der Expressionismus ein Versuch des modernen Menschen, sich in einer veränderten Welt und in einem gefährdeten Dasein zurechtzufinden. Auch die Generation zwischen 1910 und 1925 fühlt sich von einem geistig erstarrten Bürgertum herausgefordert. Sie leidet angesichts des Elends, das sich hinter den Fassaden der großen Städte und dem Mantel der Wohlanständigkeit verbirgt. Aber im Gegensatz zum Naturalismus gibt sich der Expressionismus mit der Darstellung der Wirklichkeit nicht zufrieden. Indem er konventionelle Formen sprengt, will er die Seele befreien und damit die von Maschine und Machtgier bedrohte Würde des Menschen retten.

Wesentliche Impulse gehen von der Malerei aus. Unter dem Einfluß Cézannes und van Goghs vereinigen sich in Deutschland junge Künstler („Die Brücke", Dresden; „Der blaue Reiter", München). Bizarre Gebilde und leuchtende Farben werden in ihren Werken zum Ausdruck innerer Vorgänge, gewinnen visionäre Kraft. Zeitschriften wie ›Der Sturm‹ (1910) und ›Die Aktion‹ (1911) schlagen die Brücke zur Dichtung, die vor allem in der Lyrik ähnliche Formelemente wie die Malerei erkennen läßt: Oft wird das Satzgefüge aufgelöst, der „Schrei" tritt an die Stelle einer konkreten Aussage.

Heym: Der ewige Tag, 1911   Umbra vitae, 1912
Trakl: Gedichte, 1913
Benn: Morgue, 1912   Ausgewählte Gedichte, 1936
      Statische Gedichte, 1948

---

1 *Was kennzeichnet Form und Gehalt der Gedichte Heyms?* 2 *Welche Grundhaltung bestimmt das Schaffen Georg Trakls?* 3 *In welchem Licht erscheinen moderne Technik, Mensch und Natur im Werk Ernst Stadlers?* 4 *Wie findet die skeptisch-analytische Haltung Gottfried Benns ihren Ausdruck?* 5 *Welche Motive und Stimmungen sprechen aus den Gedichten Else Lasker-Schülers und Franz Werfels?* 6 *Wie gestalten die Arbeiterdichter das Verhältnis Mensch — Technik?*

1 Georg *Heym* beschwört in Gedichten wie ›Berlin‹ und ›Der Gott der Stadt‹ die Dämonie der modernen Großstadt, die den Menschen als Individuum zu vernichten droht; er prophezeit in apokalyptischen Bildern die alles zerstörende Gewalt des modernen Krieges (›Der Krieg‹). Eine starke Spannung zwischen der strengen äußeren Form (jambische Verse, klar gebaute Strophen, Endreim) und kühnen Vergleichen mit ihrer oft übersteigerten Farbsymbolik verleiht Heyms Lyrik visionäre Kraft.

2 Melancholie, Trauer über eine zerrüttete Welt und eine vor allem durch das Kriegserlebnis hervorgerufene Untergangsstimmung durchziehen die Verse und Strophen der frühen und die freien Rhythmen der späten Gedichte *Trakls.* Besonders in ›De profundis‹ und ›Grodek‹ verschmelzen Bild, Chiffre

und Klang zu einer Einheit; die Sprache gewinnt eine Kraft des Ausdrucks, die an Hölderlin erinnert und die Lyrik bis zur Gegenwart stark beeinflußt.

3 1914 erscheint *Stadlers* Gedichtsammlung ›Der Aufbruch‹. Hier findet er, nach Veröffentlichungen im Gefolge Rilkes und Hofmannsthals, seinen eigenen Stil. Langzeilen, mit freien Rhythmen, ohne Endreim, gestalten die Begegnung mit der Technik als rauschhaftes Erlebnis (s. ›Fahrt über die Kölner Rheinbrücke bei Nacht‹). Auch Landschaft und Menschen am Oberrhein (Stadler lebte in Straßburg) werden in ein lyrisches Werk einbezogen, das weniger die düsteren Seiten des Lebens als das Bild eines neuen Menschen zeichnen will (s. Kaiser, S. 51, und Werfel).

4 *Benn* schreckt auch vor dem Gräßlichen und Ekelerregenden nicht zurück, wenn er z. B. in der Sammlung ›Morgue‹ Sektionen darstellt oder den Gang durch eine Krebsbaracke beschreibt. Die moderne Großstadt erscheint als zerstörende Macht, weil sie den Menschen sich selbst entfremdet, ihn zum Sklaven seiner Vergnügungs- und Genußsucht macht. Später versucht Benn, die Herrschaft des Intellektes in Rausch und Traum zu durchbrechen (›Trunkene Flut‹, 1949). Der Nihilismus der früheren Gedichte wird im Alterswerk überwunden (›Statische Gedichte‹), „das Chaos durch die zeitenthobene reine Form" gebannt (Fricke).

5 Aus den Gedichten *Else Lasker-Schülers* sprechen Liebessehnsucht, Einsamkeit und Todesahnung. Sie beschwören aber auch eine Zauber- und Traumwelt (s. ›Mein blaues Klavier‹, 1943), die sich in den ›Hebräischen Balladen‹ (1913) bis zum Exotisch-Märchenhaften weitet. *Werfel* fordert in seinen frühen Gedichten den Menschen auf, alles Gemeine und Triebhafte zu meiden und, auf das Gute bauend, zu Liebe und Ehrfurcht zurückzufinden. Er steht damit in der Nähe der hymnischen Dichtung Momberts, Däublers und Spittelers.

6 *Lersch* und *Engelke* leben mitten in der Welt der Fabriken und Maschinen. Der Kesselschmied Lersch leidet unter der Einsamkeit des der Technik Ausgelieferten, er kennt die Sehnsucht nach einer neuen Gemeinschaft, „nach Erde, Mensch und Licht" (s. ›Mensch im Eisen‹, 1925), er ist aber auch stolz auf die geleistete Arbeit. Für den Malergesellen Engelke repräsentiert die moderne Industriestadt eine neue Zeit. Die Maschine erscheint als Geschöpf des Menschen, von seiner Hand und von seinem Geist erschaffen und beherrscht. Während des Krieges (Engelke fällt ihm wie Stadler zum Opfer) entstehen schließlich Gedichte, deren Untergangsstimmung an Heym erinnert. Das Kriegserlebnis findet auch Ausdruck in den ersten Versuchen *Brögers* und *Barthels,* ehe sie sich, wie Barthels in der Sammlung ›Arbeiterseele‹ (1920), Themen aus der Welt der Fabriken zuwenden.

Auch das expressionistische Drama will seelische Erschütterungen darstellen und bis in die Sphäre des Visionären und Prophetischen vorstoßen. Besonders groß ist der Einfluß des Schweden August Strindberg (›Nach Damaskus‹, 1898/1904 und ›Gespenstersonate‹, 1907); daneben bleibt das Vorbild Büchners und selbst der Sturm-und-Drang-Dichtung lebendig. Wedekind, ein Vorläufer des Expressionismus, und Kaiser stehen deutlich in dieser Tradition. Im Bereich des Epischen gelingen dem Expressionismus nur wenige Werke von Bedeutung; viele seiner Formelemente sind dagegen noch in der erzählenden Dichtung der Gegenwart lebendig.

Wedekind: Frühlings Erwachen, 1891
       Der Erdgeist, 1895 (als ›Lulu‹ 1903)
Sternheim: Die Hose, 1911   Bürger Schippel, 1913
Kaiser: Die Bürger von Calais, 1914   Gas I und II, 1918/20
Döblin: Berlin Alexanderplatz, 1929

---

1 *Inwieweit sind Wedekinds Bühnenwerke Vorläufer des expressionistischen Dramas?*   2 *Auf welche Weise übt Carl Sternheim Kritik am „bürgerlichen Menschen"?*   3 *Welches Bild vom „neuen Menschen" entwirft Kaiser in ›Die Bürger von Calais‹?*   4 *Wie gestaltet er das Verhältnis Mensch — Technik in der ›Gas‹-Trilogie ›Die Koralle‹, ›Gas I‹ und ›Gas II‹?*   5 *Wie zeigt sich der Einfluß des Expressionismus bei Barlach und Brecht?*   6 *Wieweit kann Heinrich Mann als expressionistischer Epiker bezeichnet werden?*   7 *Welches Bild der modernen Großstadt zeichnet Döblin in ›Berlin Alexanderplatz‹?*   8 *Welches Schicksal erleidet Franz Biberkopf als Repräsentant seiner Zeit?*   9 *Wie sind die Romane Werfels und Falladas literarisch einzuordnen?*

1 Schon in *Wedekinds* ›Frühlings Erwachen‹ fehlt die genaue Milieuzeichnung des Naturalismus. Die Hauptgestalten sind Typen, an denen bestimmte Verhaltensweisen sichtbar gemacht werden können. Die Sprache, oft abstrakt und sarkastisch, verzichtet auf Wiedergabe des alltäglichen Jargons; der Monolog, von den Naturalisten abgelehnt, wird zu einem wesentlichen Ausdrucksmittel. In Dramen wie ›Der Erdgeist‹, ›Der Marquis von Keith‹ (1901) und ›Die Büchse der Pandora‹ (1904) übt Wedekind schonungslose Kritik an der bürgerlichen Moral.

2 Mit dem Zyklus ›Aus dem bürgerlichen Heldenleben‹ (›Die Hose‹, ›Die Kassette‹, 1912; ›Bürger Schippel‹) will *Sternheim* der bürgerlichen Gesellschaft die Maske vom Gesicht reißen: In ›Die Kassette‹ entzweit Geldgier die Mitglieder einer Familie, in ›Bürger Schippel‹ werden der Standesdünkel der Gebildeten und Besitzenden und das Streben des Proletariers, es ihnen gleich zu tun, ironisch entlarvt.

3 In *Kaisers* ›Die Bürger von Calais‹ will der König von England die Stadt Calais verschonen, wenn sich sechs Bürger freiwillig opfern. Als sieben

Männer dazu bereit sind, geht Eustache von St. Pierre in den Tod – für die anderen ein Beispiel selbstloser Opferbereitschaft und gleichzeitig Symbol des „neuen Menschen". Selbstüberwindung und bedingungsloser Einsatz für die Gemeinschaft sind höher zu bewerten als Widerstand bis zum letzten.

4 ›Gas‹ Teile I und II sind die Tragödie des „neuen Menschen". Der Sohn eines Millionärs will das Unrecht seines Vaters, der die Arbeiter rücksichtslos ausgebeutet hat, wiedergutmachen. Aber das Gas, das alle Maschinen treibt, zerstört die Fabrik. Der Urenkel des Millionärs, jetzt selbst Arbeiter unter Arbeitern, vernichtet das inzwischen wiederaufgebaute Werk und damit die ganze Welt, verzweifelt darüber, daß die Menschen in ihrer Macht- und Besitzgier den „neuen Menschen" nicht anerkennen.

5 *Barlach* typisiert und symbolisiert in seinem ersten Drama ›Der tote Tag‹ (1912) die handelnden Personen; Zeit- und Ortsangaben fehlen.
In den frühen Werken *Brechts* leben Pathos und gesellschaftskritische Haltung des Expressionismus weiter. Erst in den späten 20er Jahren (s. z. B. ›Dreigroschenoper‹, 1928) findet der Dichter einen neuen dramatischen Stil.

6 *Heinrich Manns* Romane wie ›Professor Unrat‹ (1905) und ›Der Untertan‹ (1918) enthalten heftige Angriffe gegen das Bildungs- und Besitzbürgertum, dessen Vertreter eher Karikaturen als wirkliche Menschen sind (Typisierung). Heuchelei, Genußsucht und Anmaßung fordern zur Kritik heraus, weil sie den Weg zu wirklicher Freiheit verbauen. Weniger die Sprache als Menschendarstellung und Zielsetzung weisen auf den Expressionismus hin.

7 In *Döblins* Roman ›Berlin Alexanderplatz‹ wird die Großstadt zum Schmelztiegel aller den Menschen bedrohenden Gewalten. Lärm und Hetze, Spekulanten und Huren, Not und Verbrechen beherrschen die Szene.

8 Biberkopf, die Hauptgestalt, gerade aus dem Zuchthaus entlassen, will ein neues Leben beginnen, gerät aber zwischen die Räder der Maschine Großstadt, wird Einbrecher und Zuhälter; man verrät und mißhandelt ihn, bis er im Irrenhaus sein Schicksal noch einmal visionär erlebt. Jetzt verläßt er als neuer Mensch die Hölle, die er vorher aus eigener Kraft besiegen wollte, um in bescheidener Stellung noch einmal neu anzufangen.

9 Wie in seinen Dramen (›Spiegelmensch‹, 1920; ›Schweiger‹, 1922) steht *Werfel* in seinem frühen epischen Schaffen ganz im Banne des Expressionismus. So wird in der umfangreichen Novelle ›Nicht der Mörder, der Ermordete ist schuldig‹ (1920) und in dem Roman ›Der Abituriententag‹ (1928) die Frage nach Recht und Unrecht zum Prüfstein menschlicher Gesinnung. Werfels Hinwendung zum Christentum findet Ausdruck in Werken wie ›Der veruntreute Himmel‹ (1939) und ›Das Lied von Bernadette‹ (1941).
Auch *Fallada* schreibt zunächst einen ‚expressionistischen' Schülerroman (›Der junge Goedeschall‹, 1920). In ›Wer einmal aus dem Blechnapf frißt‹ (1934) und ›Kleiner Mann, was nun?‹ (1932) bedient er sich immer mehr naturalistischer Mittel, um Kritik an Zeit und Gesellschaft zu üben.

Der Expressionismus (zwischen 1910 und 1925) ist die letzte literarische Bewegung, die sich gegen andere Strömungen abgrenzen läßt. Seit dem Ende des 1. Weltkrieges sehen wir uns einer Vielfalt dichterischen Sprechens gegenüber, so vieler unterschiedlicher Stil- und Ausdrucksformen, daß jeder Versuch einer systematischen Ein- und Zuordnung problematisch wird. Die Dichtung ist Ausdruck einer Welt, in der politische, gesellschaftliche und ethische Normen nicht mehr gelten und immer neue Lebensformen Anspruch auf Gültigkeit erheben: Eine neue, eine pluralistische Gesellschaft ist entstanden, und ‚pluralistisch' ist auch das Bild, das die Dichtung bietet. Dennoch läßt sich eine Gruppe von Lyrikern herausstellen, die vor allem formal an die Tradition des 19. Jahrhunderts anknüpft und sich dadurch deutlich von den bewußt ‚Modernen' unterscheidet; von einer Einheitlichkeit der Thematik kann man auch bei ihr nicht sprechen.

Weinheber: Adel und Untergang, 1934
Loerke: Der Silberdistelwald, 1934
Lehmann: Der grüne Gott, 1942   Bergengruen: Dies irae, 1945

---

1 *Wie zeigt sich der Einfluß der klassisch-romantischen Tradition in den Gedichten Carossas, Hesses und Bergengruens?*   2 *Welche Bedeutung haben antike und moderne Vorbilder für R. A. Schröder?*   3 *Worin sieht Weinheber die Aufgabe des Dichters?*   4 *Was kennzeichnet Loerkes Lyrik?*   5 *Wie gestalten Lehmann und Britting das Verhältnis Mensch – Natur?*   6 *Welche Möglichkeiten lyrischen Sprechens entwickeln Elisabeth Langgässer, Marie Luise Kaschnitz und Konrad Weiß?*

1 *Carossa* folgt zunächst dem Vorbild Georges und Rilkes, später vor allem dem Goethes. In klassisch einfachen Versen gestaltet er das Bild einer vom göttlichen Geist geordneten und beseelten Natur, in der der Mensch auch in einer unruhigen Zeit Ruhe und Geborgenheit finden kann (s. ›Stern über der Lichtung‹, 1946). Verträumter, dem Volksliede nahe, erscheinen die frühen, bekenntnishaft und klar geformt die späteren Gedichte *Hesses*. Der Mensch kann im Vertrauen auf Gott, auf Ordnung und Recht Not und Schmerz überwinden. Als Christ glaubt *Bergengruen* trotz allen Leids an eine „heile Welt" (›Dies irae‹, 1945; ›Die heile Welt‹, 1950).

2 *R. A. Schröder* übersetzt neben Horaz, Vergil und Homer auch bedeutende Werke der französischen und englischen Literatur. Diese Vorbilder bilden neben der deutschen Klassik die Grundlage seines eigenen Schaffens. Schon die 1912 erschienenen ›Gesammelten Gedichte‹ zeigen Schröder als Meister der Ode und des Sonetts, aber auch schlichter, volksnaher lyrischer Formen. 1930 wendet er sich christlicher Chorlyrik und dem protestantischen Kirchenlied zu (s. ›Mitte des Lebens‹, 1930).

3 *Weinheber* steht zunächst unter dem Einfluß des Expressionismus (›Der einsame Mensch‹, 1920). Bald jedoch unterwirft er sich dem strengen Vorbild der Antike. Gedichtformen wie Ode und Hymne zwingen zu klarem Gestalten, das Ausdruck aufrechter Gesinnung und unbedingter Wahrhaftigkeit sein soll (›Adel und Untergang‹; ›Späte Krone‹, 1936). In Sammlungen wie ›Wien wörtlich‹ (1935) und ›O Mensch, gib acht‹ (1937) schlägt der Dichter volksnahe Töne an; in ›Kammermusik‹ und der ›Ode an die Buchstaben‹ weiß er alle Möglichkeiten der Sprache zu nutzen.

4 *Loerkes* Lyrik stellt, im Gegensatz zu der des Expressionismus, die Frage nach dem Verhältnis Mensch – Natur. Die Natur erscheint als das Bleibende in einer dem steten Wechsel unterworfenen Welt. In der Landschaft, im Wachsen der Pflanzen begegnet der Mensch Sinnbildern seines Lebens. Loerke gewinnt damit eine Distanz vom Ich, die sich auch in der verhaltenen, oft spröden Sprache und der zuchtvollen Form seiner Gedichte ausdrückt (›Atem der Erde‹, 1930; ›Der Wald der Welt‹, 1936). In Untersuchungen und Essays deutet Loerke das geistige Leben seiner Zeit (›Zeitgenossen aus vielen Zeiten‹, 1925; ›Hausfreunde‹, 1938).

5 Auch *Lehmann* und *Britting* sind ‚Naturdichter' in modernem Sinne, auch sie suchen in einer neuen und sehr bewußten Hinwendung zur Natur einen Weg aus der Unsicherheit des modernen Lebens. Lehmann geht dabei in Gedichtsammlungen wie ›Der grüne Gott‹ und ›Entzückter Staub‹ (1946) ähnliche Wege wie Loerke. Das Kleinste und Unscheinbarste in Tier- und Pflanzenwelt erscheint als Ausdruck des Ewigen in der Natur; Sagengestalten aus Antike und Mittelalter werden zu Symbolen der mythisch-kosmischen Einheit alles Naturgeschehens (›Meine Gedichtbücher‹, 1957).

Britting löst das Naturgeschehen in scharfe, oft farbenfrohe Einzelbilder auf. Sie werden jedoch nicht wie im Impressionismus nur aneinandergereiht, sondern sind Teil eines bewegten Geschehens, das auch einfachsten Naturerscheinungen ihren Wert gibt. Humor und eine kernige, lebendige Sprache tragen wesentlich zur Wirkung der formal oft strengen Gedichte bei (›Rabe, Roß und Hahn‹, 1939; ›Unter hohen Bäumen‹, 1951).

6 In der Lyrik *Elisabeth Langgässers* vermischen sich Naturgeschehen und Mythos so sehr, daß die Grenzen zwischen Beobachtetem und Erahntem, zwischen Zeit und Raum aufgehoben sind. Die Natur allein kann den Menschen in einer vom Bösen bedrohten Welt nicht retten, wenn nicht göttliche Gnade zu Hilfe kommt. *Marie Luise Kaschnitz* setzt sich in ihren ›Gedichten‹ (1947) mit Zeitproblemen auseinander. Die Dichterin kann Leid und Not überwinden, weil sie dennoch ja zum Leben sagt. Die Sammlung ›Dein Schweigen meine Stimme‹ (1962) umkreist in herber Sprache Todeserlebnis, Einsamkeit und Neubeginn. Eigenwillige Wortschöpfungen und von strengem Formwillen geprägte Verse und Strophen kennzeichnen die Gedichte des christlich-katholischen Lyrikers *Konrad Weiß* (›Das Herz des Wortes‹, 1929).

Barlach, Brecht und Zuckmayer stehen zunächst dem Expressionismus nahe, gehen in ihren späteren Dramen jedoch unterschiedliche Wege. Barlachs Gestalten sollen „Symbole für die menschlichen Situationen in ihrer Blöße zwischen Himmel und Erde" (Barlach) sein, also nicht länger bestimmte Verhaltensweisen oder Lebensalter verkörpern. Brecht knüpft mit dem „epischen" Theater an Büchner und Hauptmann an und führt darüber hinaus neue Formelemente ein. Mit dem „epischen" Theater will er die vom „klassischen" Theater geforderte dramatische Illusion zerstören und Verstand und Urteilsvermögen des Zuschauers ansprechen. Zuckmayers Verdienst als Dramatiker liegt vor allem im wirkungsvollen Bau der Szenen.

Barlach: Die Sündflut, 1924
Brecht: Dreigroschenoper, 1928   Mutter Courage und ihre
             Kinder, 1939 (1941)   Der gute Mensch von Sezuan,
             1938/42 (Erstveröffentlichung 1953)   Das Leben des
             Galilei (1. Fassung), 1938/39
Zuckmayer: Der Hauptmann von Köpenick, 1930
             Des Teufels General, 1946

---

1 *Inwiefern geht Barlach in seinen Dramen ›Die echten Sedemunds‹ und ›Die Sündflut‹ über den Expressionismus hinaus?*   **2** *Worin liegt die Bedeutung der ›Dreigroschenoper‹?*   **3** *Wie stellt Brecht in ›Mutter Courage‹ die Sinnlosigkeit des Krieges dar?*   **4** *Welche Gegensätze bestimmen die Handlung in ›Galilei‹ und ›Der gute Mensch von Sezuan‹?*   **5** *Wodurch unterscheidet sich ›Der Hauptmann von Köpenick‹ von den früheren Dramen Zuckmayers?*   **6** *Wie setzt Zuckmayer seine Zeitkritik nach dem 2. Weltkrieg fort?*

1 *Barlach* glaubt nicht an den „neuen Menschen" (s. Kaiser, Werfel, S. 51). Seine Gestalten ringen um Erlösung, suchen nach einer mystischen Verbindung mit Gott. Das „zentrale Thema der Wandlung" (Fricke) bestimmt Barlachs Dramen seit der Tragödie ›Der arme Vetter‹ (1918). In den grotesken und ernsten Szenen der ›Echten Sedemunds‹ (1920) wird deutlich, daß nicht Anklage und Kritik zählen, sondern Güte und Hilfsbereitschaft. Das Drama ›Die Sündflut‹ unterscheidet sich schon durch seinen klaren Aufbau von expressionistischen Vorbildern. Noah unterwirft sich dem göttlichen Willen bedingungslos. Calan widersetzt sich ihm selbstherrlich. Hart dafür bestraft, erblindet er und erkennt Gott als eine gewaltige geistige Macht, der er sich jetzt hingibt, ohne nach ihrer Gestalt zu fragen.

2 In der ›Dreigroschenoper‹, einer beißenden Satire auf die bürgerliche Gesellschaftsordnung nach dem Vorbild von John Gay's ›The Beggar's Opera‹, 1728, findet *Brecht* einen neuen dramatischen Stil. In früheren Stücken wie ›Baal‹ (1920), ›Trommeln in der Nacht‹ (1923) und ›Im Dickicht der Städte‹ (1927) überwiegen neben expressionistischen Elementen noch kraß naturalistische Motive. Eine grotesk übersteigerte Handlung (der Kampf zwischen

dem Gangsterchef Macheath, genannt Mackie Messer, und dem Bettler-
könig Peachum), Tafeln mit Schlagworten, Songs und kabarettistische Ein-
lagen mit Orgelmusik sollen den Zuschauer desillusionieren und ihn zwingen,
über die sozialen Verhältnisse nachzudenken (s. Verfremdungseffekt). In den
Anmerkungen zur Oper ›Aufstieg und Fall der Stadt Mahagonny‹ (1929)
und im ›Kleinen Organon für das Theater‹ (1948) begründet Brecht seine
dramatische Praxis auch theoretisch.

3 ›Mutter Courage und ihre Kinder‹ erscheint nach einer Reihe von Lehr-
stücken, in denen Brecht mit den Mitteln des „epischen" Theaters vor allem
Thesen des dialektischen Materialismus vermitteln will (s. ›Die heilige Jo-
hanna der Schlachthöfe‹, 1932; ›Die Maßnahme‹, 1930; ›Furcht und Elend
des Dritten Reiches‹, 1945). Mit dem Schicksal der Mutter Courage, die von
Ort zu Ort getrieben wird und nacheinander ihre drei Kinder verliert, prangert der Dichter die sinnlos zerstörerische Gewalt des Krieges an. Der
Mensch hat ihr nichts anderes entgegenzusetzen als seine Entschlossenheit,
immer wieder von neuem zu beginnen.

4 Galilei fordert mit seinen Entdeckungen die konservative Macht der Kirche
heraus. Wissenschaft bedeutet Fortschritt, Beharren auf dem Alten Stagna-
tion, Engstirnigkeit und geistige Sklaverei. Als Galilei vor der Inquisition
widerruft, hat die Sache der Menschheit eine entscheidende Niederlage erlitten. (In der 2. Fassung, 1945/46, beurteilt Brecht Galileis Haltung noch
schärfer, wohl unter dem Eindruck der Atombombe.)
Das Parabelstück ›Der gute Mensch von Sezuan‹ zeigt drei Götter auf der
Suche nach dem Guten in der Welt. Auch das Freudenmädchen Shen Te
muß die Himmlischen enttäuschen: Um sich zu behaupten, muß sie das
Gute, das sie tut, selbst in Gestalt des bösen Vetters zerstören. Die materiellen
Gegebenheiten sind stärker als menschlicher Wille und Macht der Götter.

5 *Zuckmayers* erste Dramen ›Der fröhliche Weinberg‹ (1925), ›Schinderhan-
nes‹ (1927) und ›Katharina Knie‹ (1929) bringen vor dem Hintergrund der
rheinischen Landschaft lebensvolle Gestalten und spannendes Geschehen
auf die Bühne. In ›Der Hauptmann von Köpenick‹, dem „deutschen Märchen" vom Schuster Voigt, gestaltet Zuckmayer das Leiden eines hilflos der
Staatsautorität ausgelieferten kleinen Mannes und entlarvt die Autoritäts-
gläubigkeit seiner Landsleute.

6 In ›Des Teufels General‹ dient der Fliegergeneral Harras als Soldat einer
Macht, die er als Mensch ablehnt. Er entzieht sich dem Konflikt zwischen
Pflicht und Gewissen durch den Tod. Gestalten, die fragwürdige Befehle
bedingungslos ausführen oder sich ihnen aus Verantwortungsbewußtsein
widersetzen, lassen die Möglichkeiten und Grenzen des Menschen in einer
allmächtigen Diktatur erkennen.
›Der Gesang im Feuerofen‹ (1950) zeigt, wie 36 französische Widerstands-
kämpfer einen ehemaligen Kameraden richten, der sie aus Feigheit verraten
hat; in ›Das Kalte Licht‹ (1955) geht es um Verrat aus Überzeugung.

In der epischen Dichtung lassen sich seit dem Ende des 19. Jahrhunderts zwei Grundhaltungen innerhalb einer Vielfalt von Formen und Stilrichtungen unterscheiden: Eine bewahrende, die an Klassik, Romantik oder Realismus anknüpft, sucht die Tradition des deutschen Humanismus neu zu beleben oder steht dem Christentum nahe; eine bewußt moderne setzt sich vor allem mit der Gegenwart auseinander. Zur ersten Gruppe gehören Ricarda Huch und Gertrud von Le Fort, aber auch zumindest vom Stoff her an bestimmte Landschaften oder Milieus gebundene Erzähler wie Stehr oder Thoma.

Ricarda Huch:	Erinnerungen von Ludolf Ursleu dem Jüngeren, 1893
	Aus der Triumphgasse, 1902
Stehr:	Der Heiligenhof, 1918
Ina Seidel:	Das Wunschkind, 1930

1 *Wodurch unterscheidet sich der Roman ›Aus der Triumphgasse‹ von anderen Romanen und Erzählungen Ricarda Huchs?*   **2** *Worauf beruht die Bedeutung von Werken wie ›Die Romantik‹ und ›Der große Krieg‹?*   **3** *Inwieweit bestimmen enge Bindungen an den christlichen Glauben die Erzählungen Gertrud von Le Forts und Ina Seidels?*   **4** *Wie zeichnet Stehr seine Gestalten?*   **5** *Wie erscheint das Verhältnis Mensch – Natur in den Romanen und Erzählungen Wiecherts?*   **6** *Wieweit kann man Thoma als „Heimatdichter" bezeichnen? Welche Haltung verbindet Britting mit ihm?*

1 In *Ricarda Huchs* ›Erinnerungen von Ludolf Ursleu dem Jüngeren‹ und in ›Vita somnium breve‹ (1903, späterer Titel ›Michael Unger‹) scheitern bürgerliche Menschen an den Forderungen von Familie und Tradition. Die Gestalten des Romans ›Aus der Triumphgasse‹ leben in einer elenden Vorstadtstraße dahin, umgeben von Elend, Krankheit und Verbrechen. Am Ende siegt der Glaube, daß der Mensch selbst in der tiefsten Erniedrigung nach Licht, Liebe und Freude zu streben vermag. Die Erzählung ›Der letzte Sommer‹ (1910) gewährt Einblick in das Leben russischer Revolutionäre, ›Der Fall Deruga‹ (1917) gestaltet einen spannenden Kriminalprozeß.

2 ›Blütezeit der Romantik‹ (1899) und ›Ausbreitung und Verfall der Romantik‹ (1902) zeigen, wie tief sich Ricarda Huch mit F. von Schlegel, Novalis, Brentano, Eichendorff und E. T. A. Hoffmann verbunden fühlt; es wird auch deutlich, wie klar sie die Gefahren eines übersteigerten Subjektivismus erkannt hat. Der Einfluß der Romantik auf Kunst und Wissenschaft, auf Recht und Staatsdenken wird hier zum ersten Male eindrucksvoll dargestellt. Spätere Erzählungen wie ›Die Geschichte von Garibaldi‹ (›Die Verteidigung Roms‹, 1906; ›Der Kampf und Rom‹, 1908) und ›Das Leben des Grafen Federigo Confalonieri‹ (1910) zeigen Ricarda Huch als Historikerin und Dichterin zugleich; in ›Der Große Krieg in Deutschland‹ (1912/14) entwirft sie ein eindrucksvolles Bild von den Leiden eines ganzen Volkes.

3 a) *Gertrud von Le Fort* erzählt in dem Roman ›Das Schweißtuch der Vero-
nika‹ (1. Teil 1928, 2. Teil 1946) die Geschichte einer Konvertitin, die
aus Liebe zu einem Skeptiker und Gottesleugner sich außerhalb der Gebote
der katholischen Kirche stellt. Ihr Opfer treibt sie fast in den Wahnsinn,
bricht aber auch den Egoismus des Mannes. Die Heldin der Novelle ›Die
Letzte am Schafott‹ (1933), eine Nonne, überwindet ihre Todesfurcht, bekennt ihren Glauben und stirbt nach ihren Mitschwestern als letztes Opfer
des Terrors unter dem Fallbeil. Vertrauen auf Gott überwindet die Schrek-
ken der Französischen Revolution.

b) *Ina Seidels* Roman ›Das Wunschkind‹ schildert das Schicksal einer Frau,
die in den Napoleonischen Kriegen zunächst den Mann, dann ihren einzigen,
nachgeborenen Sohn verliert. ›Lennacker‹ (1938), die Geschichte einer Pa-
storenfamilie über zwölf Generationen, wird zur Geschichte der inneren
Entwicklung des deutschen Protestantismus. Der Roman ›Das unverwes-
liche Erbe‹ (1954) knüpft nach Inhalt und Gehalt an die früheren Werke an.

4 *Stehrs* Gestalten, meist Bauern und Tagelöhner, leben in einer engen Welt.
Stimmungen und Triebe triumphieren über Einsicht und Vernunft (so in
der Novelle ›Der Schindelmacher‹, 1899, und dem Roman ›Der Heiligen-
hof‹).

5 *Wiecherts* autobiographische Erzählungen ›Wälder und Menschen‹ (1936)
und ›Das einfache Leben‹ (1939) enthalten die Grundüberzeugung des Dichters: Der Mensch kann in einer bedrohten, von Haß und Gemeinheit zerrissenen Welt nur dann seine verlorene Freiheit wiedergewinnen, wenn er
zur Natur und zu ihren heilenden Kräften zurückfindet, zu einem demütigen,
einfachen Leben (s. auch die Novelle ›Die Magd des Jürgen Doskocil‹, 1932
und die Romane ›Die Jerominkinder‹, 1945/47; den KZ-Bericht ›Der Toten-
wald‹, 1945 und ›Missa sine nomine‹, 1950).

6 In den Romanen ›Andreas Vöst‹ (1905) und ›Der Wittiber‹ (1911) zeichnet
Thoma mit Ernst und Humor, zwischen Dialekt und Schriftsprache wechselnd, ein lebendiges Bild Altbayerns, seiner Landschaft und seiner Menschen. Als Meister der Satire und Gestalter volksnaher Charaktere erweist
sich der Dichter in seinen ›Lausbubengeschichten‹ und den Erzählungen um
›Tante Frieda‹ (s. auch die Dramen ›Moral‹, 1909 und ›Die Lokalbahn‹,
1910).

Britting teilt als Erzähler die Gabe des Humors und der Satire mit seinem
bayerischen Landsmann. In dem Roman ›Lebenslauf eines dicken Mannes,
der Hamlet hieß‹ (1932) erscheint der Dänenprinz als großer Trinker und
Esser und zugleich als Mann von Welt, der, ohne es zu wollen, in Kriegs-
und Liebeshändel hineingezogen wird. In Erzählungen wie ›Das treue Ehe-
weib‹ (1933), ›Die kleine Welt am Strom‹ (1933), ›Der bekränzte Weiher‹
(1937) werden alltägliche Schicksale ins Allgemeingültige erhoben.

Für Erzähler wie Carossa, Bergengruen, Schaper, Schneider und Andres
bedeutet christliche Haltung oder Bewahren der klassisch-humanistischen
Tradition der Goethezeit nicht Abkehr von den Problemen der Gegenwart.
Sie setzen sich vielmehr bewußt mit diesen auseinander, weil sonst die
eigene Entscheidung fragwürdig bleiben müßte.

Carossa:	Dr. Bürgers Ende, 1913 Rumänisches Tagebuch, 1924
Bergengruen:	Der Großtyrann und das Gericht, 1935
Schneider:	Las Casas vor Karl V., 1938
Andres:	Wir sind Utopia, 1943

1 *Was bedeutet der Roman ›Dr. Bürgers Ende‹ für die innere Entwicklung
Carossas?* 2 *Wie gestaltet Carossa seine Kriegserlebnisse im ›Rumänischen
Tagebuch‹?* 3 *Welche Stoffe behandelt Bergengruen in seinen Novellen?*
4 *Welche Rolle spielen Unsicherheit und Todesangst in den Romanen ›Der
Großtyrann und das Gericht‹ und ›Am Himmel wie auf Erden‹?* 5 *Welches
Grundthema beherrscht Schapers Romane und Novellen?* 6 *Worauf beruht
Schneiders Vorliebe für historische Stoffe?* 7 *Welchen Konflikt gestaltet er
in ›Las Casas vor Karl V.‹?* 8 *Vor welcher Entscheidung steht der Mensch
in Andres' Novelle ›Wir sind Utopia‹?* 9 *In welchem Licht erscheint der
Staat in Andres' Romantrilogie ›Die Sintflut‹?*

1 ›Dr. Bürgers Ende‹, die Geschichte eines jungen Arztes, der eine geliebte
Frau nicht retten kann und deshalb verzweifelt mit ihr in den Tod geht,
hilft *Carossa,* eigene Spannungen und Konflikte zu überwinden. Der Blick
wird frei für die formenden und bewahrenden Kräfte in Natur und Leben.
›Eine Kindheit‹ (1922), ›Verwandlungen einer Jugend‹ (1928) und ›Das
Jahr der schönen Täuschungen‹ (1941) zeigen Carossas Verhältnis zu Eltern-
haus, Schule und Universität. ›Der Arzt Gion‹ (1931) und ›Geheimnisse des
reifen Lebens‹ (1936) sind Entwicklungs- und Erziehungsromane auf auto-
biographischer Grundlage.

2 Im ›Rumänischen Tagebuch‹ zerstört eine Maschinerie des Todes jede Illusion von heroischem Einsatz und männlicher Bewährung im Kampf.

3 *Bergengruens* Novellen gestalten schicksalhaftes Geschehen, in dem Ver-
borgenes sichtbar, Falsches entlarvt, Gutes offenbar wird (s. ›Die Feuer-
probe‹, 1933; ›Die drei Falken‹, 1937; ›Der spanische Rosenstock‹, 1941;
›Das Tempelchen‹, 1950). Vergangenheit und Gegenwart, europäischer
Osten und Westen durchdringen sich in der Sammlung ›Der letzte Ritt-
meister‹ (1952).

4 Der Roman ›Der Großtyrann und das Gericht‹ berichtet „von der Versuchung des Mächtigen und von der Leichtverführbarkeit des Ohnmächtigen und Bedrohten". Der Herr eines Stadtstaates der italienischen Renais-

55

sance maßt sich auch Gewalt über die Seelen seiner Untertanen an, als er nach einem Mörder suchen läßt, obwohl er in Wirklichkeit die Tat selbst begangen hat. Aus Angst vor Anklage und Tod suchen sich die Bürger mit allen Mitteln, auch mit Lüge und Verrat, zu rechtfertigen. Erst die selbstlose Tat eines einfachen Färbers (er nimmt, um die Stadt zu retten, die Schuld auf sich) zeigt Herrscher und Beherrschten einen neuen Weg. Auch in ›Am Himmel wie auf Erden‹ (1940) treibt die Furcht die Menschen in Verzweiflung: Eine drohende Naturkatastrophe raubt den meisten die Selbstachtung, zerstört die Liebe zu den Mitmenschen und den Glauben an Gott.

5 *Schaper* geht es vor allem um die Bedrohung des gläubigen Menschen durch die Mächtigen der Welt. In dem Roman ›Die Sterbende Kirche‹ (1936) – fortgesetzt in ›Der letzte Advent‹ (1949) – und der Erzählung ›Der große offenbare Tag‹ (1950) müssen sich die Anhänger des orthodoxen Glaubens äußerlich der politisch-staatlichen Gewalt beugen. Ihre Gotteshäuser werden zerstört. Aber die Kraft des Glaubens bewährt sich gerade in der Verfolgung. – Der Held des Romans ›Die Freiheit des Gefangenen‹ (1950) überwindet sich selbst und damit die Gewalt des napoleonischen Systems, dessen unschuldiges Opfer er geworden ist. ›Die Macht des Ohnmächtigen‹ (1951) berichtet vom Kampf eines jungen Priesters um die Seele des Gefangenen. Ein verwandtes Thema behandeln die Novellen ›Unruhige Nacht‹ (1950) und ›Das Brandopfer‹ (1954) des protestantischen Pfarrers *Goes*.

6 *Schneider* fragt nach dem Verhältnis von Macht und Gnade; er sucht hinter dem Wirken geschichtlicher Kräfte den ‚Primat des Geistes‘. Zahlreiche philosophische und historische Essays, umfangreiche Geschichtsdarstellungen (z. B. ›Die Hohenzollern‹, 1933; ›Das Inselreich‹, 1936; ›Macht und Gnade‹, 1940), dramatische Versuche (›Der große Verzicht‹, 1950; ›Innozenz und Franziskus‹, 1953) und eine Reihe lyrischer Gedichte sind von diesem Grundthema beherrscht; die autobiographischen Schriften ›Verhüllter Tag‹ (1954) und ›Ein Winter in Wien‹ (1958) berichten von inneren Kämpfen.

7 Der Mönch Las Casas verteidigt die Indios gegen Versklavung und Ausbeutung. Menschlichkeit und Nächstenliebe siegen über wissenschaftliche Interessen, militärischen Ehrgeiz und die Staatsraison.

8 ›Wir sind Utopia‹, die bekannteste Novelle *Andres'*, berichtet von einem abtrünnigen Mönch, den die Wirren des spanischen Bürgerkrieges als Gefangenen wieder in sein altes Kloster zurückführen. Im Angesicht des Todes entscheidet sich Paco für die Wahrung des Sakraments und damit für das höchste Gebot der Sittlichkeit – auch in einer fragwürdigen Welt.

9 In der Romantrilogie ›Die Sintflut‹ (›Das Tier aus der Tiefe‹, 1949; ›Die Arche‹, 1951; ›Der graue Regenbogen‹, 1959) entlarvt Andres die Methoden eines allmächtigen Staatsapparates, der den Menschen zu einem willfährigen Werkzeug entwürdigt. ›Bruder Lucifer‹ (1932) und ›Der Knabe im Brunnen‹ (1953) zeigen deutlich autobiographische Züge.

Auch Thomas Mann und Hesse sind der Tradition des 19. Jahrhunderts in vielem verpflichtet. Neben dem Einfluß Goethes, Schopenhauers und Nietzsches leben im Werk Manns Realismus und Naturalismus weiter; Hesse erscheint vielen Lesern und Interpreten als ein später Erbe der Romantik. Beide finden jedoch bald ihren eigenen Stil. Vor allem Thomas Manns kritische Zeitanalyse zeichnet sich aus durch ironische Distanz von Ereignissen und Gestalten und eine zugleich sehr genaue und flexible Prosa.

Thomas Mann: Buddenbrooks, 1901   Tonio Kröger, 1903
Der Zauberberg, 1924   Josef und seine Brüder,
1933/1943   Doktor Faustus, 1947
Hesse: Peter Camenzind, 1904   Der Steppenwolf, 1927
Das Glasperlenspiel, 1943

---

1 *Wie wird in ›Buddenbrooks‹ der „Verfall einer Familie" gezeichnet?*
2 *In welchem Verhältnis erscheinen Bürger und Künstler in den Novellen ›Tonio Kröger‹, ›Tristan‹ und ›Der Tod in Venedig‹?*   3 *Mit welchen Problemen setzt sich Thomas Mann im ›Zauberberg‹ und ›Doktor Faustus‹ auseinander?*
4 *Inwiefern verbinden sich religiös-mythische Überlieferung und moderne Haltung in den Josefsromanen und der Novelle ›Der Erwählte‹?*   5 *Wie wird das Grundthema, das Verhältnis Künstler – Bürger, in den Romanen ›Königliche Hoheit‹, ›Lotte in Weimar‹ und ›Felix Krull‹ variiert?*   6 *Worin unterscheiden sich Hesses Roman ›Peter Camenzind‹ und seine Novelle ›Unterm Rad‹ von dem Roman ›Demian‹?*   7 *Welche Themen gestaltet Hesse in ›Siddharta‹, ›Der Steppenwolf‹ und ›Narziß und Goldmund‹?*   8 *Warum kann man ›Das Glasperlenspiel‹ als Zusammenfassung von Hesses Gesamtwerk bezeichnen?*

1 Je stärker sich in den ›Buddenbrooks‹ die Mitglieder einer alten Kaufmannsfamilie der bürgerlichen Lebensweise entfremden, desto mehr sind sie physisch bedroht. Schon der Senator Thomas Buddenbrook ist gefährdet, sein Sohn Hanno, in bürgerlichem Sinne gänzlich lebensuntüchtig, geht zugrunde. Figuren und Umwelt sind genau erfaßt; ironische Distanz zum Geschehen unterstreicht die kritische Haltung des Autors.

2 Künstlertum und bürgerliche Haltung sind absolute Gegensätze. Tonio Kröger, ein Bürger, der Künstler geworden ist, leidet an diesem Zwiespalt. In ›Tristan‹ (1903) steht die junge, zarte und feinsinnige Gabriele zwischen ihrem geschäftstüchtigen Gatten Klöterjahn und dem im Grunde hilflosen und überspannten Schriftsteller Spinell. In ›Der Tod in Venedig‹ (1913) geht ein Gelehrter und Künstler zugrunde, als die reine Schönheit in Gestalt eines Knaben ihn aus der gesicherten Welt des Bürgers reißt.

3 ›Der Zauberberg‹, ein Lungensanatorium in der Schweiz, beherbergt Menschen, die das innerlich kranke, fiebernde Europa vor dem 1. Weltkrieg und

seine Gesellschaft repräsentieren. Einer heimtückischen Krankheit verfallen, ohne den Willen, in die Welt der „Gesunden" zurückzukehren, erörtern sie ästhetische Probleme und setzen sich mit Fragen der Politik und Weltanschauung auseinander. Nur Hans Castorp verläßt den Zauberberg, um in die Hölle des 1. Weltkrieges zu ziehen. – Der Roman ›Doktor Faustus‹ analysiert am Schicksal eines genialen Komponisten die deutsche Tragödie seit dem Ende des 19. Jahrhunderts. Aus Hochmut und Verzweiflung schließt Leverkühn einen Pakt mit dem Teufel, tauscht Liebe und Gesundheit gegen höchste künstlerische Erfüllung ein und endet im Wahnsinn. Die akademische Sprache des Chronisten, Anklänge an das Lutherdeutsch, die Verbindung zum Fauststoff, zur Biographie Nietzsches und die Kritik an Faschismus und Nationalsozialismus kennzeichnen das hintergründige Werk.

4 Der vierteilige Roman ›Josef und seine Brüder‹ will einen alten mythischen Stoff dem Leser mit den Mitteln der modernen Psychologie geistvoll-ironisch zugänglich machen. Die Deutung der bildhaften Sprache der Bibel macht zugleich den Kern der Überlieferung sichtbar. In der Novelle ›Der Erwählte‹(1951), einer Neugestaltung der Gregorius-Legende (s. Hartmann von Aue, S. 6), erscheint das Verhältnis Schuld – Gnade, wie das gesamte Dasein des Menschen, in einem fragwürdigen Licht.

5 In ›Königliche Hoheit‹ (1909) überwindet die Liebe Standesgrenzen, die Trennung vom wahren Leben bedeuten. Der Roman ›Lotte in Weimar‹ (1939) erzählt von einer Begegnung der alt gewordenen Charlotte Buff (s. Werther, S. 22) mit Goethe und zeichnet aus ironischer Distanz ein weniger imposantes, dafür aber menschliches Bild Goethes. ›Die Bekenntnisse des Hochstaplers Felix Krull‹ (1954) berichten in der Tradition des Schelmenromans, wie ein im bürgerlichen Sinne haltloser Mensch seine bürgerliche und adlige Umwelt übertölpeln kann, weil er ihre Schwächen klar durchschaut.

6 ›Peter Camenzind‹ und ›Unterm Rad‹ (1906) spiegeln gefühlvoll Jugenderlebnisse *Hesses* wider. Im ›Demian‹ (1919) werden dagegen Widersprüche im eigenen Wesen objektiv gestaltet.

7 Die Legende ›Siddharta‹ (1922) berichtet, wie ein junger Brahmane durch innere Einkehr den Gefahren der Triebe begegnet. Der Held des Romans ›Der Steppenwolf‹ geht diesen Weg nicht; er ist deshalb zu einem einsamen Leben „in der Wüste", der Großstadt, verdammt. In ›Narziß und Goldmund‹ (1930) verkörpern die Titelhelden den Gegensatz zwischen asketischer, stolzer Gelehrsamkeit und ekstatischem, ungebundenem Künstlertum.

8 Hesse versucht in seinem letzten großen Roman, „der Lebensbeschreibung des Magister Ludi Josef Knecht", Wissenschaft und Kunst, Denken und Fühlen im Symbol des ›Glasperlenspiels‹ zu vereinen. Erwählte Geister suchen in einer noch zukünftigen Welt alle Spannungen zwischen Geist und Leben zu überwinden. Josef Knecht verläßt diese Welt, weil sie den Ansprüchen des Lebens nicht gerecht werden kann.

Kafka und Broch setzen sich, anders als die ‚Bewahrenden‘, in Distanz zu der Tradition des 19. Jahrhunderts mit der geistigen Situation des modernen Menschen auseinander. Persönliche Erfahrungen und Konflikte decken sich im Werk Kafkas mit den Zweifeln einer Generation an allen überkommenen Werten. Broch gibt, gestützt auf soziologische und tiefenpsychologische Erkenntnisse und unter dem Einfluß des modernen europäischen Romans (vor allem Joyce' ›Ulysses‹, 1922), Analysen geistiger und gesellschaftlicher Entwicklungen.

Kafka: Der Prozeß, 1914/15 (erschienen 1925)   Der Verschollene,
        1912/14 (1927 als ›Amerika‹ erschienen)   Ein Landarzt, 1920
        Das Schloß, 1921/22 (erschienen 1926)
Broch: Die Schlafwandler, 1931/32   Der Tod des Vergil, 1946
        Der Versucher, 1953

---

1 *Welche Grundsituation des Menschen wird im Roman ›Der Prozeß‹ sichtbar?*   2 *Wie wird das Verhältnis Mensch – Gesellschaft – Ordnung im ›Schloß‹ dargestellt?*   3 *Welche Motive hat das Fragment ›Amerika‹ mit den anderen Romanen Kafkas gemeinsam, wodurch unterscheidet es sich von ihnen?*   4 *Wie zeigt sich der Mensch in den Erzählungen Kafkas?* 5 *Wie stellt Broch in der Romantrilogie ›Die Schlafwandler‹ den „Zerfall der Werte“ dar?*   6 *Was soll in ›Der Tod des Vergik mit Hilfe des inneren Monologs sichtbar werden?*   7 *Welchen Weg aus Chaos und Verzweiflung sucht Brochs Roman ›Der Versucher‹ zu weisen?*

1 *Kafkas* Josef K. sieht sich plötzlich in einen ›Prozeß‹ verwickelt, an dessen Ende er auf Befehl eines anonymen Gerichts in einem Steinbruch erstochen wird. Fragen nach den Gründen der Verfolgung kann niemand beantworten; der Mensch muß allein schon durch seine Existenz schuldig werden.

2 Trotz aller Bemühungen bleibt der Landmesser K. im Dorf ein Fremder; der Zugang zum Schloß ist ihm für immer versperrt. Je zielbewußter der Mensch mit Hilfe seines Verstandes seine Einsamkeit überwinden will, desto einsamer wird es um ihn. Der Zugang zur geheimnisvollen Instanz, die Macht über ihn hat, bleibt verschlossen; der Sinn seiner Existenz bleibt verborgen.

3 Das Romanfragment ›Amerika‹ berichtet von einem jungen Mann, der in den USA immer wieder mit einer verständnislosen Umwelt in Konflikt gerät. Die Illusion einer Rückkehr in die Heimat und einer Versöhnung mit den Eltern, die ihn verstoßen haben, lassen ihn seine Einsamkeit ertragen.

4 Erzählungen wie ›Das Urteil‹ (1913) und ›Die Verwandlung‹ (1915) zeigen, daß Gesellschaft und Tradition die Individualität des Menschen dadurch vernichten, daß sie ihn von sich weisen. In ›Das Urteil‹ unterwirft

sich Georg dem Spruch seines Vaters und scheidet freiwillig aus dem Leben. Gregor Samsa, in einen Käfer verwandelt (›Die Verwandlung‹), hofft, Eltern und Schwester durch seinen Tod zu befreien. – Ein Hungerkünstler (in der gleichnamigen Erzählung, 1924) hungert, weil keine Speise ihm zusagt. Nur scheinbar hebt ihn seine Fähigkeit aus der Gemeinschaft heraus. Die Wirklichkeit erscheint hintergründig, rätselhaft und paradox, genau wie in der Erzählung ›Auf der Galerie‹, in der der prunkvolle Auftritt einer Kunstreiterin zugleich die Zerstörung der Individualität bedeutet.

5 Mit der Romantrilogie ›Die Schlafwandler‹ will *Broch* „eine dichterische wie philosophische Bestandsaufnahme" des Wilhelminischen Zeitalters geben. Im Mittelpunkt des ersten Teils, ›Pasenow oder die Romantik‹, steht ein Gardeoffizier in einer Scheinwelt, die nur noch von der Uniform und einem Ehrbegriff bestimmt wird, dem Vater und Bruder zum Opfer fallen. Alles, was Pasenow unternimmt, ist im Grunde eine Flucht vor der Wirklichkeit. Aufbau und Erzählhaltung des Romans erinnern an Fontanes Werke, sie zeichnen jedoch eine Gesellschaft, die bereits in sich zerfallen ist. – ›Esch oder die Anarchie‹ berichtet vom Leben eines Kleinbürgers, der Bindungslosigkeit als Freiheit betrachtet und, zwischen sexueller Gier und überspannten sozialistischen Ideen hin- und hergerissen, doch eine geheime Sehnsucht nach Ordnung und Sicherheit in sich trägt. Essayistische Einschübe philosophischen und psychologischen Inhalts verbinden Einzelschicksal und Schicksal einer Epoche. – In ›Huguenau oder die Sachlichkeit‹ überwindet die kalte, nur auf Gewinn und Ansehen gerichtete ‚Vernunft' eines Kaufmanns alle Widerstände. Feige Flucht, betrügerische Geschäfte, Fälschungen und schließlich Mord bringen Ansehen, mehrmaliges Wechseln der politischen Gesinnung Sicherheit („Zerfall der Werte").

6 ›Der Tod des Vergil‹ gestaltet die letzten 18 Stunden des großen Epikers als eine innere Auseinandersetzung mit dem eigenen Leben, dem dichterischen Werk und der geistigen Situation der Zeit. Vergil will sein Epos vernichten, weil er glaubt, es habe ihn vom Dienst an der Erlösung der Menschheit abgehalten und, wie alle Dichtung, vor allem der Eitelkeit gedient. Nur wenige Gespräche unterbrechen den inneren Monolog, an dessen Ende ein prophetischer Hinweis auf Christus, den Retter der Menschheit, steht. – Gemeint ist in diesem Roman die Problematik des Künstlers überhaupt.

7 In dem Romanfragment ›Der Versucher‹, von dem mehrere Fassungen vorliegen, zeigt Broch, wie ein religiöser Fanatiker geistig-seelische Prozesse auslöst, die zu Massenhysterie und Opferung eines Menschen führen. Gleichzeitig versucht der Dichter, einen Weg aus dem Chaos sichtbar zu machen. Im Mythischen wurzelnde Kräfte einer Bäuerin sollen die Dorfbewohner von der Verzweiflung befreien, in die sie der „Versucher" gestoßen hat.

Josef Roth, Musil und Doderer stammen wie Kafka und Broch aus der Donaumonarchie. Deren Zerfall bedeutet das Ende einer wichtigen Epoche der europäischen Geschichte und fordert zu kritischer Auseinandersetzung mit der Gegenwart heraus. Roth zeichnet mit leiser Wehmut die letzten Jahre des Habsburgerreiches an Einzelschicksalen nach. Musil entwirft ein vielfältiges Bild äußerer Vorgänge und verborgener Strömungen, um einen zerstörerischen Prozeß sichtbar zu machen; Doderer hält ihn in einem Mosaik zahlreicher Gestalten und Begebenheiten fest.

Durch Herkunft und Lebensschicksal von ihr getrennt, gehört Ernst Jünger neben dieser Gruppe zu den bedeutendsten kritischen Interpreten der Gegenwart.

Josef Roth: Radetzkymarsch, 1932
Musil: Die Verwirrungen des Zöglings Törless, 1906
              Der Mann ohne Eigenschaften, 1930/43/1952
Doderer: Die Strudlhofstiege, 1951   Die Dämonen, 1956
Ernst Jünger: In Stahlgewittern, 1920
              Auf den Marmorklippen, 1939   Heliopolis, 1949
              Gläserne Bienen, 1957

---

1 *Wie stellt Roth den Untergang der Donaumonarchie im ›Radetzkymarsch‹ dar?*   2 *Wie antwortet der junge Törless auf die Herausforderungen seiner Umwelt?*   3 *Wie verbindet sich in ›Der Mann ohne Eigenschaften‹ Zeitkritik mit einer Analyse der Situation des modernen Menschen?*   4 *Was wird in Doderers Romanen mit Hilfe zahlreicher Einzelschicksale sichtbar gemacht?*   5 *In welchem Verhältnis erscheinen Schuld und Sühne in dem Kriminalroman ›Ein Mord, den jeder begeht‹ und in der Novelle ›Zwei Lügen oder eine antikische Tragödie auf dem Dorfe‹?*   6 *Welche Schriften kennzeichnen wichtige Stationen im Werk Ernst Jüngers?*   7 *Wieweit kann man Jüngers Romane als ,Zeitromane' bezeichnen?*

1 In *Roths* ›Radetzkymarsch‹ ist die Geschichte der Familie Trotta eng mit der des habsburgischen Kaiserhauses verknüpft. Historische Abläufe werden mit Einzelschicksalen zu einem lebendigen Bild der letzten Jahre der Donaumonarchie verwoben.

2 In *Musils* Roman ›Die Verwirrungen des Zöglings Törless‹ werden äußere Vorgänge und Verhaltensweisen zu Sinnbildern eines inneren Chaos, dem der Held der Geschichte mit Hilfe mathematischer Denkmodelle begegnen will, genau wie den Regungen der Sinne und übersinnlichen Phänomenen.

3 Das 70jährige Regierungsjubiläum Kaiser Franz-Josefs (1918) soll zu einer Demonstration der Selbständigkeit Österreichs gegenüber dem Deutschen Reich werden, dessen Monarch 1918 30 Jahre geherrscht hat (Parallelaktion). Zusammen mit dem „Mann ohne Eigenschaften" und Sekretär der

Aktion lernt der Leser wichtige Persönlichkeiten der Zeit kennen; es wird ihm bewußt, daß der Erste Weltkrieg das Ende einer in sich zerfallenden Kultur bedeutet. Ulrich kehrt schließlich der „Parallelaktion" den Rücken und versucht, gemeinsam mit seiner Schwester Agathe, das „richtige Leben" zu entdecken. Es gilt, den alten „Zustand" des Unbestimmten, Zweideutigen zu überwinden; der Mensch muß allein den ihm gemäßen Weg finden.

4 Die Menschen in Doderers Roman ›Die Strudlhofstiege‹ sind auch nach 1918 vom alten Österreich geprägt. Die ›Dämonen‹ stellen die Auflösung der überkommenen Ordnung dar und lassen die Kräfte sichtbar werden, die mit Willkür und Gewalt in den totalitären Staat führen. Der Brand des Wiener Justizpalastes, 1927, ist das erste entscheidende Ereignis.

5 In ›Ein Mord, den jeder begeht‹ (1938) will ein Mann den Tod eines Menschen aufklären und muß erkennen, daß er ihn selbst verursacht hat. Schuld und Schicksal stehen in einem zwanghaften, undurchschaubaren Zusammenhang. Die Kurznovelle ›Zwei Lügen oder eine antikische Tragödie auf dem Dorfe‹ (1932) berichtet, wie ein Bauer seine Mitschuld an einem entsetzlichen Verbrechen sühnt und zugleich den zum Mörder gewordenen Sohn und Erben des Hofes vor der Gerechtigkeit schützt.

6 *Ernst Jüngers* Tagebücher aus dem 1. Weltkrieg (›In Stahlgewittern‹, 1920; ›Wäldchen 125‹, 1925; ›Feuer und Blut‹, 1926) zeigen, wie im Chaos der Materialschlachten ein neuer Menschentyp geboren wird. In der Schrift ›Das abenteuerliche Herz‹ (1929, 2. Fassung 1938) findet Jünger in Beschreibungen und Meditationen seinen eigenen Stil, der, klar, virtuos und bildhaft zugleich, auch die Studie ›Der Arbeiter. Herrschaft und Gestalt‹ (1932) auszeichnet. In dieser Schrift wird der neue Menschentyp benannt: Der Arbeiter ist der Gegenspieler des selbstzufriedenen, auf Sicherheit bedachten Bürgers. Der Mensch entfaltet sich nicht mehr frei zu einer individuellen Persönlichkeit, sondern ist in einen Prozeß eingefügt, der zu einer umfassenden „Verwaltung" der Welt führt. Die Untersuchung ›An der Zeitmauer‹ (1959) setzt sich mit dem Schwinden des historischen Bewußtseins in der Gegenwart auseinander. Ein kosmisches Bewußtsein tritt an seine Stelle. In ›Gärten und Straßen‹, 1942; ›Strahlungen‹, 1949 und ›Jahre der Okkupation‹, 1958, werden Erlebnisse im 2. Weltkrieg dargestellt.

7 In der Erzählung ›Auf den Marmorklippen‹ vernichtet der „Oberförster", eine Verkörperung rücksichtslosen Machtstrebens, die klare, lichte Welt der Mauretanier. ›Heliopolis, Rückblick auf eine Stadt‹ (1949) sucht am Beispiel einer Hafen- und Weltstadt der Zukunft die Frage nach der besten Staatsform zu beantworten. Es bleibt offen, ob sich Volksherrschaft oder aufgeklärter Staatsabsolutismus durchsetzen werden. – In ›Gläserne Bienen‹ wählt Jünger die Form der Utopie, um das Verhältnis des Menschen zu einer perfektionierten Technik zu erörtern. Die Herrschaft der Maschinen und Automaten droht Fühlen, Denken und Handeln berechenbar zu machen und damit die Würde des Menschen zu zerstören.

Im Roman der Gegenwart findet die unüberschaubare Vielfalt des modernen Lebens unmittelbaren Ausdruck. Das alte Formprinzip, Vorgänge und Ereignisse geradlinig darzustellen – schon von Thomas Mann und Hesse durchbrochen und von Kafka, Musil und Broch oft ganz aufgegeben –, wird unter dem Einfluß europäischer und amerikanischer Vorbilder (Joyce, Proust, Faulkner, Wolfe) durch neue Möglichkeiten epischer Gestaltung ersetzt. Mehrschichtige Perspektiven sollen innere und äußere Vorgänge zu einem Ganzen zusammenfügen. Verschiedene Sprach- und Zeitebenen verschmelzen Reales und Irreales. Der Dichter übt als überzeugter Marxist Kritik an Staat und Gesellschaft (Anna Seghers, Arnold Zweig), zeigt als Christ den Weg des modernen Menschen zu Gott (Elisabeth Langgässer) oder entlarvt als scharfer Beobachter des geistigen und politischen Lebens Diktatur und Krieg als Zerstörer menschlicher Freiheit und Ordnung (Kasack, Andersch, Grass).

Seghers:	Das siebte Kreuz, 1942
Langgässer:	Das unauslöschliche Siegel, 1946
Kasack:	Die Stadt hinter dem Strom, 1947
Andersch:	Sansibar oder der letzte Grund, 1957
Grass:	Die Blechtrommel, 1959

1 *Wie sieht Anna Seghers die Möglichkeiten eines Widerstandes gegen eine allmächtige Diktatur?* 2 *Wie gestaltet Arnold Zweig die Spannung zwischen Macht und Revolution in seinem Romanzyklus ›Der große Krieg der weißen Männer‹?* 3 *Von welcher Position aus setzt sich Elisabeth Langgässer mit der jüngsten Vergangenheit auseinander?* 4 *Welche Rolle spielt das Motiv der Flucht in Anderschs ›Sansibar oder der letzte Grund‹?* 5 *Wie zeichnet Kasack die Lage des modernen Menschen?* 6 *Worauf beruht die literarische Bedeutung des Romans ›Die Blechtrommel‹ von Günter Grass?*

1 In *Anna Seghers'* Roman ›Das siebte Kreuz‹ entkommt nur einer von sieben aus einem KZ entwichenen Häftlingen ins Ausland. Das für ihn bestimmte Folterkreuz bleibt leer und wird für die Zurückgebliebenen zu einem Zeichen dafür, daß auch der totale Staat nicht allmächtig ist. Den wenigen, die entschlossen und tapfer genug sind, sich dem Partei- und Staatsapparat zu widersetzen, gilt die Sympathie der Dichterin; sie hat aber auch Verständnis für die Schwachen und Verzagten, denen der Entkommene auf seinem Weg in die Freiheit begegnet. Ein ähnliches Thema behandelt der Roman ›Transit‹ (1943); die Novelle ›Der Aufstand der Fischer von Santa Barbara‹ (bereits 1928 erschienen) soll zeigen, wie aussichtslos eine Revolte gegen rücksichtslose Ausbeuter ist, wenn hinter ihnen die Macht des Staates steht.

2 *Arnold Zweig* interpretiert in seinem Romanzyklus ›Der große Krieg der weißen Männer‹ den Ersten Weltkrieg als Folge des Zerfalls der bürger-

lichen Welt. Die letzten Teile des umfangreichen Werkes (›Die Feuerpause‹ und ›Der Tag ist reif‹) erscheinen 1954 und 1958; den Mittelpunkt bildet der Roman ›Der Streit um den Sergeanten Grischa‹ (1927), in dem ein russischer Kriegsgefangener 1917 als Spion erschossen wird, obwohl er unschuldig ist. Die deutsche militärische Führung, Verkörperung der bereits zum Scheitern verurteilten alten Mächte und Repräsentant eines autoritären Systems, fürchtet die Revolution und will verhindern, daß ihre Truppen dem Beispiel der Russen folgen.

3 *Elisabeth Langgässers* ›Das unauslöschliche Siegel‹ ist ein Zeitroman, soweit Judenverfolgung und Zusammenbruch den politisch-historischen Hintergrund des Geschehens bilden. Im Lebensschicksal eines konvertierten jüdischen Kaufmannes geht es jedoch darüber hinaus um die Frage, wieweit der Mensch auf die Gnade Gottes hoffen kann. Solange Belfontain nur Christ ist, weil er sich davon Vorteile verspricht, folgt er seinen Neigungen und Trieben, führt sein Weg in Sünde und innere Not. Erst als er sich bewußt dem göttlichen Willen unterwirft, erkennt er die Bedeutung des Sakraments und weiß, daß Gott auch ihm gnädig ist. – ›Märkische Argonautenfahrt‹ (1950) zeigt sieben Menschen auf dem Wege zu einem Auferstehungskloster. Jeder ist mit einer Todsünde beladen, jeder sucht Heilsgewißheit, indem er sich zu seiner Schuld bekennt und damit jeden Zweifel an der Gnade Gottes überwindet.

4 Fünf Menschen wollen in *Anderschs* Roman ›Sansibar oder der letzte Grund‹ 1938 der Diktatur in Deutschland entfliehen. So verschieden ihre Motive auch sind, alle sehnen sich, wie der Jüngste unter ihnen, nach einem „Sansibar", nach einem Ort der Freiheit. Schließlich verläßt nur eine junge Jüdin die Heimat. Die anderen nehmen, jeder auf seine Weise, ihr Schicksal auf sich und gewinnen damit innere Freiheit, gerade weil die äußere ihnen versagt bleibt.

5 Unter dem Einfluß Kafkas und Joyce' beschwört *Kasack* in seinem bedeutendsten Roman, ›Die Stadt hinter dem Strom‹ (1947), eine zerstörte, sinnentleerte Welt, in der der Mensch seine Einsamkeit erkennt. Äußere Geschäftigkeit und fragwürdiges Tun in einer Totenstadt – das von einer Gruppe Geschaffene wird von einer anderen wieder zerstört – werden zu Symbolen der Situation nach dem Zweiten Weltkrieg.

6 In *Grass'* Roman ›Die Blechtrommel‹ verbinden sich Zeitkritik (Deutschland im 2. Weltkrieg), literarische Satire (Grass schreibt einen „Antientwicklungsroman") mit der Fabulierfreude und Drastik des alten Schelmenromanes. Der Held, der sich im dritten Lebensjahr entschließt, nicht mehr zu wachsen, findet sich im Leben besser zurecht als die „Großen". Auch die Erzählung ›Katz und Maus‹ (1961) und der Roman ›Hundejahre‹ (1963) setzen sich kritisch-satirisch mit Problemen der Zeit auseinander.

Krieg und Zusammenbruch, noch mehr aber die politische und wirtschaftliche Entwicklung nach 1945 bilden den stofflichen Hintergrund einer
Reihe epischer Werke, deren Verfasser, trotz aller Unterschiede im einzelnen,
immer wieder die Frage nach der Stellung des Menschen in einer sich stetig
wandelnden Welt stellen.

Frisch: Homo Faber, 1957   Mein Name sei Gantenbein, 1964
Böll: Billard um halb zehn, 1959   Gruppenbild mit Dame, 1971
Johnson: Mutmaßungen über Jakob, 1959   Jahrestage, 1970 ff.
Gaiser: Schlußball, 1958

---

1 *Welche Probleme der Kriegs- und Nachkriegszeit werden in Gaisers Roma-*
nen sichtbar?   2 Welche Haltung spricht aus den ersten Romanen Bölls?
3 *Wie setzt Böll seine Kritik an Zeit und Gesellschaft in ›Billard um halb zehn‹*
und in den ›Ansichten eines Clowns‹ fort, welche Rolle spielen Motive aus seinen
frühen Werken in ›Gruppenbild mit Dame‹?   4 Wie gestaltet Frisch in
›Stiller‹ das Verhältnis Mensch-Gesellschaft, wie in ›Homo Faber‹ das Verhältnis
Mensch-Technik? Welche Möglichkeiten menschlicher Selbsterfahrung bietet der
Rollenwechsel in ›Mein Name sei Gantenbein‹?   5 Wie zeichnet Johnson in
seinen Romanen die Situation der von der deutschen Teilung betroffenen
Menschen?

1 In *Gaisers* Roman ›Die sterbende Jagd‹ (1953) stürzt das Bewußtsein, für
eine im Grunde ungerechte und bereits verlorene Sache zu kämpfen, die
jungen Flieger einer Jagdstaffel in einen unlösbaren Konflikt. Sie wählen den
Weg der Pflicht und fallen in einem aussichtslosen Kampf – Opfer eines
Systems, das ihren Idealismus mißbraucht hat. Der ›Schlußball‹ spiegelt in
30 Monologen die geistige und materielle Situation der Bürger einer Kleinstadt, die es nach Jahren der Not zu Wohlstand und Ansehen gebracht haben.
Der Schlußball einer Oberprima entlarvt die Fragwürdigkeit ihres Verhaltens: Nur wenige widersetzen sich dem allgemeinen Streben nach Reichtum und Prestige und damit der Lüge und Heuchelei.

2 *Bölls* Roman ›Wo warst du, Adam?‹ (1951) handelt von der Sinnlosigkeit
des Krieges. ›Und sagte kein einziges Wort‹ (1953) und ›Haus ohne Hüter‹
(1957) setzen sich, wie die umfangreiche Erzählung ›Das Brot der frühen
Jahre‹ (1955), mit dem Existenzkampf im Chaos der Nachkriegszeit auseinander. Entlassene Soldaten, Vertriebene, Schwarzhändler und Entwurzelte
beherrschen die Szene, die Trümmer zerstörter Städte bilden die Kulisse. Die
kleinen Leute, Opfer des Zusammenbruchs, dann Nutznießer eines Wieder-
aufstiegs, wollen die Vergangenheit so schnell wie möglich vergessen.

3 Der Roman ›Billard um halb zehn‹ sucht mit der Geschichte einer Familie
zugleich eine Analyse eines halben Jahrhunderts deutscher Vergangenheit
zu geben. Der Architekt Fähmel erbaut in der Wilhelminischen Ära eine

Abtei, die sein Sohn im Zweiten Weltkrieg als Offizier zerstört und die der Enkel nach dem Zusammenbruch wiederherstellt. Der achtzigste Geburtstag des alten Herrn gibt Gelegenheit, in Monologen und Rückblenden das Geschehene auf eine Gegenwart zu beziehen, die die Menschen zwingt, sich anzupassen. – Ein von seiner Familie verstoßener, von seiner Geliebten verlassener Pantomime hält in den ›Ansichten eines Clowns‹ aus der Distanz des Nicht-Anerkannten Gericht über Zeit und Gesellschaft. – Im Mittelpunkt des aus verschiedenen Sprach- und Handlungsebenen entwickelten Romans ›Gruppenbild mit Dame‹ stehen einfache Gestalten, deren Schicksal von den Nöten der Kriegs- und Nachkriegszeit bestimmt wird. Ihnen gilt die Sympathie des Erzählers, während sich seine Kritik wieder gegen kleinbürgerliches Denken und rücksichtsloses Gewinnstreben der Emporkömmlinge richtet.

4 Dem Titelhelden in *Frischs* Roman ›Stiller‹ (1954) gestattet die Gesellschaft nicht, vor sich selbst zu fliehen und unter einem neuen Namen eine neue Existenz zu beginnen. – In ›Homo Faber‹ ist ein Ingenieur davon überzeugt, daß die Methoden der Naturwissenschaft und Technik auf das Leben selbst übertragen werden können und es ermöglichen, Weg und Ziel einer Handlung im voraus festzulegen. Aber die Wirklichkeit beweist das Gegenteil: Faber verführt, ohne es zu wissen, seine eigene Tochter und ist, ohne es zu wollen, schuld daran, daß sie an den Folgen eines Unfalls stirbt. Jetzt erkennt er, daß das Leben „erlebt werden muß", daß neben der Logik auch Liebe und Verantwortung für den Mitmenschen ihr Recht fordern. – Die Hauptgestalt des Romans ›Mein Name sei Gantenbein‹ entzieht sich, indem sie Namen und Rolle laufend wechselt, dem Zugriff ihrer Umwelt; die so gewonnene Position ermöglicht es, das wirkliche Leben in seiner Vielfalt gegen das nur auf Gegenwart und meßbare Resultate bezogene Wirken abzugrenzen und in seiner Bedeutung sichtbar zu machen.

5 Mit fast nüchterner Sprache und in bewußter Distanz von politischen Vorgängen und Leidenschaften zeigt *Johnson* in ›Zwei Ansichten‹ (1965), wie der Bau der Berliner Mauer entscheidend in das Leben zweier junger Menschen, eines Pressefotografen aus der Bundesrepublik und einer Krankenschwester aus Ostberlin, eingreift. Der dreiteilige Roman ›Jahrestage‹ knüpft an ›Mutmaßungen über Jakob‹ an. Gesine Cresspahl, Jugendfreundin und Geliebte Jakobs, gibt sich selbst und ihrer Tochter Rechenschaft über ihr bisheriges Leben. Vor- und Rückblenden, Gespräche und Selbstgespräche, eingestreute Partien dokumentarischen Charakters und Zeitungsmeldungen schaffen zugleich ein Bild von der geistigen und gesellschaftlichen Entwicklung zwischen 1933 und der Gegenwart.

Die Auseinandersetzung mit Vergangenheit und Gegenwart prägt auch das Schaffen einer Reihe von Autoren, die in der Entwicklung des Romans im deutschsprachigen Raum in der Gegenwart eine wichtige Rolle spielen. Daneben zeichnet sich das Bemühen um neue Inhalte und Formen ab. Oft begleiten theoretisch-kritische Überlegungen die eigene Produktion.

Walser:	Halbzeit, 1960 Das Einhorn, 1966
Kant:	Die Aula, 1964
Kunert:	Im Namen der Hüte, 1967
Lenz:	Deutschstunde, 1968
Heißenbüttel:	D'Alemberts Ende, 1970
Wohmann:	Ernste Absicht, 1970
Handke:	Der kurze Brief zum langen Abschied, 1972

1 *Was charakterisiert die Erzählweise Martin Walsers?* **2** *Wodurch unterscheidet sich Friedrich Dürrenmatts ›Der Richter und sein Henker‹ von anderen Kriminalromanen?* **3** *Wie gestaltet Günter Kunert die letzte Phase des Zweiten Weltkriegs, wie zeichnet Hermann Kant die innere Entwicklung der DDR nach 1949?* **4** *Welches Problem steht im Zentrum des Romans ›Deutschstunde‹ von Siegfried Lenz?* **5** *Welche Einstellung zu Leben und Tod zeigt sich in Gabriele Wohmanns Roman ›Ernste Absicht‹, wie gestaltet Christa Wolf dieses Problem in ›Nachdenken über Christa T‹ (1968)?* **6** *Welche Erzähltechnik entwickelt Helmut Heißenbüttel in seinem dreiteiligen Roman ›D'Alemberts Ende‹?* **7** *Wie versucht Peter Handke in seinem Roman ›Der kurze Brief zum langen Abschied‹ die Brüchigkeit menschlicher Beziehungen darzustellen?*

1 *Walsers* Romane üben ironisch und gelassen Kritik an Zeit und Gesellschaft. Situationen, die in ihrer Ausweglosigkeit an Kafka erinnern, werden als gegeben hingenommen, Mißstände und Fragwürdigkeiten entlarvt, ohne daß eine ethisch-moralische Grundhaltung im Vordergrund steht (s. Böll, Gaiser). ›Ehen in Philippsburg‹ (1957), ›Halbzeit‹ (1960) und ›Das Einhorn‹ (1966) entlarven auf diese Weise die Schattenseiten des „Wirtschaftswunders".

2 In *Dürrenmatts* Kriminalroman ›Der Richter und sein Henker‹ (1952) wird der Täter nicht von einem scharf beobachtenden und logisch kombinierenden Detektiv zur Strecke gebracht. Zufälle, fragwürdige Motive des Handelns, die Unfähigkeit, Zusammenhänge zu erkennen und Hintergründe zu durchschauen, beweisen, wie wenig sich der Mensch auf seinen Verstand verlassen kann. Diese Haltung Dürrenmatts macht, noch stärker akzentuiert, ›Die Panne‹ (1956) und ›Das Versprechen‹ (1958) zu Anti-Kriminalromanen.

3 Die letzte Phase des Krieges und das Chaos des Zusammenbruchs werden bei *Kunert* ›Im Namen der Hüte‹ aus der Perspektive eines Halbwüchsigen gezeigt, der es versteht, allerdings mit Hilfe eines „Wunderhutes", wie eine Gestalt aus einem pikaresken Roman alle Gefahren zu meistern. In seinem Roman ›Die Aula‹, der sich inhaltlich mit Entwicklung und Bedeutung der 1949 eröffneten Arbeiter- und Bauernfakultät beschäftigt, vermischt *Kant* Elemente des „sozialistischen Realismus" mit anderen zeitgemäßen Möglichkeiten epischer Formen: Wechsel zwischen Handlung und Reflexion, Verschieben der zeitlichen Perspektiven, Darstellen des Geschehens auf mehreren Ebenen schaffen zugleich Distanz zum äußeren Geschehen und der in ihm sichtbaren politisch-gesellschaftlichen Faktoren.

Ähnliche Züge weist auch Kants zweiter Roman ›Das Impressum‹ (1972) auf.

4 In *Lenz'* Roman ›Deutschstunde‹ entwickelt sich aus einem Aufsatz über ›Die Freuden der Pflicht‹, den ein Insasse eines Erziehungsheimes als Strafarbeit schreiben muß, eine episch breit angelegte Auseinandersetzung mit dem Konflikt, der sich aus einem im Dienste der Diktatur entstandenen Pflichtbegriff und den Ansprüchen der Kunst ergibt, frei und unabhängig zu sein.

5 Die Hauptgestalt in *Gabriele Wohmanns* Roman ›Ernste Absicht‹ setzt sich in den Tagen vor und nach einer Operation fast protokollmäßig exakt mit ihrem bisherigen Leben auseinander; sie kann Angst und Abscheu vor dem Tod nicht überwinden, obwohl das Gefühl, vor allem in Ehe und Liebe gescheitert zu sein, die Erinnerung an die Vergangenheit beherrscht.

In ›Nachdenken über Christa T‹ entwickelt *Christa Wolf* zunächst die Lebensgeschichte einer mit 35 Jahren an Blutkrebs zu Grunde gegangenen Freundin. Am Ende der Auseinandersetzung mit dem Schicksal dieser jungen Frau — hinterlassene Aufzeichnungen wie Skizzen, Briefe und Tagebücher gewähren vor allem Einblick in die innere Entwicklung der Christa T. — erkennt die Erzählerin, daß nicht allein Leukämie, sondern ein Verzweifeln am Leben selbst schuld am frühen Tod der Freundin gewesen ist.

6 Um den Titelhelden des von *Heißenbüttel* als „Projekt Nr. 1" gekennzeichneten Romans ›D'Alemberts Ende‹ gruppieren sich neun schemenhaft gezeichneten Figuren, deren Verhalten Einblicke in die Möglichkeiten und die Wirklichkeit kollektiven Verhaltens bietet. Text- und Sprachproben aus allen Bereichen, vom Alltagsjargon über Zitate aus wissenschaftlichen Abhandlungen bis zu Beispielen aus der Klassik, werden miteinander in Beziehung gesetzt, so daß völlig neue Aussagemöglichkeiten entstehen.

7 Eine anscheinend intakte Ehe wird in Handkes Roman durch einen einzigen Brief zerstört. Sein Inhalt löst eine Kettenreaktion aus, in der sich Haß- und Rachegefühle bis zu neurotischem Fehlverhalten (z. B. Mordabsichten) zu steigern drohen. Nach einem vom „Erzähler" analysierten Prozeß der allmählichen Rückkehr zum „Normalen" ringen sich die Partner durch, vernünftig zu sein und sich friedlich zu trennen.

Die Form der Kurzgeschichte kommt dem Leseverhalten des modernen Menschen besonders entgegen. Ihre Merkmale sind: unmittelbarer Beginn, offener Schluß und Zusammendrängen des Stoffes auf das Wesentliche. Weitere „Kurze Prosa" der Gegenwart bietet formal alles, was zwischen der traditionellen Kalendergeschichte und modernen Kurzromanen liegt.

1 *Welche Vorbilder hat die moderne deutsche Kurzgeschichte?* **2** *Was kennzeichnet Wolfgang Borcherts und Heinrich Bölls Kurzgeschichten?* **3** *Was haben die Kurzgeschichten von Siegfried Lenz und Hans Bender gemeinsam?* **4** *Wie erscheint das Verhältnis Mensch – Welt in den Erzählungen von Elisabeth Langgässer, Ilse Aichinger und Marie Luise Kaschnitz?* **5** *Welche Möglichkeiten moderner Kurzprosa zeigen die Erzählungen Alexander Kluges, Peter Bichsels und Manfred Bielers?* **6** *Welche Erzählhaltung bestimmt Günter Kunerts* ›Prosa‹, *welche Einstellung spricht aus Gabriele Wohmanns* ›Selbstverteidigung‹? **7** *Welche Funktion weist Peter Handke der Sprache in seinen Erzählungen zu, wie handhabt Gerhard Rühm die Sprache in dem „Prosatext"* ›Die Frösche‹?

1 Die bereits im 19. Jahrhundert in Amerika entstandene short story (Edgar Allan Poe, Bret Harte, Mark Twain u. a.) gewinnt sehr bald Einfluß auf die europäische Literatur; er verstärkt sich nach dem Ersten Weltkrieg durch Autoren wie Hemingway, Faulkner und Thomas Wolfe. – In Deutschland knüpft *Brecht* in seinen in den zwanziger Jahren entstandenen Erzählungen (z. B. ›Bargan läßt es sein‹, 1921; ›Die Bestie‹, 1927), aber auch noch in ›Der Augsburger Kreidekreis‹ (1940) vor allem an Kleists Anekdoten und Hebels Kalendergeschichten an, während *Kafkas* Erzählungen und Parabeln stofflich und formal vieles für die moderne Kurzgeschichte Charakteristische vorwegnehmen (z. B. unmittelbarer Beginn, offener Schluß).

2 *Borcherts* am Expressionismus geschulte Erzähltechnik (Wiederholungen, paradoxe Vergleiche, Vor- und Rückblenden) macht die zwiespältige Lage des modernen Menschen sichtbar (s. ›Die drei dunklen Könige‹; ›Die Hundeblume‹, 1947; ›Das Känguruh‹). *Bölls* Kritik an Konformismus, Selbstbetrug und Egoismus zeigt sich auch in seinen Kurzgeschichten, die sich mit Kriegserlebnissen befassen (›Der Zug war pünktlich‹, 1949; ›Wanderer, kommst du nach Spa‹, 1950), von Heimkehrerschicksalen berichten (›Die ungezählte Geliebte‹; ›So ward Abend und Morgen‹) und Korruption in Gegenwart und Vergangenheit entlarven (›Daniel der Gerechte‹; ›Die Waage der Baleks‹).

3 *Lenz* und *Bender* sind stark von Kindheits- und Jugenderlebnissen geprägt. Beide verzichten auf sprachliche Experimente. Benders Erzählungen stellen reale Vorgänge dar (z. B. ›Ein Bär wächst bis zum Dach‹), während Lenz in der Sammlung ›So zärtlich war Suleyken‹ (1955) mit hintergründigem Humor von Menschen seiner ostpreußischen Heimat erzählt. Daneben spielen bei Bender Krieg und Gefangenschaft (›Die Wölfe kommen zurück‹;

›Iljas Tauben‹), bei Lenz der Kampf des Menschen gegen das Schicksal (›Jäger des Spotts‹, 1958; ›Lukas, sanftmütiger Knecht‹) eine bedeutende Rolle.

4 In *Elisabeth Langgässers* Erzählungen bewahren Kinder und einfache, bescheidene Menschen ihre Würde in Verfolgung, Krieg und Zusammenbruch (›Der erste Kommunionstag‹; ›Die getreue Antigone‹). Kritik am Verhalten gegenüber Verfolgten und Schutzlosen spricht aus ›Untergetaucht‹ und ›Glück haben‹. – Mit großer Distanz von persönlichem Schicksal entwirft *Ilse Aichinger* ein Bild von der Stellung des Menschen in einer Welt, in der alle Werte fragwürdig geworden sind (s. ›Rede unter dem Galgen‹; ›Spiegelgeschichte‹); *Marie Luise Kaschnitz* betrachtet den Einsatz für die Mitmenschen als höchste Bewährung im Leben (›Das dicke Kind‹; ›Das rote Netz‹).

5 *Kluge* erzählt realistisch, mit kühler Distanz zu Geschehen und Menschen, die ›Lebensläufe‹ (Titel der 1962 erschienenen Erzählung) von 9 Personen, deren Schicksale die deutsche Geschichte von den 30er Jahren bis in die Gegenwart widerspiegeln. – *Bichsels* ›21 Geschichten‹, 1964 unter dem Titel ›Eigentlich möchte Frau Blum den Milchmann kennenlernen‹ veröffentlicht, zeichnen realistisch, mit scharfem Blick für Details, zwischenmenschliche Beziehungen und Einzelschicksale in einem von sinnentleerten Formen und Verhaltensweisen bedrohten Dasein. Dagegen bewegt sich *Bielers* Sprache (›Der junge Roth‹, 1968) zwischen ernster Aussage und Parodie, zwischem Realem und Irrealem.

6 *Kunerts* ›Kleine Prosa‹, (›Die Beerdigung findet in aller Stille statt‹, 1968, ›Tagträume in Berlin und anderswo‹, 1972), schöpft die Möglichkeiten der modernen Kurzgeschichte voll aus: Neben realistischen Erzählungen stehen phantastisch-utopische Geschichten, mit Witz und Ironie erzählte Begebenheiten stehen neben ›Lebensläufen‹, die an Kafka erinnern. Aus Kunerts Erzählungen spricht Distanz gegenüber den Widrigkeiten des Lebens, denen sich *Gabriele Wohmann* ausgeliefert sieht und als deren Verursacher vor allem Familie und Bürgertum angegriffen werden.

7 In *Handkes* ›Die Angst des Torwarts vor dem Elfmeter‹ (1970) trägt die Unfähigkeit des Menschen, sich selbst zu verstehen und sich anderen verständlich zu machen, wesentlich zum Scheitern des Josef Bloch bei; auch die Hauptfigur der Erzählung ›Wunschloses Unglück‹ (1972) vermag nicht, in einem Prozeß des Nachdenkens und Reflektierens mit dem Selbstmord der Mutter fertig zu werden, und geht denselben Weg. Je mehr der Ich-Erzähler in *Rühms* ›Prosatext‹ von einer glatten Straße weg auf Umwege und Geröllhalden gerät, desto mehr verliert die Sprache ihre konventionelle Glätte und wird zum Spiegelbild des Weges, den der Mensch geht: Wortspiele, etymologische Anspielungen, lautliche und semantische Experimente lassen schließlich syntaktische Kategorien in den Hintergrund treten, Zeichen der Entfremdung des Individuums von seinem ursprünglichen Ziel.

Seit den Anfängen des Rundfunks hat sich das Hörspiel zu einer selbständigen literarischen Gattung entwickelt. Parallel mit der Verfeinerung der
Sendetechnik eröffneten sich auch dem Hörspiel neue Möglichkeiten, die
zu einer Diskussion seiner Formelemente geradezu herausforderten. Diese
führte zu einer Abgrenzung des „eigentlichen" Hörspiels gegenüber dem
Feature, das vorwiegend über Ereignisse, Sachverhalte und Personen infor-
miert, der Funkerzählung, die vor allem von der Stimme des „Erzählers"
getragen wird, und den Funkbearbeitungen von dramatischen und epischen
Vorlagen (z. B. Romane, Novellen).

Diese „Gattungen" sind, genau wie das eigentliche Hörspiel, von ihrem
Medium, der Funktechnik, geprägt. Da alles optisch Faßbare entfällt
(Kulisse, Szene, Mimik, Gestik, Bewegung), spielt neben dem gesprochenen
Wort eine sehr differenzierte „Geräuschkulisse" eine wesentliche Rolle. Je
nach Einsatz dieser Mittel im Rahmen eines vorgegebenen Stoffes oder The-
mas können Hörspiele entstehen, die vor allem von einer überschaubaren
dramatischen Handlung bestimmt sind, oder, etwa im Sinne des epischen
Dramas, Vorgänge und Stationen darstellen. Schließlich vermag ein
„innerer Monolog" Bewußtes und Unbewußtes zu entfalten oder Stimmen
zu Trägern des Spieles werden zu lassen, die an keine Person gebunden sind.
Immer aber können im Hörspiel mit Hilfe der modernen Übertragungstech-
nik die Grenzen von Raum und Zeit, zwischen Traum und Wirklichkeit über-
schritten werden.

1 *Welche Wege weisen Frisch, Dürrenmatt und Hildesheimer?*   **2** *Welche
Möglichkeiten werden von v. Hoerschelmanns und Eichs Hörspielen aus sicht-
bar?*   **3** *Worin liegt die Bedeutung des Hörspiels ›Der gute Gott von
Manhattan‹ (1958) von Ingeborg Bachmann?*   **4** *Was kennzeichnet Inhalt
und Form der Hörspiele Peter Hirches?*   **5** *Welche Technik entwickeln Dieter
Wellershoff und Heinz Pointek?*

1 Die Hörspiele *Frischs, Dürrenmatts* und *Hildesheimers* arbeiten vor allem
mit den Mitteln der Satire und Ironie, um fragwürdige Erscheinungen der
Zeit kritisch zu entlarven. So geht Frisch in ›Herr Biedermann und die
Brandstifter‹ (1953, später zu einem Bühnenstück umgearbeitet) mit einem
feigen, gewinnsüchtigen Fabrikanten ins Gericht, während Dürrenmatts
Überzeugung, daß Ideal und Wirklichkeit im Leben nicht in Einklang zu
bringen seien, auch aus Hörspielen wie ›Nächtliches Gespräch mit einem
verachteten Menschen‹ (1951, später auch auf der Bühne) und ›Herkules
und der Stall des Augias‹ (1954) spricht. Hildesheimers Hörspiele (›Das
Opfer Helena‹, 1955; ›Prinzessin Turandot‹) entlarven in einem witzig
ironischen Spiel zwischen Ernst und Groteske die Unfähigkeit des Menschen, Freiheit und Liebe gegen Macht und Betrug zu bewahren.

2 *v. Hoerschelmanns* Hörspiele (vor allem ›Das Schiff Esperanza‹, 1953) entwickeln in spannenden Dialogen ein realistisches Geschehen, das auf einen

zentralen Konflikt zielt. – *Eich* gibt dagegen bewußt alle Bindungen an Ort, Zeit und fortlaufende Handlung auf. In Träumen, Märchen, Tiergeschichten verschmilzt er Phantasie und Wirklichkeit, Schein und Wahrheit. Stimmen ersetzen konkrete Gestalten, Monologe verdrängen den dramatischen Dialog. Symbolisches Geschehen tritt an die Stelle wirklicher Vorgänge und gewährt Einblick in die Lage des Menschen zwischen Leben und Tod, zwischen bewußt erlebter Wirklichkeit und einer Existenz jenseits von Raum und Zeit.

3 *Bachmanns* ›Der Gute Gott von Manhattan‹, Verkörperung von Konvention, Gesetz und gesundem Menschenverstand, zerstört das Glück zweier Liebender, weil sie, indem sie ihre Liebe zum Maß aller Dinge machen, die tragenden Prinzipien der Ordnung in Frage stellen. Innere Vorgänge werden mit Hilfe der Sprache geschickt entfaltet: Lyrisch, fast hymnisch sprechen die Liebenden, genormt und unpersönlich klingt die Sprache der Autorität; frei im Raum schwebende Stimmen stehen in scharfem Kontrast zu alltäglichen Ausdrücken und zeigen die Kluft, die die Liebenden von der Welt des „guten Gottes" trennt.

4 Die Hörspiele *Hirches* zeigen Menschen in der Auseinandersetzung mit Vergangenheit und Vergänglichkeit im Angesichte des Todes. Während in ›Heimkehr‹ (1955) eine alte Frau im Wechsel zwischen bewußtem Erleben der Wirklichkeit und Fieberphantasien sich mit ihrem Flüchtlingsschicksal versöhnen kann, überwindet der „Erzähler" in ›Nähe des Todes‹ (1958) sich selbst und entgeht damit der Gefahr, an der Sinnlosigkeit eines verpfuschten Lebens zu verzweifeln. Hirche verwendet mehrere Handlungsebnen. Vor- und Rückblenden und Wechsel zwischen Realität und Phantasie bestimmen den Ablauf des inneren und äußeren Geschehens.

5 *Wellershoffs* Hörspiel ›Am ungenauen Ort‹ (1959) zeichnet mit Witz und Ironie das vergebliche Bemühen zweier Paare, zu einem wirklichen Gespräch zu kommen. Im steten Wechsel zwischen flacher Konversation, beherrscht von abgegriffenen Klischees, und Selbstgesprächen, zwischen Vor- und Rückblenden wird eine Welt des Scheins und der Oberflächlichkeit entlarvt. Innere Monologe und Spiel mit Raum und Zeit sind die tragenden Formelemente des Hörspiels ›Weißer Panther‹ (1961) von *Piontek,* in dem eine Frau Distanz von einer Liebesbegegnung gewinnen will, die sie in den letzten Tagen des Krieges mit einem russischen Offizier hatte.

Heinrich Böll, Helmut Heißenbüttel, O. H. Kühner, Siegfried Lenz und *Ernst Schnabel* haben als Verfasser von Hörspielen, Funkerzählungen und Hörfolgen wesentlich zur Entwicklung einer neuen literarischen Gattung beigetragen; Vertreter der jüngeren Generation wie *Jürgen Becker, Gerhard Rühm, Gabriele Wohmann* und *Peter Handke* haben besonders dem Hörspiel in engerem Sinne neue Möglichkeiten eröffnet.

Nach dem Zusammenbruch 1945 beherrschen vor allem Autoren aus den angelsächsischen Ländern und aus Frankreich das deutsche Theater. Da die meisten der immer wieder aufgeführten Dramen bereits in den zwanziger, dreißiger und vierziger Jahren entstanden sind und nach Form und Inhalt vieles mit Naturalismus und Expressionismus gemeinsam haben, schließen sie eine Lücke in der seit 1933 unterbrochenen Tradition der deutschsprachigen Bühnendichtung. Das Schaffen der deutschen Autoren der Gegenwart ist stark von ihnen beeinflußt.

Eugène O'Neill:	Trauer muß Elektra tragen, 1931
Thornton Wilder:	Unsere kleine Stadt, 1938
	Wir sind noch einmal davongekommen, 1942
Arthur Miller:	Der Tod des Handlungsreisenden, 1949
	Hexenjagd, 1953
Tennessee Williams:	Endstation Sehnsucht, 1947
	Die Katze auf dem heißen Blechdach, 1955
George Bernard	Candida, 1897 Cäsar und Cleopatra, 1901
Shaw:	Der Arzt am Scheideweg, 1906
	Pygmalion, 1913 Die heilige Johanna, 1923
T. S. Eliot:	Mord im Dom, 1935 Der Familientag, 1939
Christopher Fry:	Die Dame ist nicht fürs Feuer, 1948
	Ein Schlaf Gefangener, 1951
Samuel Beckett:	Warten auf Godot, 1952 Endspiel, 1957
Paul Claudel:	Der seidene Schuh, 1930
Jean-Paul Sartre:	Geschlossene Gesellschaft, 1944 Die ehrbare Dirne, 1946 Die schmutzigen Hände, 1948
	Die Eingeschlossenen von Altona, 1959
Jean Anouilh:	Antigone, 1944
	Becket oder die Ehre Gottes, 1959
Eugène Ionesco:	Die Stühle, 1952 Die Nashörner, 1959
	Der König stirbt, 1962
Jean Giraudoux:	Amphitryon 38, 1929 Der trojanische Krieg findet nicht statt, 1935 Undine, 1939

1 *Wodurch sind die wichtigsten amerikanischen Dramen der Gegenwart gekennzeichnet?*   **2** *Inwieweit spiegeln die Werke Shaws, Eliots und Frys die vielfältigen Möglichkeiten des modernen Dramas?*   **3** *Welches Bild von der Lage des modernen Menschen entwirft das französische Drama der Gegenwart?*   **4** *Wie machen Beckett und Ionesco die Bedrohung der Menschlichkeit sichtbar?*

1 *O'Neills* Trilogie ›Trauer muß Elektra tragen‹ will die antike Schicksalstragödie erneuern. Fatalismus gegenüber dem Schicksal und den Gesetzen der Vererbung bestimmt das Geschehen. – Wilder experimentiert mit der dramatischen Form und schaltet frei mit Raum und Zeit. Mit ›Unsere kleine Stadt‹ und ›Wir sind noch einmal davongekommen‹ erringt er großen Bühnenerfolg. – *Williams* bevorzugt einfache Dialoge und eine klar überschaubare Handlung. Seine Menschen sehnen sich nach einem neuen Leben jenseits des tristen Alltags, aber ihre Hoffnungen werden immer enttäuscht. – *Arthur Miller,* ein Meister aller formalen Möglichkeiten zwischen krassem Realismus und hintergründigem Surrealismus, schreibt vor allem Stücke mit zeit- und sozialkritischen Tendenzen.

2 *Shaws* Dramen stehen nach Form und Inhalt noch deutlich unter dem Einfluß Ibsens und des Naturalismus. Mit hintergründigem Humor, aber mit Hilfe von Satire und Sarkasmus, entlarvt er soziale Mißstände und menschliche Schwächen und will, im Kampf gegen Heuchelei und religiöse Intoleranz, neues Geistesbewußtsein erwecken. – *Eliot* schreibt Versdramen, die sich formal an die antiken Tragödien anlehnen, sich christlicher Symbole bedienen und zum Teil (›Mord im Dom‹) von Liturgie und Mysterienspiel beeinflußt sind. – In den Lustspielen *Frys* lebt die romantische Ironie weiter.

3 Das moderne französische Drama bewegt sich zwischen dem Versuch, den christlichen Glauben mit neuen Inhalten zu füllen, und einem extremen Atheismus. *Claudel,* ein überzeugter Katholik, sucht in seinen lyrischen Dramen Verbindungen zwischen Gott und der Schöpfung in Geschichte und persönlichem Schicksal. – *Marcel* fordert den modernen Menschen auf, ein neues Verhältnis zum Offenbarungsglauben zu finden (›Un Homme de Dieu‹, 1949; und ›Les Cœurs avides‹, 1952). – In scharfem Gegensatz zum Christentum steht der Existentialist *Sartre.* Die Überzeugung, daß der Mensch in einem absurden Dasein nur durch seine Existenz, nicht durch sein Handeln frei sein könne (der Mensch ist dazu verurteilt, frei zu sein), findet, wie in Romanen und Abhandlungen, auch in dramatischen Werken Ausdruck. – Sartre nahe steht der vor allem als Romanschriftsteller bedeutende *Camus* auch in seinem Schauspiel ›Der Belagerungszustand‹ (1948). – *Giraudoux* wählt vor allem Stoffe aus Mythos und Sage. Er zeigt mit verhaltener Ironie, daß jede Hoffnung auf Sicherheit und Geborgenheit eine Illusion ist. – Scharfsinnig, vertraut mit allen technischen und psychologischen Mitteln des modernen Dramas, verfaßt *Anouilh* bühnenwirksame Stücke, die, trotz aller Leichtigkeit und Eleganz in Sprache und Aufbau, immer die dunklen, zerstörerischen Kräfte ahnen lassen, die den Menschen bedrohen.

4 Der Rumäne *Ionesco* und der in Dublin geborene *Beckett* schreiben französisch und englisch. Ionescos Stücke beschwören paradoxe Situationen ohne Rücksicht auf bisher geltende Normen (‚Anti-Theater‘), Beckett will mit seinen hintergründigen, oft von bitterer Ironie beherrschten Dramen die hoffnungslose Leere des modernen Daseins entlarven.

Von den unmittelbar nach 1945 entstandenen Werken erregten vor allem
Borcherts ›Draußen vor der Tür‹ und Zuckmayers ›Des Teufels General‹
(1946) Aufmerksamkeit. Dann errangen die Schweizer Frisch und Dürrenmatt mit ihren ersten Stücken einen festen Platz auf den deutschsprachigen
Bühnen. Später setzen sich Martin Walser, Rolf Hochhuth und Peter Hacks
mit Werken durch, in denen sie die Diskussion um ein neues Selbstverständ-
nis des Menschen angesichts der Katastrophe der jüngsten Vergangenheit
aufgreifen und fortsetzen.

Borchert:	Draußen vor der Tür, 1947	
Frisch:	Die chinesische Mauer, 1947	Andorra, 1962
Dürrenmatt:	Der Besuch der alten Dame, 1956	Die Physiker, 1962
	Der Meteor, 1966	
Hochhuth:	Der Stellvertreter, 1963	Soldaten, 1967
Hacks:	Der Müller von Sanssouci, 1958	

*1 Wie gestaltet Borchert in dem Drama ›Draußen vor der Tür‹ das Schicksal
der Kriegsgeneration?   2 Mit welchen Problemen der Gegenwart beschäftigen sich Frischs Dramen?   3 Was sagt Dürrenmatt in ›Theaterprobleme‹
über die Möglichkeiten des modernen Theaters?   4 Wie erscheint das Verhältnis Idee – Wirklichkeit in Dürrenmatts ›Romulus der Große‹ und ›Die Ehe
des Herrn Mississippi‹?   5 Welches Bild von Recht und Gerechtigkeit wird in
›Der Besuch der alten Dame‹ gezeichnet, zu welchen Ergebnissen führt planmäßiges Handeln in ›Die Physiker‹? In welchem Lichte erscheinen Starkult und
die Neigung, den Tod zu negieren, in ›Der Meteor?‹   6 Wie setzen sich Hochhuth und Hacks mit der Vergangenheit auseinander?*

1 ›Draußen vor der Tür‹ von *Borchert* gestaltet das Schicksal eines Mannes,
der, heimgekehrt aus Krieg und Gefangenschaft, vergebens nach Menschlichkeit sucht. Mit seinen Gewissensqualen allein gelassen, bewegt er sich
in einer Welt, in der Gott nur noch ein alter, hilfloser Mann ist und in der
Gleichgültigkeit, Heuchelei und Gewinnsucht bereits wieder die Oberhand
gewinnen. Beckmanns Frage: „Gibt denn keiner Antwort?" ist die Frage
einer ganzen Generation.

2 In ›Die chinesische Mauer‹ demonstriert *Frisch*, daß Tyrannei und Un-
menschlichkeit zu allen Zeiten triumphiert haben und daß gerade der Intellektuelle ihnen gegenüber ohnmächtig ist. ›Andorra‹ wendet sich entschie-
den gegen Intoleranz und Vorurteile. Andri wird von seinen Mitmenschen
dazu gedrängt, die Rolle des Juden zu spielen; er identifiziert sich schließlich mit ihr und wird als Jude umgebracht. Das „Spiel" ›Biographie‹ (1967)
fragt, wieweit der Mensch sein Leben vernünftig gestalten kann. In einer
lockeren Szenenfolge entwickelt Frisch Alternativen zu einem Lebenslauf;
die Frage nach der Glaubwürdigkeit der Abläufe wird jedoch nicht so kon-
kret gestellt wie in den anderen Dramen.

3 *Dürrenmatt* vertritt in ›Theaterprobleme‹ (1955) die Auffassung, das moderne Drama könne nur noch Komödie sein. Angesichts der Machtverhältnisse, vor allem einer perfekten Staatsmaschinerie, sei eine freie Entscheidung unmöglich. Damit fehlten alle Voraussetzungen echter Tragik.

4 In ›Romulus der Große‹ (1950) will der letzte römische Kaiser das von ihm verachtete Reich durch bewußtes Nichtstun zugrunde richten. Die eindringenden Germanen suchen jedoch Frieden und Sicherheit, nicht Kampf und Zerstörung. Ein Versuch, die Wirklichkeit bewußt zu gestalten, ist zum Scheitern verurteilt. Das erfährt auch ein Staatsanwalt in ›Die Ehe des Herrn Mississippi‹ (1952), als er, um der absoluten Gerechtigkeit zu dienen, seine ehebrecherische Frau umbringt und Anastasia heiratet, die ihren Gatten aus demselben Grunde getötet hat. Mississippi wird von Anastasia ermordet.

5 In ›Der Besuch der alten Dame‹ rächt sich Claire Zachanassian für Unrecht, das sie in der Jugend erlitten hat. Die Bürger Güllens ermorden Ill scheinbar im Namen der Gerechtigkeit, in Wirklichkeit aber, weil Claire sie zunächst ruiniert, dann ihnen eine Milliarde für seinen Tod geboten hat. Recht, Sittlichkeit, christliche Nächstenliebe werden zu Schlagworten, hinter denen sich Heuchelei, Feigheit und Schwäche verbergen. – ›Die Physiker‹ zeigen, wie planmäßiges Handeln sich ins Gegenteil verkehrt. Drei Naturwissenschaftler geben sich als Geisteskranke aus, der eine, um eine die ganze Menschheit bedrohende Entdeckung zu verbergen, die anderen, um sie bestimmten Mächten zugänglich zu machen. Am Ende gerät das Geheimnis in die Hände einer selbst wahnsinnig gewordenen Irrenärztin. – In dem Bemühen, ruhig sterben zu können, entwickelt der aus dem Scheintot erwachte ›Meteor‹, der Schriftsteller und Nobelpreisträger Schwitter, eine für seine Umgebung verhängnisvolle Vitalität, die das Leben derer, die Leben wollen, zu zerstören droht: Wer sich dem großen Mann anbiedert, geht unter. Das von Konventionen halb erstickte Leben wird hier als das eigentlich zum Tod Verurteilte gezeichnet.

6 *Hochhuth* wirft in seinem Schauspiel ›Der Stellvertreter‹ dem Papst Pius XII. vor, aus politischen Gründen nicht zugunsten der verfolgten Juden eingeschritten zu sein. – In der Tragödie ›Soldaten‹ nimmt er das Schicksal des polnischen Generals Sikorski zum Anlaß, gegen Bombenkrieg und opportunistische Machtpolitik Anklage zu erheben.

In *Hacks'* Komödie ›Die Schlacht von Lobositz‹ (1956) wird gezeigt, wie der Musketier Braeker im Siebenjährigen Krieg seine Truppe verläßt, weil er den Krieg „als eine Verschwörung der Offiziere gegen den Menschen" ansieht. – In ähnlichem Sinne zerstört das „Bürgerliche Lustspiel" ›Der Müller von Sanssouci‹ den Mythos von der Gerechtigkeit Friedrichs des Großen. In dem Drama ›Die Sorgen und die Macht‹ (1960) zeigt Hacks, wie in der sozialistischen Gesellschaft die Probleme der Vergangenheit gemeistert werden: Solidarität und Verantwortungsbewußtsein der Werktätigen überwinden Egoismus und Machtstreben.

Neben dramatischen Werken, die nach Inhalt und Form in der Tradition der ersten Nachkriegsjahre stehen, haben Bühnenstücke die Aufmerksamkeit von Publikum und Kritik erregt, die sich bisher wenig geläufiger Stoffe bemächtigen und auch formal eigene Wege zu beschreiten suchen. Vom Dokumentarspiel, das Vorgänge aus Vergangenheit und Gegenwart mit Hilfe von Protokollen bewertet, zeigt sich eine Palette neuer Möglichkeiten bis zum „Sprechstück", das auf jedes fiktive oder durch Überlieferung belegtes Geschehen verzichtet und die Sprache selbst zum Experimentierfeld macht.

Weiss:	Die Ermittlung, 1965 Hölderlin, 1971
Grass:	Die Plebejer proben den Aufstand, 1966
Dorst:	Toller, 1968 Martin Walser: Der Schwarze Schwan, 1964
Handke:	Publikumsbeschimpfung, 1966 Kaspar, 1968
Forte:	Martin Luther und Thomas Münzer oder die Einführung der Buchhaltung, 1970

1 *Welcher dramatischer Mittel bedienen sich Weiss und Kipphardt?*   **2** *Wie zeichnet Grass in seinem Drama politische Wirklichkeit und fiktives Geschehen auf der Bühne, wie Tankred Dorst die Problematik des politischen Engagements?* **3** *Welche Haltung bestimmt die Dramen Martin Walsers?*   **4** *In welchem Lichte erscheinen Reformation und Bauernkrieg in Dieter Fortes Schauspiel?* **5** *Welche Ziele verfolgt Peter Handke in seinen Sprechstücken, welche in seinem Schauspiel ›Kaspar‹?*

1 In ›Die Verfolgung und Ermordung Jean Paul Marats, dargestellt durch die Schauspielgruppe des Hospizes zu Charenton unter Anleitung des Herrn de Sade‹ bedient sich *Weiss* der Technik des epischen Theaters. Gesangseinlagen, Pantomime, vor allem aber ein verwirrendes Spiel im Spiel zeigen den Konflikt zwischen dem Individualismus de Sades und den Forderungen nach einer politischen und sozialen Revolution im Sinne Marats. – Formal weist das Drama ›Hölderlin‹ ähnliche Züge auf. Hölderlin scheitert, weil es ihm – im Gegensatz zu seinen Zeitgenossen – nicht gelingt, sich selbst aufzugeben und sich den Forderungen der Gesellschaft zu unterwerfen. – Das Theaterstück ›Die Ermittlung‹ (1965) stützt sich auf die Protokolle des Auschwitz-KZ-Prozesses. Elf aufeinanderfolgende Szenen („Gesänge") dokumentieren, wie und warum in Auschwitz Menschen zu Tausenden umgebracht wurden (,Dokumentationstheater').

Kipphardt wendet bereits 1964 dieselbe Technik an. Hinter dem auf Dokumente gestützten Bericht über den Prozeß gegen den Atomphysiker Oppenheimer (›In der Sache J. Robert Oppenheimer‹) steht die Frage, ob heute noch die Freiheit des Gewissens und der Forschung gegenüber den Ansprüchen des Staates gewahrt werden können.

2 *Grass* verschränkt in ›Die Plebejer proben den Aufstand‹ die Ereignisse des 17. Juni 1953 in Berlin mit einer Probe der ersten Szene des Shakespeare-Dramas ›Coriolan‹ auf einer Berliner Bühne. Die Fiktion eines Aufstandes wird von der Wirklichkeit ad absurdum geführt: Dichter und Intellektuelle stehen zwar zu ihrer Fiktion, zeigen sich aber der Herausforderung der Wirklichkeit nicht gewachsen.

Ähnlich scheitert in *Dorsts* Schauspiel der Schriftsteller Ernst Toller, 1919 Vorsitzender der Münchener Räteregierung, jedoch nicht aus Mangel an Mut, sondern weil seine Vorstellungen von Freiheit und Menschenwürde nicht mit der revolutionären Praxis in Einklang zu bringen sind.

3 *Walser* greift in seinen Dramen ›Eiche und Angora‹ (1962) und ›Der schwarze Schwan‹ (1964) die Versuche einer Generation von Fanatikern und Gleichgültigen, von einst Mächtigen und Mitläufern an, die Vergangenheit aus dem Gedächtnis zu verdrängen, und sucht in dem „Requiem für einen Unsterblichen“, ›Überlebensgroß Herr Krott‹ (1963), die Auswüchse in der modernen Wohlstandsgesellschaft satirisch zu entlarven.

4 *Forte* vertritt die These, daß Luthers Auffassung von der Freiheit des Menschen wesentlich zum Scheitern des Bauernaufstandes beigetragen habe. Der Reformator habe damit ein Komplott zwischen Macht (Fürsten) und Kapital (Fugger) unterstützt und sei so der ersten deutschen Revolution und ihrem eigentlichen Führer, Thomas Münzer, in den Rücken gefallen.

5 *Handkes* Sprechstücke wie ›Publikumsbeschimpfung‹ (1966) ›Selbstbezichtigung‹ (1966) und ›Hilferufe‹ (1967) sollen die Theaterbesucher als reine Konsumenten im kulturellen Bereich entlarven und zu einer kritischen Einstellung gegenüber dem eigenen Verhalten und dem Dargebotenen zwingen. Wort- und Satzfolgen, die eine zusammenhängende Handlung ausschließen, aber auch Dialoge zwischen den Schauspielern und zwischen Publikum und Schauspielern stehen im Dienste dieser Aufgabe. Dieselbe Funktion haben die ironische Verwendung überlieferter sprachlicher Klischees und Angriffe auf überkommene Bühnen- und Dramenformen.

Das Schauspiel ›Kaspar‹ will keine Biographie des Findlings Kaspar Hauser bieten. Vielmehr will Handke, wie er selbst betont, zeigen, „was möglich ist mit jemandem [...] wie jemand durch Sprache zum Sprechen gebracht werden kann. Das Stück könnte auch Sprachfolter heißen“. Unsichtbare „Einsager“ bemächtigen sich mit Hilfe der Sprache Kaspars selbst, in einer Form, die ihn als Individuum und in seinem Verhältnis zur Welt eher zerstört als entwickelt. Zum Schluß wird Kaspars Stimme den Stimmen der „Einsager“ immer ähnlicher; als Opfer der „Sprachfolter“ kann er sich das gerade gewonnene Bewußtsein einer eigenen Identität nicht bewahren.

Die moderne Lyrik erscheint als „Sprache ohne mittelbaren Gegenstand"
(Hugo Friedrich), sie schließt Gefühle und Stimmungen weitgehend aus.
Oft verzichtet sie auf überkommene Formelemente (Reim, Strophe, Bild),
durchbricht die Regeln der Grammatik (Satzbau, Funktion der Wortarten)
und hebt Bindungen an Raum und Zeit auf. Evokation und Montage sind
wesentliche Gestaltungsmittel. „Der experimentelle Charakter der modernen Lyrik entspricht durchaus dem Experimentalcharakter der modernen
Zivilisation" (C. Heselhaus).

1 *a) Welche Haltung bestimmt die gesellschaftskritische Lyrik Brechts, Kästners
und Tucholskys? b) Wie lebt sie in den Gedichten Enzensbergers weiter?*
2 *Was kennzeichnet die Naturlyrik Huchels, Bobrowskis und Eichs?* **3** *Worin liegt die Bedeutung Krolows?* **4** *Welche Möglichkeiten der modernen
Lyrik werden im Werk a) der Nelly Sachs, b) Paul Celans, c) Ingeborg Bachmanns und d) Heinz Pionteks sichtbar?* **5** *Wie sind Reiner Kunze, Wolf
Biermann und Helmut Heißenbüttel einzuordnen?*

1 a) *Brecht* parodiert in ›Bertolt Brechts Hauspostille‹ (1927) in liedhaften
und balladesken Gedichten religiöse und moralische Lehren, um ihre Fragwürdigkeit zu entlarven. Die „Songs" der ›Dreigroschenoper‹ (1928) und
anderer dramatischer Werke setzen diese Tendenz im Bereich der Gesell-
schaftskritik fort. Die Aggression der ›Buckower Elegien‹ (1954) ist verhüllter.
Auch *Kästner*, bekannt als Jugendbuchautor, greift in Gedichtsammlungen
wie ›Herz auf Taille‹ (1927), ›Zwischen den Stühlen‹ (1932) und ›Die kleine
Freiheit‹ (1952) Mißstände der Zeit vor und nach 1945 mit bitterer Ironie
und beißendem Sarkasmus an. Moralist wie er ist auch *Tucholsky*.
b) Bei *Enzensberger* zeigen sich neben gesellschaftskritischen Elementen
artistische Züge. Seine Sprache wechselt zwischen Ironie und Sarkasmus und
bedient sich aller formalen Möglichkeiten, auch der Montage (›verteidigung
der wölfe‹ 1957; ›landessprache‹, 1960; ›blindenschrift‹, 1964).

2 *Huchels* Lyrik zeigt die Natur als Spiegel des Schicksals, als einen Raum,
der den Menschen die Grenzen seiner Möglichkeit erfahren läßt (›Gedichte‹,
1948, 1949). Seine frühen Gedichte handeln von Krieg und Zerstörung, Tod
und Vergänglichkeit. Sie sind von starker Ausdruckskraft und verzichten
noch nicht auf den Reim. In ›Chausseen Chauseen‹ (1963) reduziert H. die
Sprache zu eigenwilligen Bildelementen und verwendet freie Rhythmen.
Von Huchel beeinflußt, erschließt sich für *Bobrowski* aus der Welt seiner
„Sarmatischen Heimat" (europäischer Osten) eine neue dichterische Landschaft (›Sarmatische Zeit‹, 1961; ›Schattenland Ströme‹, 1962; ›Wetter-
zeichen‹, 1966). Auch *Eich* schreibt zunächst Naturgedichte. Dann be-
schwört er nach der Katastrophe von 1945 in der Sammlung ›Abgelegene
Gehöfte‹ (1948) mit knapper Sprache und in Bildern, die von sinnenhaft
Erfaßbarem aus auf tiefere Zusammenhänge hinweisen, eine chaotische
Welt. Der Band ›Botschaften des Regens‹ (1955) leitet eine neue Entwick-

lungsstufe ein. In kurzen, reimlosen Zeilen tritt das Konkret-Aussagbare zurück, „Wort und Ding" fallen zusammen (s. ›Zu den Akten‹, 1964; ›Anlässe und Steingärten‹, 1967; ›Nach Seumes Papieren‹, 1972).

3 Die frühen Gedichte *Krolows* (›Hochgelobtes, gutes Leben‹, 1943; ›Heimsuchung‹, 1948) folgen dem Vorbild Lehmanns und Loerkes. Später spielen romanische Vorbilder – Krolow übersetzt französische und spanische Lyrik – eine bedeutende Rolle. Dieser Einfluß zeigt sich besonders in ›Wind und Zeit‹ (1954), ›Tag und Nächte‹ (1956) und ›Unsichtbare Hände‹ (1962). Lyrik bedeutet hier freies Spiel mit Form- und Bildelementen.

4 a) In freien Rhythmen, in einer Sprache, die wegen ihres Reichtums an Metaphern und Chiffren schwer zugänglich ist, gestaltet *Nelly Sachs* das Schicksal des jüdischen Volkes (›Fahrt ins Staublose‹, 1961).

b) *Celan* beginnt mit rhythmisch bewegten, meist reimlosen Langzeilen. Kühne Metaphern, Wort- und Farbsymbole treiben die Sprache oft bis an die Grenze des rational Erfaßbaren (›Mohn und Gedächtnis‹, 1952; ›Von Schwelle zu Schwelle‹, 1955). In der Sammlung ›Sprachgitter‹ (1959) macht Celan in kurzen, chiffrierten Versen die Grenzen sichtbar, die einer unmittelbaren Aussage über die Beziehungen zwischen Mensch und Wirklichkeit gesetzt sind. ›Die Niemandsrose‹ (1963) führt in einer fast schwerelosen, alle realen Bezüge aufhebenden Sprache auf religiöse Themen zurück und fragt erneut nach dem Verhältnis des geistigen Menschen zu seiner Umwelt.

c) *Ingeborg Bachmann* verfügt über eine breite Skala der Möglichkeiten lyrischen Sprechens – von Schlichtheit bis zu hymnischer Bewegtheit. Ihr erster Gedichtband, ›Die gestundete Zeit‹ (1953), ist erfüllt von Einsamkeit, Existenzangst und Schwermut; selbst die Liebe scheint von Anfang an gefährdet und leidvoll (s. auch ›Anrufung des Großen Bären‹, 1956).

d) *Pionteks* frühe Gedichte (z. B. ›Wassermarken‹, 1957) bilden in schlichter Sprache einfache Naturerlebnisse ab. In ›Klartext‹ (1966) experimentiert der Dichter mit Reduktion und Chiffre.

5 *Kunze* verschmilzt Elemente volksnaher Dichtung (Volks- und Kinderlieder, Balladen) mit der Sprache der modernen Lyrik (eigenwilliger Gebrauch von Metaphern, Symbolen, Chiffren und des Monologs). Neben präzisen Aussagen stehen Andeutungen und versteckte Hinweise, die Enttäuschung und Bitterkeit erkennen lassen. Zwischen balladesken Gedichten und Songs im Stile Brechts (oft parodistisch überhöht) und bewußt gestalteten, gedämpften Aussagen und Hinweisen bewegen sich die ›Balladen, Gedichte und Lieder‹ *Biermanns* (›Die Drahtharfe‹, 1965; ›Mit Marx- und Engelszungen‹, 1968). *Heißenbüttels* von Selbstinterpretationen begleitetes Schaffen repräsentiert die Tendenzen „experimenteller" und „konkreter" Lyrik: Syntaktische Strukturen werden aufgelöst, eigenwillige Kombinationen zwischen Wörtern, Wortgruppen, Redensarten und Zitaten aus verschiedensten Bereichen drängen das lyrische Element zugunsten abstrakter Denkvorgänge zurück (›Textbuch I‹, 1960, bis ›Textbuch V‹, 1965).

Bieler, Manfred * 1934 Zerbst (Anhalt) S. 62

Biermann, Wolf * 1936 Hamburg S. 67

Björnson, Björnstjerne * 1832 Kvikne/Österdalen, † 1810 Paris S. 45

Bobrowski, Johannes * 1917 Tilsit, † 1965 Berlin S. 67

Boccaccio, Giovanni * 1313 Paris, † 1375 Certaldo bei Florenz S. 20

Bodmer, Johann Jacob * 1698 Greifensee, † 1783 Gut Schönenberg bei Zürich S. 18, 19

Böhme, Jakob * 1575 Altseidenberg/Lausitz, † 1624 Görlitz S. 17

Böll, Heinrich * 1917 Köln S. 60–63

Börne, Ludwig (eigentlich Löb Baruch) * 1786 Frankfurt/Main, † 1837 Paris S. 31, 38

Borchert, Wolfgang * 1921 Hamburg, † 1947 Basel S. 62, 65

Brant, Sebastian * 1458 Straßburg, † 1521 ebenda S. 14

Brecht, Bert(olt) * 1898 Augsburg, † 1956 Berlin S. 39, 51, 53, 62, 67

Breitinger, Johann Jakob * 1701 Zürich, † 1776 ebenda S. 18

Brentano, Clemens * 1778 Ehrenbreitstein, † 1842 Aschaffenburg S. 33, 34, 54

Brinckman, John * 1814 Rostock, † 1870 Güstrow S. 38

Britting, Georg * 1891 Regensburg, † 1964 München S. 52, 54

Broch, Hermann * 1886 Wien, † 1951 New Haven S. 57, 58, 59

Brockes, Barthold Hinrich * 1680 Hamburg, † 1747 ebenda S. 18

Bröger, Karl * 1886 Nürnberg, † 1944 ebenda S. 50

Büchner, Georg * 1813 Goddelau bei Darmstadt, † 1837 Zürich S. 39, 40, 43, 51, 53

Bürger, Gottfried August * 1747

Molmerswende/Harz, † 1794 Göttingen S. 21

Calderón de la Barca, Pedro * 1600 Madrid, † 1681 ebenda S. 15, 32, 49

Camus, Albert * 1913 Mondovi/Algerien, † 1960 verunglückt S. 64

Carmina Burana (lat. = Lieder aus Benediktbeuern): Anthologie mittellateinischer Lyrik, entstanden nach 1230 S. 9

Carossa, Hans * 1878 Bad Tölz/Oberbayern, † 1956 Rittsteig bei Passau S. 52, 55

Celan, Paul (eigentlich Paul Antschel) * 1920 Czernowitz/Bukowina, † 1970 in Paris S. 67

Celtis (auch Celtes), *Konrad* (eigentlich Bickel oder Pickel) * 1459 Wipfeld bei Schweinfurt, † 1508 Wien S. 13

Cervantes, Miguel de * 1547 Alcalá de Henares, † 1616 Madrid S. 15

Cézanne, Paul * 1839 Aix-en-Provence, † 1906 ebenda S. 50

Chamisso, Adelbert von (eigentlich Louis Charles Adelaide de Chamisso de Boncourt) * 1781 Schloß Boncourt/Champagne, † 1838 Berlin S. 34, 43

Chanson de Roland (Rolandslied): altfranzösisches Heldenepos (Chanson de geste), entstanden um 1100 in Nordfrankreich S. 5

Chrétien de Troyes altfranzösischer Epiker, * vor 1150 vermutlich Troyes, † vor 1190 S. 6, 7

Claudel, Paul * 1868 Villeneuve-sur-Fère/Aisne, † 1955 Paris S. 64

Conrad, Michael Georg * 1846 Gnodstadt/Franken, † 1927 München S. 45

Corneille, Pierre * 1606 Rouen, † 1684 Paris S. 15, 18, 20

Dach, Simon * 1605 Memel, † 1659 Königsberg S. 17

V 3 *Däubler, Theodor* * 1876 Triest,
† 1934 St. Blasien/Schwarzw. S. 50

Dahn, Felix * 1834 Hamburg
† 1912 Breslau S. 42

Dante Alighieri * 1265 Florenz,
† 1321 Ravenna S. 1, 14, 32, 48

Dauthendey, Max(imilian) * 1867
Würzburg, † 1918 Malang/Java
S. 47, 48

Defoe, Daniel (eigentlich Foe)
* 1660 Cripplegate, † 1731 Moor-
gate S. 18

Dehmel, Richard * 1863 Wendisch-
Hermsdorf/Spreewald, † 1920
Blankenese bei Hamburg S. 47

Descartes, René * 1596 La Haye/
Touraine, † 1650 Stockholm S. 18

Dickens, Charles * 1811 Landport
bei Portsea, † 1870 Gadshill S. 42

Dietmar von Eist etwa 1139–1170
S. 9

Doderer, Heimito von * 1896 Weid-
lingen bei Wien, † 1966 Wien S. 58

Döblin, Alfred * 1878 Stettin,
† 1957 Emmendingen bei Freiburg/
Breisgau S. 51

Dorst, Tankred * 1925 Sonneberg
(Thüringen) S. 66

Dostojewskij, Fedor Michajlovič
* 1821 Moskau, † 1881 Petersburg
S. 45

Droste-Hülshoff, Annette Freiin von
* 1797 Schloß Hülshoff bei Mün-
ster, † 1848 Meersburg/Bodensee
S. 36, 43, 44

Dürer, Albrecht * 1471 Nürnberg,
† 1528 ebenda S. 14

Dürrenmatt, Friedrich * 1921 Ko-
nolfingen bei Bern S. 61, 62, 64

Eckermann, Johann Peter * 1792
Winsen/Luhe, † 1854 Weimar S. 25

Eckhart (Meister Eckhart) * um
1260 in Hochheim bei Gotha, † 1327
oder 1328 Avignon S. 12

Edda: Sammlung altnordisch-alt-
isländischer Lieder und Sprüche, entstanden im 9.–12. Jh., aufgezeichnet
um 1250 S. 2

Eich, Günter * 1907 Lebus/Oder
† 1972 in Salzburg S. 59, 62

Eichendorff, Joseph Freiherr von
* 1788 Schloß Lubowitz/Ober-
schlesien, † 1857 Neiße S. 33, 54

Einhard * um 770 Maingau, † 840
Seligenstadt S. 3

Ekkehard I. von St. Gallen * um
900/10 bei St. Gallen, † 973 in
St. Gallen S. 3, 4

Eliot, Thomas Stearns * 1888 St.
Louis/Missouri † 1965 London S. 63

Engelke, Gerrit * 1890 Hannover,
† 1918 bei Cambrai S. 50

Enzensberger, Hans Magnus * 1929
Kaufbeuren/Allgäu S. 59

Erasmus von Rotterdam, Desiderius
* 1469 Rotterdam, † 1536 Basel
S. 13, 47

Ernst, Paul * 1866 Elbingerode/
Harz, † 1933 St. Georgen an der
Stiefing/Steiermark S. 48

Eulenspiegel, Das Volksbuch vom:
Erstdruck hochdeutsch 1515 S. 14

Euripides * um 480 v. Chr. Attika
oder Salamis, † 406 Makedonien S. 1

Ezzolied: Hymnus des Bamberger
Domherrn Ezzo, 1063 S. 5

Falke, Gustav * 1853 Lübeck,
† 1916 Großborstel/Hamburg S. 47

Fallada, Hans (eigentlich Rudolf
Ditzen) * 1893 Greifswald, † 1947
Berlin S. 51

Faulkner, William * 1897 New
Albany/Mississippi, † 1962 Oxford/
Mississippi S. 60, 62

Fleming, Paul * 1609 Hartenstein/
Erzgebirge, † 1640 Hamburg S. 17

Folz, Hans * um 1450 Worms,
† vor 1515 Nürnberg S. 14

Fontane, Theodor * 1819 Neruppin, † 1898 Berlin S. 36, 42, 44, 57

Forte, Dieter * 1935 Düsseldorf S. 66

Fouqué, Friedrich Baron de la Motte * 1777 Brandenburg/Havel, † 1843 Berlin S. 34, 37

Franz von Assisi (Francesco d'Assisi) * 1182 Assisi, † 1226 ebenda S. 12

Freiligrath, Ferdinand * 1810 Detmold, † 1876 Cannstatt S. 38

Freud, Sigmund * 1856 Freiberg/Mähren, † 1939 London S. 35, 49

Freytag, Gustav * 1816 Kreuzburg/Schlesien, † 1895 Wiesbaden S. 42

Friedrich von Hausen * um 1150 Hausen bei Kreuznach, † 1190 Philomelium/Kleinasien S. 9, 10

Frisch, Max * 1911 Zürich S. 60, 63, 65

Fry, Christopher * 1907 Bristol S. 64

Gaiser, Gerd * 1908 Oberriexingen/Enz S. 60, 61

Gay, John * 1685 Barnstable, † 1732 London S. 53

Gellert, Christian Fürchtegott * 1715 Hainichen/Erzgebirge, † 1769 Leipzig S. 18

George, Stefan * 1868 Büdesheim/Hessen, † 1933 Minusio bei Locarno S. 44, 48, 52

Gerhardt, Paul * 1607 Gräfenhainichen, † 1676 Lübben S. 17

Giraudoux, Jean * 1882 Bellac/Hte. Vienne, † 1944 Paris S. 64

Gleim, Johann Wilhelm Ludwig * 1719 Ermsleben bei Halberstadt, † 1803 Halberstadt S. 18, 21

Görres, Johann Joseph von * 1776 Koblenz, † 1848 München S. 32

Goes, Albrecht * 1908 Langenbeutingen/Württemberg S. 55

Goethe, Johann Wolfgang (seit 1782) von * 1749 Frankfurt, † 1832 Weimar S. 15, 18, 19, 21, 22, 23, 24, 25, 26, 31, 36, 37, 43, 44, 48, 52, 56

Goeze, Johann Melchior * 1717 Halberstadt, † 1786 Hamburg S. 20

Gogh, Vincent van * 1853 Groot-Zundert/Holland, † 1890 Auvers-sur-Oise S. 50

Góngora y Argote, Luis de * 1561 Córdoba, † 1627 ebenda S. 17

Gottfried von Straßburg * 12. Jh., 2. Hälfte, † Anfang 13. Jh. S. 6, 7, 8

Gotthelf, Jeremias (eigentlich Albert Bitzius) * 1797 Murten/Kanton Fribourg, † 1854 Lützelflüh bei Bern S. 31, 41, 43, 44

Gottsched, Johann Christoph * 1700 Juditenkirchen bei Königsberg, † 1766 Leipzig S. 16, 18, 19, 20

Grabbe, Christian Dietrich * 1801 Detmold, † 1836 ebenda S. 24, 39, 40

Grass, Günter * 1927 Danzig S. 59, 66

Grillparzer, Franz * 1791 Wien, † 1872 ebenda S. 37, 40, 43

Grimm, Jacob Ludwig Karl * 1785 Hanau, † 1863 Berlin S. 33

Grimm, Wilhelm Karl * 1786 Hanau, † 1859 Berlin S. 33

Grimmelshausen, Hans Jakob Christoffel von * um 1622 Gelnhausen, † 1676 Renchen/Baden S. 17

Groth, Klaus Johann * 1819 Heide/Holstein, † 1899 Kiel S. 38

Gryphius, Andreas (eigentlich Greif) * 1616 Glogau/Schlesien, † 1664 ebenda S. 16, 17, 19

Günther, Johann Christian * 1695 Striegau/Schlesien, † 1723 Jena S. 17

Gundolf, Friedrich (eigentlich Gundelfinger) * 1880 Darmstadt, † 1931 Heidelberg S. 48

Gutzkow, Karl Ferdinand * 1811 Berlin, † 1878 Sachsenhausen bei Frankfurt/Main S. 38

Hoffmann, Ernst Theodor Amadeus
* 1776 Königsberg, † 1822 Berlin
S. 34, 36, 54

Hoffmann, genannt von Fallersleben, August Heinrich * 1798 Fallersleben bei Lüneburg, † 1874 Corvey/Weser S. 38

Hofmannsthal, Hugo von * 1874 Wien, † 1929 Rodaun S. 48, 49,50

Holz, Arno * 1863 Rastenburg/Ostpreußen, † 1929 Berlin S. 45

Homer 8. Jh. v. Chr., stammt vermutlich aus Kleinasien (Smyrna?)
S. 1, 14, 19, 22, 52

Horaz (Quintus Horatius Flaccus)
* 65 v. Chr. Venusia/Apulien, † 8 v. Chr. Rom S. 1, 52

Hrabanus Maurus * um 780 Mainz, † 856 Winkel/Rhein S. 3

Hrotsvit(a) von Gandersheim * um 935, † nach 973 S. 4

Huch, Ricarda * 1864 Braunschweig, † 1947 Schönberg im Taunus
S. 54

Huchel, Peter * 1903 Berlin-Lichterfelde S. 67

Hume, David * 1711 Edinburgh, † 1776 ebenda S. 18

Hutten, Ulrich von * 1488 Burg Steckelberg bei Fulda, † 1523 Insel Ufenau im Zürichsee S. 13

Ibsen, Hendrik * 1828 Skien, † 1906 Oslo S. 45, 64

Immermann, Karl Leberecht * 1796 Magdeburg, † 1840 Düsseldorf
S. 38, 41

Ionesco, Eugène * 1912 Slatina/Rumänien S. 64

Jean Paul s. Paul

Johannes von Neumarkt * um 1310 Hohenmaut/Böhmen, † 1380 Leitomischl/Böhmen S. 13

Johannes von Tepl (auch Johannes von Saaz genannt) * um 1350 Tepl, † 1414 Prag S. 12, 13

Johnson, Uwe * 1934 Cammin/Pommern S. 60 V6

Jordanes 6. Jh. n. Chr. S. 2

Joyce, James Augustin Aloisius * 1882 Dublin, † 1941 Zürich S. 57, 59

Jünger, Ernst * 1895 Heidelberg
S. 58

Kästner, Erich * 1899 Dresden, † 1974 München S. 67

Kafka, Franz * 1883 Prag, † 1924 Sanatorium Kierling bei Wien
S. 57, 58, 59, 61, 62

Kaiser, Georg * 1878 Magdeburg, † 1945 Ascona/Schweiz S. 50, 51

Kant, Hermann * 1926 Hamburg
S. 61

Kant, Immanuel * 1724 Königsberg, † 1804 ebenda S. 26, 28, 29

Kantorowicz, Ernst Hartwig * 1895 Posen S. 48

Kasack, Hermann * 1896 Potsdam, † 1966 Stuttgart S. 59

Kaschnitz, Marie Luise Freifrau von Kaschnitz-Weinberg * 1901 Karlsruhe, † 1974 in Rom S. 52, 62

Keller, Gottfried * 1819 Zürich, † 1890 ebenda S. 31, 41, 42, 43, 44

Kerner, Justinus Andreas Christian * 1786 Ludwigsburg, † 1862 Weinsberg S. 36

Kipphardt, Heinar * 1922 Heidersdorf/Oberschlesien S. 66

Klages, Ludwig * 1872 Hannover, † 1956 Kilchberg bei Zürich S. 48

Kleist, Ewald Christian von * 1715 Gut Zeblin bei Köslin/Pommern, † 1759 Frankfurt/Oder S. 18

Kleist, Heinrich von * 1777 Frankfurt/Oder, † 1811 am Kleinen Wannsee/Berlin S. 28, 29, 43, 62

Klingemann, Ernst August Friedrich * 1777 Braunschweig, † 1831 ebenda S. 34

Klinger, Maximilian (seit 1780) von

Thomas von Aquin * 1226 oder 1227 Schloß Roccasecca bei Aquino/ Neapel, † 1274 Kloster Fossanuova/ südlich von Rom S. 12

Thukydides * um 455 v. Chr. Athen, † 396 v. Chr. ebenda S. 1

Tibull (Albius Tibullus) * um 54 v. Chr., † 19 n. Chr. S. 1

Tieck, Ludwig * 1773 Berlin, † 1853 ebenda S. 15, 32, 34

Tolstoj, Lev Nikolaevič, Graf * 1828 Jasnaja Poljana (im ehemaligen Gouvernement Tula), † 1910 Astapovo (im ehemaligen Gouvernement Tambov) S. 45

Trakl, Georg * 1887 Salzburg, † 1914 Krakau S. 50

Tucholsky, Kurt * 1890 Berlin, † 1935 Hindås bei Göteborg/ Schweden S. 67

Tutilo (auch Tuotilo) * um 850 bei St. Gallen, † um 913 St. Gallen S. 3, 4

Twain, Mark (eigentlich Samuel Langhorne Clemens) * 1835 Florida, Missouri, † 1910 Redding, Connecticut S. 62

Uhland, Ludwig * 1787 Tübingen, † 1862 ebenda S. 36, 37, 44

Ulrich von Lichtenstein * 1198 Lichtenstein/Steiermark, † um 1276 S. 11

Vergil (Publius Vergilius Maro) * 70 v. Chr. Andes bei Mantua, † 19 v. Chr. Brundisium S. 1, 4, 52, 57

Verlaine, Paul * 1844 Metz, † 1896 Paris S. 48

Vischer, Peter, der Ältere * um 1460 in Nürnberg, † 1529 ebenda S. 14

Wackenroder, Wilhelm Heinrich * 1773 Berlin, † 1798 ebenda S. 32

Wagner, Heinrich Leopold * 1747 Straßburg, † 1779 Frankfurt/Main S. 22

Wagner, Richard * 1813 Leipzig, † 1883 Venedig S. 19

Walahfrid Strabo * um 808 Schwaben, † 849 in der Loire ertrunken S. 3

Walser, Martin * 1927 Wasserburg/Bayern S. 61, 65, 66

Waltharilied (Waltharius manu fortis, d. h. Walther mit der starken Hand): mittellateinisches Epos in Hexametern, Verfasserschaft des Ekkehard I. von St. Gallen sowie Datierung (wahrscheinlich Ende 9. oder 10. Jh.) sind umstritten S. 4

Walther von der Vogelweide * um 1170 vermutlich in Niederösterreich, † um 1230 vermutlich bei Würzburg S. 7, 10, 14

Wedekind, Frank * 1864 Hannover, † 1918 München S. 51

Weinheber, Josef * 1892 Wien, † 1945 Kirchstetten bei St. Pölten S. 52

Weiß, Konrad * 1880 Rauenbritzingen bei Gaildorf/Württemberg, † 1940 München S. 52

Weiss, Peter * 1916 Nowawes bei Berlin S. 66

Wellershoff, Dieter * 1925 Neuß S. 63

Werfel, Franz * 1890 Prag, † 1945 Beverly Hills/Californien S. 50, 51

Werner, Zacharias * 1768 Königsberg, † 1823 Wien S. 37

Wernher Priester in Augsburg, um 1172 S. 5

Wernher der Gartenaere Fahrender unbekannter Herkunft, 13. Jh., 2. Hälfte S. 11

Wessobrunner Gebet: anonymes althochdeutsches Stabreimgedicht, entstanden um 800 S. 3

Wickram, Jörg * um 1505 Kolmar, † vor 1562 Burgheim/Rhein S. 14

Die Definitionen stützen sich auf die vorliegenden Poetiken, vor allem auf Gero von Wilpert: Sachwörterbuch der Literatur. Kröners Taschenausgabe 231. Alfred Kröner Verlag, Stuttgart ³1961.
Zusammengesetzte Begriffe sind jeweils unter dem Hauptbegriff zu finden.
Die Begriffe sind nicht nach Sachgebieten, sondern streng alphabetisch geordnet, um das Nachschlagen zu erleichtern. Zahlreiche Querverweise deuten Zusammenhänge an, z. B.
Daktylus, s. d. = siehe dort beim Stichwort Daktylus.
S. 18 = Näheres darüber auf Doppelseite 18.

Abhandlung: Wissenschaftliche, systematisch geordnete, vollständige Darstellung eines Problems oder Gegenstandes.

Absurdes Theater: Dramenform der Avantgarde, in der die Darstellung der Sinnlosigkeit oder Widersinnigkeit der menschlichen Existenz Hauptanliegen ist. „Absurd ist etwas, das ohne Ziel ist ... Wird der Mensch losgelöst von seinen religiösen, metaphysischen oder transcendentalen Wurzeln, so ist er verloren, all sein Tun wird sinnlos, absurd, unnütz..." (Ionesco). Während bei Sartre (S. 63) und Camus das Absurde in der Darstellung der Realität selbst zum Ausdruck kommt, handeln bei Beckett die Spieler wie Clowns oder Marionetten ohne Willen und Ziel. Ihre Sprache dient nicht mehr der Mitteilung, sondern besteht aus Klischees und Montagen; sie zeigt so die Hohlheit und Irrationalität aller Ideologien. Das absurde Theater entlarvt bürgerliche Scheinsicherheit, stellt politische und soziale Thesen in Frage; es deckt die Einsamkeit und Beziehungslosigkeit des modernen Menschen auf und läßt die metaphysische Angst angesichts der Absurdität der Existenz spüren. „Die unverstehbare Handlung spiegelt die Unverstehbarkeit der Welt" (Franzen).

Akrostichon (gr.): Gedicht, bei dem die Anfangsbuchstaben bzw. Anfangswörter der einzelnen Verse oder Strophen einen Namen oder Satz ergeben, z. B. Paul Gerhardts Lied ›Befiehl du deine Wege‹ (S. 17).

Akt (lat. = Handlung): Ein in sich geschlossener Hauptabschnitt eines Dramas. Die meist 5 oder 3 Akte eines Dramas entsprechen der Gliederung des Handlungsablaufs. Die Akte (Aufzüge) sind in Szenen (Auftritte) unterteilt.

Alexandriner:
Sechshebiger, jambischer Vers mit deutlicher Zäsur nach der dritten Hebung:

> x x́ x x́ x x́ /
> Die Ros' ist ohn' Warum, /
> x x́ x x́ x x́ (x)
> sie blühet, weil sie blühet,
> Sie acht't nicht ihrer selbst, /
> fragt nicht, ob man sie siehet.
> (Angelus Silesius)

Dieser Vers wird zuerst in der französischen Alexanderepik (S. 5) um 1180 verwendet und ist später der Vers der klassischen Tragödie Corneilles (S. 15) und Racines (S. 15). Opitz (S. 16) bürgert ihn in Deutschland ein. Die Zweigliedrigkeit macht den Alexandriner für Antithesen und Vergleiche im Epigramm besonders geeignet. Im deutschen Drama wird er in der 2. Hälfte des 18. Jahrhunderts durch den Blankvers verdrängt (s. Auseinandersetzung zwischen Gottsched und Lessing [S. 20]).

Allegorie: Der Begriff entstammt der antiken Rhetorik und bedeutet: anders, d. h. bildlich sprechen. Häufig werden abstrakte Begriffe personifiziert, z. B. Alter, Liebe, Tugend, Laster. Die ältesten Formen der Allegorie finden sich in Fabeln (s. d.) und Sprichwörtern. Die Satiren der Reformationszeit (S. 13) und die Schäferdichtung des Barocks (S. 16) bilden Höhepunkte der allegorischen Dichtung.

Alliteration: Gleicher Anlaut in betonten Silben; s. Stabreim.

Anakreontik: Richtung der Lyrik, die in der 1. Hälfte des 18. Jahrhunderts nach dem Vorbild des griechischen Dichters Anakreon (6. Jh. v. Chr.) vor allem Freundschaft, Liebe und heiteren Lebensgenuß im Geiste des Rokokos besingt (S. 18).

Anapäst: s. Versfuß; Schema xxx́, zwei Senkungen und eine Hebung resp. zwei unbetonte Silben und eine betonte. (Umkehrung des Daktylus, s. d.) Wie mein Glück, ist mein Leid (Hölderlin).

Anapher: Wiederholung gleicher Worte oder Satzteile am Satz- oder Versanfang. Das Wasser rauscht', das Wasser schwoll (Goethe ›Der Fischer‹).

Anekdote (gr. an-ekdoton = nicht herausgegeben): Ursprünglich eine aus bestimmten Rücksichten nicht veröffentlichte Geschichte; heute eine kurze Erzählung, die eine historische Persönlichkeit, einen Charaktertyp, eine Gesellschaftsschicht oder eine merkwürdige Begebenheit schlaglichtartig beleuchtet. Prägnanz und Objektivität der Darstellung sowie eine Pointe sind ihre wesentlichen Merkmale. Kleist (S. 29) und J. P. Hebel (S. 36) haben meisterhafte Anekdoten geschrieben.

Anonym (gr.): Ohne Nennung des Verfassernamens. Viele bedeutende Werke der Literatur – z. B. Schillers Drama ›Die Räuber‹ und Goethes Roman ›Die Leiden des jungen Werthers‹ erschienen zuerst anonym. Der Verfasser der ›Nachtwachen des Bonaventura‹ (S. 34) konnte erst vor kurzem identifiziert werden.

Anthologie (gr. = Blütenlese): Sammlung von Gedichten oder Prosatexten, die unter bestimmten Gesichtspunkten zusammengestellt ist; z. B. deutsche Liebesgedichte, englische Kurzgeschichten, Lyrik der Romantik etc.

Antike Literatur: Literatur des griechisch-römischen Altertums. Sie wirkt befruchtend auf die Literatur des Mittelalters und alle späteren Epochen der europäischen Literatur. Zur Zeit des Humanismus (s. d.) und der Renaissance (s. d.) sowie der deutschen Klassik (s. Klassisch) wird sie in Form und Gehalt zum Vorbild der Dichtung und Dichtungstheorie.

Antike Strophenformen: s. Ode.

Anti-Theater: s. Absurdes Theater.

Antithese: Stilmittel zur Betonung der Gegensätzlichkeit zweier Tatbestände, die in Wortwahl oder Satzbau besonders aufeinander bezogen werden, z. B.: Der Wahn ist kurz, die Reu' ist lang (Schiller). In der Barocklyrik finden sich viele antithetische Wendungen in den durch die Zäsur getrennten Hälften des Alexandriners (s. d.), z. B.:

Was dieser heute baut, / reißt jener morgen ein;
Wo itzund Städte stehn, / wird eine Wiese sein (Gryphius)

Aphorismus: Kurze, treffend formulierte, oft antithetische Aussage in

Prosa. Die Aussage bleibt offen und regt zum Weiterdenken an. Lebensweisheit und Welterfahrung sind die bevorzugten Themen der Aphoristik. In Frankreich entwickelt sich diese Gattung im 17. Jahrhundert zu höchster Blüte (La Rochefoucauld). In Deutschland sind Lichtenbergs Aphorismen, Goethes ›Maximen und Reflexionen‹ und Schopenhauers ›Aphorismen zur Lebensweisheit‹ Höhepunkte dieser Gattung.

Apologie (gr.): Rede oder Schrift zur Verteidigung von Personen, Institutionen oder Weltanschauungen.

Arbeiterdichtung: a) Dichtung, die von Arbeitern und ihren Problemen handelt. Sie entsteht im Naturalismus und tritt häufig für die sozialen Anliegen der Arbeiter ein. b) Dichtung von Arbeitern, die sich mit den Problemen der modernen Industriegesellschaft auseinandersetzt (vgl. S. 50).

Archaismus (gr.): Der Gebrauch veralteter Wörter und Ausdrücke.

Assonanz: s. Reim.

Aufklärung: Epoche der europäischen Geistesgeschichte, die durch Anwendung der kritischen Vernunft eine moderne Kultur und Gesellschaftsordnung zu schaffen sucht. In der von ihr bestimmten deutschen Literatur (etwa 1720–1785) sind Gottsched (S. 18), Wieland (S. 18, 19) und Lessing (S. 20) die bedeutendsten Namen.

Auftakt: Eine oder mehrere unbetonte Silben vor dem ersten Versfuß:
Und der Mensch versuche die Götter nicht (Schiller ›Der Taucher‹)

Auftritt: s. Akt.

Aufzug: s. Akt.

Autobiographie (gr.): Darstellung des eigenen Lebens, z. B. Goethes ›Dichtung und Wahrheit‹ S. 25; s. Memoiren.

Avantgarde (franz.): Die Vorkämpfer für eine in Form und Gehalt neue literarische Richtung, z. B. Expressionismus (s. d.), Surrealismus (s. d.).

Ballade (provenzalisch = Tanzlied): Gattungsform, die lyrische, epische und dramatische Elemente enthält. Die Ballade erzählt – oft in Dialogform – ein düsteres, geheimnisvolles, schreckliches oder tragisches Geschehen aus Mythos, Sage, Geschichte oder aus der Natur. Sie entwickelt sich als eigenständige Kunstform in Deutschland unter dem Einfluß von Percys Sammlung ›Reliques of Ancient English Poetry‹ (S. 21) und Macphersons ›Ossian‹ (S. 21) und ist vom Sturm und Drang bis in die Gegenwart eine beliebte Dichtungsform.

Bänkelsang: Lieder, die auf Messen und Jahrmärkten von umherziehenden Sängern oder Schaustellern – auf einer Bank stehend (daher der Name) – vorgetragen werden und deren Inhalt Verbrechen (Moritaten s. d.), Katastrophen und Schauergeschichten sind. Der Vortragende wird von melancholischer Drehorgelmusik begleitet und zeigt dazu auf Bildtafeln, die das Gesungene darstellen. In der modernen Dichtung haben Bert Brecht und Erich Kästner die Form des Bänkelsangs neu belebt.

Barde: Ursprünglich keltischer Dichter und Sänger, der bei Feierlichkeiten am Hofe Götter- und Heldenlieder vorträgt. Im 18. Jahrhundert wird die Bezeichnung irrtümlicherweise auf den germanischen Sänger übertragen (s. Klopstock, S. 19).

Barock: Als Epochenbezeichnung in der Literatur- und Kunstgeschichte für das 17. Jahrhundert gebräuchlich (S. 16/17).

Beispiel: Erklärung eines Gedankens oder Sachverhalts durch einen konkreten, einleuchtenden Einzelfall (s. Gleichnis, Parabel).

Belletristik (fr. = schöne Wissenschaften, Literatur): Bezeichnung für ‚schöngeistige‘ Literatur oder Unterhaltungsliteratur im Gegensatz zur Fachliteratur oder wissenschaftlichen Literatur.

Bericht: Objektbezogene, sachliche Darstellung eines einmaligen Handlungsablaufes ohne Ausdruck persönlicher Anteilnahme.

Beschreibung: Objektbezogene, sachliche Darstellung eines Gegenstandes, eines Lebewesens, einer Landschaft, eines Kunstwerks ohne Ausdruck persönlicher Anteilnahme. Im Gegensatz zum Bericht ohne zeitlich ablaufende Handlung.

Biedermeier: Die Bezeichnung stammt von L. Eichrodts Parodie (s. d.) auf die weitverbreitete spießbürgerliche Haltung in der Vormärzzeit. Als Epochenbezeichnung wird sie für die unpolitische bürgerliche Dichtung zwischen Romantik und Realismus (S. 36/37) gebraucht.

Bibliographie (gr.): Allgemein Lehre vom Buch, Bücherkunde. Eine für alle Wissensgebiete wichtige Hilfswissenschaft, die alle zu bestimmten Themen verfügbaren Werke mit Angabe von Verfasser, Titel, Auflage, Erscheinungsort und -jahr zusammenstellt. Auch gedruckte Bücherverzeichnisse, die alle zu bestimmten Themen gehörige oder bei einer wissenschaftlichen Arbeit benutzten Werke aufzählt.

Bild: Umfassende Bezeichnung für Vergleich, Metapher (s. d.), Symbol (s. d.), Chiffre (s. d.) und Emblem (s. d.). Bildhaftigkeit ist ein wesentliches Merkmal der Dichtersprache überhaupt; durch sie werden Anschaulichkeit, Verdichtung und Beseelung erreicht.

Biographie (gr.): Lebensbeschreibung, d. h. Darstellung sowohl des äußeren Lebensablaufs als auch der inneren Entwicklung eines Menschen vor dem Zeithintergrund.

Blankvers (engl. = reimloser Vers): Fünfhebiger Jambenvers (s. Jambus) ohne Reim; in der deutschen Tragödie von Lessing bis Hebbel und bei Hauptmann verwendet.

Blaue Blume: Symbol für romantische Sehnsucht. Es wurde von Novalis in seinem Roman ›Heinrich von Ofterdingen‹ (S. 32) geprägt.

Blende: Bei Hörspiel und Film Wechsel der Ebene oder des Ortes – oder beider – oder außerdem der Zeit. S. Schnitt.

Blut- und Boden-Literatur: Sammelbegriff für die vom Nationalsozialismus geforderte Verherrlichung der bäuerlichen Lebensform. Hauptinhalt sind die Treue zum Blut (Sippe, Volk, Rasse) und zum Boden (Scholle, Heimaterde).

Botenbericht: Dramaturgisches Mittel, wichtige Ereignisse, die zeitlich zurückliegen oder die technisch auf der Bühne nicht dargestellt werden können, durch Boten dem Zuschauer bekanntzumachen und so in das Geschehen einzubeziehen. Das bekannteste Beispiel aus der Antike ist der Botenbericht von der Niederlage des Xerxes in der Tragödie ›Die Perser‹ von Aischylos (S. 1). S. auch Mauerschau.

Bürgerliches Trauerspiel: Drama, dessen Tragik sich am Gegensatz zwischen Bürgertum und Adel (z. B. ›Emilia Galotti‹, S. 20; ›Kabale und Liebe‹, S. 22) entfaltet oder das Konflikte innerhalb des Bürgertums und die Fragwürdigkeit überkommener ethisch-moralischer Grundsätze aufzeigt (z. B. ›Maria Magdalene‹, S. 40).

Burleske (it.): Kleines derbkomisches Lustspiel, das durch karikaturistische Übertreibung verspotten will. Im Gegensatz zur Satire (s. d.) fehlt ihr der sittliche Beweggrund.

Chiffre: Ursprünglich Zeichen einer Geheimschrift. In der modernen Dichtung werden Symbole häufig zu Chiffren reduziert, die die Wirklichkeit verrätseln und verfremden. Sie umschließen das Gemeinte nicht in der ganzen Fülle wie das Symbol, sondern deuten nur an.

Chor: Im antiken Drama (S. 1) kommentiert und deutet der Chor das Geschehene und spricht häufig zusammenfassend und vorausweisend Gedanken und Absichten des Dichters aus; gelegentlich greift er auch in die Handlung ein. Schiller belebt den Chor wieder in seiner ›Braut von Messina‹ (S. 27). Im modernen Drama wird er höchst selten verwendet, z. B. in Max Frischs ›Biedermann und die Brandstifter‹ als Chor der Feuerwehrleute.

Commedia dell'arte: Ursprünglich volkstümliche Stegreifkomödie, die in der zweiten Hälfte des 16. Jahrhunderts in Italien entsteht. Festgelegt sind nur die Szenenfolge und die auftretenden Personen: Der Ar-

lecchino (Harlekin), Colombine, seine Geliebte, Pantalone, der einfältige Vater sowie der schlaue Diener, die kokette Zofe, der schwatzhafte Dottore usw. Durch die Stücke des Grafen Gozzi wird die Commedia dell'arte zur bedeutenden Literaturgattung. Wandernde Schauspieltruppen verbreiten sie in ganz Europa. Die Komödien Molières (S. 15), das Wiener Volkstheater und viele deutsche Schwänke und Possen sind von ihr beeinflußt.

Dadaismus: Nach den kindlichen Stammellauten ‚dada' benannte antibürgerliche Kunst- und Literaturdichtung (etwa 1916–1924), die ästhetische Gesetze ebenso ablehnt wie logische Zusammenhänge.

Daktylus: s. Versfuß; Schema x́xx: eine Hebung und zwei Senkungen resp. eine betonte Silbe und zwei unbetonte. Wér von der Schónen zu schéiden verdámmt ist (Goethe)

Dialektdichtung: In einer bestimmten Mundart abgefaßte Dichtung. Sie ist in ihrer Verbreitung meist auf die Sprachgrenzen des betreffenden Dialekts beschränkt. Nur ausnahmsweise erreicht sie überregionale Bedeutung, z. B. Fritz Reuters Romane (S. 38), Hebels ›Alemannische Gedichte‹ (S. 36). In der modernen Literatur wird der Dialekt oft als Stilmittel verwendet (s. Hauptmann ›Der Biberpelz‹, S. 46). Im Wiener Volkstheater und oberbayerischen Bauerntheater lebt die D. weiter.

Dialog: Im Drama Rede und Gegenrede. Als selbständige literarische Gattung wird von Platon der philosophische Dialog entwickelt, in dem ein Problem von verschiedenen Seiten beleuchtet wird. Im Mittelalter dient der Dialog der Erörterung religiöser und philosophischer Fragen.

Der bedeutendste Dialog dieser Zeit ist der ›Ackermann aus Böhmen‹ des Johannes von Tepl (S. 12). Im Humanismus (Erasmus von Rotterdam, S. 13; Ulrich von Hutten, S. 13) und zur Zeit der Aufklärung ist der Dialog eine beliebte literarische Form. In der Gegenwart wird er nur selten verwendet, z. B. Paul Ernst ›Erdachte Gespräche‹ (S. 48).

Dichterkreis: Zusammenschluß von Dichtern mit gleichen oder ähnlichen Ansichten über Wesen und Ziele der Dichtung. Oft bildet sich ein Dichterkreis um eine bedeutende Persönlichkeit (George-Kreis, S. 48) oder eifert einem Vorbild nach, wie der ›Göttinger Hain‹ (S. 21) Klopstock.

Dichterschule: Wird fälschlicherweise oft als Bezeichnung für Dichterkreis (s. d.) verwendet; denn eine Schule setzt die Auffassung von der Erlernbarkeit der Dichtkunst voraus. Mit einiger Berechtigung wird der Kreis um Opitz (S. 17) als ›Schlesische Dichterschule‹ bezeichnet.

Didaktische Dichtung: s. Lehrdichtung.

Distichon: Verspaar, das aus einem Hexameter (s. d.) und einem Pentameter (s. d.) besteht:
Im Hexameter steigt des Springquells flüssige Säule
Im Pentameter drauf / fällt sie melodisch herab. (Schiller)

Dithyrambus: In der Antike ursprünglich kultischer Gesang zu Ehren des Gottes Dionysos; dann rauschhafter ekstatischer Gesang auf andere Götter oder Helden. In der deutschen Literatur gehören Goethes freirhythmische Sturm- und Dranglyrik, verschiedene Dithyramben Schillers, Hölderlins und Nietzsches zu diesem Formtyp.

Dokumentationsstück: Drama, das unter Verwendung von Zeitdokumenten einen historischen Vorgang wiedergibt. Parteilichkeit des Verfassers und tendenziöse Verfälschung von Dokumenten machen scheinbare Dokumentationsstücke zu Tendenzstücken.

Drama (gr.): Neben Epik und Lyrik die dritte große Gattung der Dichtung. Im vorexpressionistischen Drama wird ein bedeutsames, spannungsreiches, in sich geschlossenes Geschehen unmittelbar im Dialog und Monolog dargestellt. Bei der Bühnenaufführung kommt zum Wort noch die Mimik, d. h. der Ausdruck der Gefühle und Gedanken durch Miene und Gebärde des Schauspielers. Der Zuschauer erlebt damit die Handlung unmittelbar. Die Hauptformen des Dramas sind Tragödie, Komödie, Tragikomödie und Schauspiel. Die Dramen können nach verschiedenen Gesichtspunkten unterteilt werden, z. B.:

a) nach der Ursache des Konflikts:
   Schicksalsdrama (›Ödipus‹, S. 1, ›Die Braut von Messina‹, S. 27)
   Milieudrama (›Die Weber‹, S. 46)
   Charakterdrama (›Torquato Tasso‹, S. 23)
   Ideendrama (›Don Carlos‹, S. 27)

b) nach dem dramatischen Aufbau:
   Analytisches Drama oder Enthüllungsdrama (wenn die entscheidende Tat vor Beginn des Stückes liegt (›Der zerbrochene Krug‹, S. 28)
   Synthetisches Drama, auch Entfaltungs- oder Zieldrama genannt (›Wallenstein‹, S. 27)

c) nach der Stoffwahl:
   Bürgerliches Trauerspiel (›Maria Magdalene‹, S. 40), historisches Drama (Florian Geyer, S. 46) usw.
Eine Sonderstellung nimmt das epische Drama (s. d.) ein.

Einakter: Drama, das ohne Einschnitt vor dem Zuschauer abrollt, z. B. Kleists ›Penthesilea‹ und ›Der zerbrochene Krug‹ (S. 28). In der modernen Dramatik ist der Einakter sehr beliebt.

Einheiten, Die 3: Einheit der Handlung, des Ortes und der Zeit. Aristoteles fordert in seiner Poetik (s. d.) für das Drama die Einheit der Handlung, d. h. die Durchführung eines Grundmotivs ohne Episoden (s. d.).
Die Einheit der Zeit ist in der griechischen Tragödie ein Sonnentag; Handlungsdauer und Aufführungsdauer sind meist identisch. Die Einheit des Ortes ist ohnehin durch die ständige Anwesenheit des Chores auf der Bühne gegeben.
Die Poetiken der Renaissance und der französischen Klassik fordern die Wahrung der drei Einheiten für das Drama. Lessing legt in seiner ›Hamburgischen Dramaturgie‹ (S. 20) den Hauptakzent auf die Einheit der Handlung.

Elegie: In der Antike Gedicht in Distichen (s. d.); seit Opitz Gedichtform zum Ausdruck von Trauer und Liebe. Blütezeit der Elegie in der Empfindsamkeit (s. d.); Höhepunkte elegischer Dichtung bei Klopstock (S. 19), Goethe (›Römische Elegien‹, S. 25), Schiller (S. 26), Hölderlin (S. 30) und Rilke (›Duineser Elegien‹, S. 49).

Emblem: Sinnbild oder Zeichen, das einen bestimmten Bedeutungsgehalt aufweist, z. B. Anker für Hoffnung, Ölzweig für Frieden, Palme für Beständigkeit. In der Dichtung der Renaissance und des Barocks spielt das Emblem eine große Rolle. Zahlreiche Sammlungen des 16. und 17. Jahrhunderts erläutern und entschlüsseln viele sonst schwer verständliche Embleme (s. Symbol).

Empfindsamkeit (von engl. sentimental = empfindsam): Bewegung (etwa 1740 bis 1780) gegen die Vorherrschaft des Rationalismus. Ausgangspunkt ist England (Richardson, L. Sternes ›Sentimental Journey‹); in Deutschland sind besonders Klopstock (S. 19) und der Göttinger Hain (S. 21) von dieser Strömung beeinflußt.

Engagierte Literatur: Greift politische oder soziale Mißstände an und vertritt neue Ideen. Sie will die allgemeine Meinung beeinflussen und strebt nach einer Änderung der herrschenden Zustände.

Enjambement: s. Zeilensprung.

Epigonendichtung (gr.): Dichtung, die einer reichen schöpferischen Epoche folgt und diese in Form und Inhalt nachahmt. Im engeren Sinn bezeichnet man so die deutsche Literatur zwischen 1815 und 1848, soweit sie als Gegenströmung gegen den gleichzeitigen Realismus (s. d.) an die klassisch-romantische Tradition anknüpft und im Bewußtsein ihres Epigonentums besonders nach vollendeter Formkunst strebt. Ihren Namen erhält diese Richtung nach Immermanns Roman ›Die Epigonen‹ (S. 41).

Epigramm (gr.): Spruchartige, pointierte Formulierung eines Gedankens.

Epik (gr.): Erzählende Dichtung im weitesten Sinn. Neben Dramatik und Lyrik die dritte große Gattung der Dichtung. Wir unterscheiden Kurzepik und Großepik; zur ersteren rechnen wir z. B. Sage (s. d.), Legende (s. d.), Märchen (s. d.), Schwank (s. d.), Anekdote (s. d.), Erzählung (s. d.), Fabel (s. d.), Parabel (s. d.), Glosse (s. d.) und Kurzgeschichte (s. d.), zur letzteren Epos (s. d.), Roman (s. d.), Volksbuch (s. d.) und

Saga (s. d.). Die Novelle (s. d.) nimmt eine Zwischenstellung ein.

Epilog (gr.): Abschließendes Nachwort, meist im Drama oder im höfischen Epos.

Episches Drama bzw. Theater: Von Brecht im Gegensatz zum klassisch-aristotelischen Drama (s. d.) entwickelte und theoretisch begründete Dramenform. Brecht fordert „statt des illusionistischen Bühnenerlebnisses, das den Zuschauer suggestiv und gefühlsmäßig ergreift" und ein Miterleben hervorruft, „eine demonstrierend-erzählende Form, die durch Argumente aus der Handlung den Zuschauer zum rationalen Betrachter und Beurteiler macht, ihn der Handlung gegenüberstellt, zu eigenen Entscheidungen zwingt und durch Distanz seine Aktivität weckt" (G. v. Wilpert). Thema ist der „Veränderliche und veränderte Mensch". Auf Exposition und Akteinteilung wird verzichtet; das epische Drama wird zu einem aus Einzelszenen bestehenden dramatischen Bilderbogen, der ohne innere Zwangsläufigkeit abrollt.

Episode (gr.): Im griechischen Drama die zwischen die Chorlieder eingeschobene Handlung. Heute Nebenhandlung in Roman und Drama, die in sich abgeschlossen und mit der Haupthandlung meist nur locker verbunden ist.

Epos (gr.): Erzählt in feierlicher, metrisch gebundener Form von mythischen oder geschichtlichen Vorgängen. Der Held ist meist Leitbild der Gesellschaft, die in ihren sozialen, ethischen und religiösen Bezügen dargestellt wird. Bei einer Unterteilung nach dem Inhalt unterscheiden wir: Heldenepos (›Nibelungenlied‹, S. 8), höfisches Epos (›Parzival‹, S. 7), christliches Epos (Dante: ›Die göttli-

che Komödie‹), Tierepos (›Reineke Fuchs‹), bürgerlich-idyllisches Epos (›Hermann und Dorothea‹, S. 25).

Erlebte Rede: s. Innerer Monolog.

Erzählung: Epische Gattungsform in Prosa, seltener auch in Versen, die weder Umfang und Breite des Romans noch den straffen Aufbau der Novelle hat und deren Handlung nicht märchen- oder sagenhaft ist.

Essay (fr.): Kürzere, subjektive, oft künstlerisch gestaltete Abhandlung, häufig über ein weltanschauliches, philosophisches oder ästhetisches Problem.

Exposition: Einführung in Ort, Zeit, Handlung, Grundstimmung des Dramas oder Vorstellen der Personen.

Expressionismus (lat.): Literarische Bewegung zwischen 1910 und 1925, die sich gegen den Naturalismus (s. d.) richtet und von der bildenden Kunst beeinflußt ist. Sie wendet sich gegen die Selbstzufriedenheit des Bürgertums, gegen fortschreitende Technisierung aller menschlichen Bereiche und strebt nach Erneuerung des Menschen, indem sie seiner Existenz einen neuen Sinn zu geben sucht. Die Dichtung soll Ausdruck des Gefühls und seelischen Erlebens sein. Überkommene ästhetische Formen werden gesprengt. Telegrammartige Verkürzung, Wortballung, Artikellosigkeit, kühne Wortbilder, ekstatischer Ausruf und visionäre Schau sind die wesentlichsten Kennzeichen. In der Lyrik findet der Expressionismus seinen reinsten Ausdruck. (S. 50)

Fabel (lat.): 1. Handlungsverlauf einer epischen oder dramatischen Dichtung. 2. Als literarische Gattung lehrhafte Geschichte in Prosa oder Versen, in der meist Tiere mit menschlichen Charaktereigenschaften ausgestattet sind. Als Ergebnis der Handlung wird eine Moral, Belehrung oder allgemeine Wahrheit demonstriert.

Farce: Ursprünglich derb-komisches Zwischenspiel im mittelalterlichen französischen Mirakel (s. d.); dann als selbständige Gattung kurzes Spiel zur Verspottung menschlicher Schwächen und Torheiten.

Fastnachtsspiel: Aus germanischen Fruchtbarkeitsriten zur Winteraustreibung und Dämonenbannung entstandenes schwankhaftes Spiel, das bei Fastnachtsumzügen aufgeführt wird. Von den Nürnberger Meistersingern H. Rosenplüt, H. Folz (S. 14) und besonders Hans Sachs (S. 14) wird es zum schwankhaft-satirischen Volksschauspiel entwickelt, das in derb-witziger Form menschliche Schwächen und allgemeine Mißstände der Zeit geißelt.

Feature (engl.): Freieste Form einer Funksendung, in der nach Manuskript gestaltete Szenen, Reportagen und Kommentare eines Sprechers im Wechsel erscheinen können.

Fernsehspiel: Dramatische Gattungsform, die viele Gemeinsamkeiten mit dem Film aufweist, aber infolge anderer technischer Voraussetzungen kammerspielartigen Charakter hat.

Feuilleton (fr.): Unterhaltungsteil einer Zeitung oder einzelner Beitrag dieses Teils. Das Feuilleton enthält meist kulturelle oder literarische Aufsätze, insbesondere Theaterkritiken, Buchbesprechungen, populärwissenschaftliche Darstellungen, Reiseberichte, Reportagen, gesellschaftskritische Betrachtungen, Erzählungen und Fortsetzungsromane. Der feuilletonistische Beitrag, bewußt subjektiv-assoziativ, oft kritisch, ist

erfüllt von ,Esprit', in leicht spielerischem (gelegentlich ironischem) Ton gehalten, der die sehr bewußte Absicht überdeckt. Meister des Feuilletons sind in Deutschland Heine (S. 38), Börne (S. 38), Tucholsky (S. 59), Kisch, P. Bamm.

Flugschrift: Meist anonyme oder pseudonyme (s. d.) Druckschrift, die in tendenziöser oder polemischer Form zu politischen, religiösen und sozialen Fragen Stellung nimmt und die Volksmeinung beeinflussen will. Blütezeit der Flugschriftenliteratur sind Reformation und Gegenreformation. Die Schriften sind häufig illustriert – z. B. von A. Dürer und L. Cranach – und zum Teil in Dialog- (s. d.), Brief- oder Gedichtform abgefaßt. Luthers bedeutsamste reformatorische Schriften (›An den christlichen Adel deutscher Nation‹, ›Von der Freiheit eines Christenmenschen‹, S. 13, u. a.) und Th. Murners Gegenschrift (›Vom großen lutherischen Narren‹) sind Flugschriften. Als Berichte von Katastrophen, Unglücksfällen, Kometenerscheinungen und Naturwundern sind die Flugschriften Vorläufer der Zeitungen.

Form (lat.): Die der dichterischen Idee, dem Stoff vom Autor gegebene Art der Darstellung. Formkriterien sind z. B. Gattung (s. d.), dichterisches Bild (s. d.), Metrum (s. d.).

Fragment (lat. = Bruchstück): Unvollständig überliefertes (›Hildebrandslied‹, S. 2) oder vom Dichter aus äußeren (Schiller ›Demetrius‹) oder aus inneren Gründen (Novalis ›Heinrich von Ofterdingen‹, S. 32) nicht vollendetes Werk.

Freie Rhythmen: Verse ohne Reim, ohne festes Metrum und ohne feste Strophenform, die allein vom Rhythmus getragen werden.

ren vier Schlußzeilen wieder das Motto ergeben. Von den Brüdern Schlegel, Uhland und Liliencron nachgeahmt. — 3. Heute ironisch/polemischer Zeitungskommentar zu Tagesereignissen. — 4. In der Umgangssprache spöttische Bemerkung.

Göttinger Hain: Dichterkreis (s. d.) meist Göttinger Studenten, genannt nach der Ode ›Der Hügel und der Hain‹ von Klopstock, der das schwärmerisch verehrte Vorbild des Kreises ist. Der ‚Hain‘ wird 1772 gegründet und besteht nur wenige Jahre (S. 21).

Groteske: Gestaltung des Dämonisch-Grausamen, Seltsamen oder Derbkomischen. Scheinbar Unvereinbares und Gegensätzliches werden in oft verblüffender Weise verbunden. Die Romantiker (die anonymen ›Nachtwachen des Bonaventura‹, S. 34), besonders E. T. A. Hoffmann (›Nachtstücke‹, S. 34), Kafka (›Die Verwandlung‹, S. 57), Becket und Ionesco (S. 63) sind Meister der G.

Hebung: Betonter Teil des Metrums (s. d.). S. Senkung.

Heimatkunst: Literarische Strömung etwa seit 1900, die sich gegen Industrialisierung, Technisierung, Verstädterung und Intellektualisierung des Lebens richtet. Die großen, freilich nicht erreichten Vorbilder sind Gotthelf, Stifter, Storm, Keller und Raabe. Deutsches Volkstum, heimatliche Landschaft, dörfliche Lebensweise, Natur und Tierwelt bilden den Inhalt der Werke dieser Richtung. Im ‚Dritten Reich‘ werden diese Tendenzen in der sogenannten ‚Blut-und-Boden-Dichtung‘ fortgesetzt.

Heldenepos: Es entsteht aus dem älteren, kürzeren Heldenlied (s. d.) durch ausführliche Ausgestaltung von Szenen und Situationen und durch Zusammenfassung mehrerer Lieder (s. ›Nibelungenlied‹, S. 8).

Heldenlied: Germanische episch-balladenhafte Liedform der Völkerwanderungszeit, in der sich das tragische Einzelschicksal vom Zeithintergrund abhebt (z. B. ›Hildebrandslied‹, S. 2).

Hermeneutik (gr.): Geisteswissenschaftliche Methode der sinngemäßen Auslegung eines literarischen Werkes.

Hexameter (gr.): Vers, der aus 6 Daktylen (s. d.) besteht. In den ersten vier Daktylen können zwei unbetonte Silben zu einer Silbe zusammengezogen werden (Spondeus, s. d.). Der 6. Versfuß besteht aus einer betonten und nur einer unbetonten Silbe.
Schema:
x́xx / x́xx / x́xx / x́xx / x́xx / x́x.
x   x   x   x
Beispiel s. Distichon.
Der Hexameter ist der Vers des antiken Epos (›Ilias‹, ›Odyssee‹, ›Aeneis‹ — S. 1). In der deutschen Epik wird er z. B. in Goethes ›Reineke Fuchs‹ und in ›Hermann und Dorothea‹ (S. 25) verwendet.

Hirtendichtung: s. Schäferdichtung.

Historie (lat.): Drama, Erzählung oder Roman mit geschichtlichem Inhalt.

Höfische Dichtung: Dichtung der Stauferzeit (1150–1250); sie ist Ausdruck einer ritterlich-adeligen Standeskultur (S. 6 ff.). Auch die Dichtung des Barocks wird so bezeichnet, soweit sie an den Fürstenhöfen gepflegt wird und die höfische Lebenswelt zum Inhalt hat (S. 16/17).

Idylle (gr. = Bildchen, kleines Gedicht): In der Antike Gedicht, das das friedvoll-bescheidene Landleben schildert. In der Schäferdichtung (s. d.) des Barocks und Rokokos erlebt diese Dichtform eine neue Blüte.

Imitation (lat.): Nachahmung von künstlerischen Vorbildern.

Impressionismus (fr. l'impression = Eindruck): Von der französischen Freilichtmalerei – nach Claude Monets Bild ›L'impression‹ von 1874 benannt – auf die Literatur der Zeit zwischen 1890 und 1910 übertragen. Im Gegensatz zum Expressionismus (s. d.) und Naturalismus (s. d.) sucht der Impressionismus Sinneseindrücke und Seelenzustände, Stimmungen und Empfindungen in feinsten Nuancen wiederzugeben (S. 47). Er steht dem Symbolismus (S. 48/49) und der Neuromantik nahe.

Innerer Monolog (auch erlebte Rede genannt): Stilform zum Ausdruck unausgesprochener Gedanken. Der Erzähler wird mit seiner Erzählfigur identisch; Perspektive der ‚erlebenden Person‘. Weder direkte noch indirekte Rede, sondern Zwischenform (Ich-Form oder 3. Pers. Sg., Indikativ; ohne Anführungszeichen). S. hierzu Broch ›Der Tod des Vergil‹, S. 57.

Interlinearversion: Erste Übersetzungsversuche geistlicher lateinischer Texte ins Althochdeutsche. Die deutsche Bedeutung wird zwischen die Zeilen des lateinischen Textes geschrieben (s. S. 3).

Interpretation: Erklärung und Deutung von Form und Gehalt eines Textes.

Intrige (fr.): Ränkespiel, Hinterhältigkeit oder List. In der Tragödie führt die Intrige zum Untergang des Helden, in der Komödie zum glücklichen Ende. Die Dramen Calderons (S. 15) und die Dramen der deutschen Romantiker sind vorwiegend Intrigendramen (s. Drama).

Inversion (lat.): Veränderung der gewohnten Wortstellung im Satz; meist Umstellung von Subjekt und Prädikat zur Hervorhebung.

Ironie: Äußerung eines Menschen, der aus innerer Distanz zu seinem Gegenstand unter dem Schein der Ernsthaftigkeit spöttelt über eine Sache, einen Menschen oder auch über sich selbst. Ironie im allgemeinen Sprachgebrauch bedeutet, daß das Gegenteil von dem, was gesagt wird, gemeint ist.
Die tragische Ironie im Drama steigert die tragische Wirkung, indem der Zuschauer bereits das Verhängnis ahnt, wogegen sich der Held in Sicherheit wiegt, z. B. Wallenstein (S. 27): Ich denke einen langen Schlaf zu tun.
Die romantische Ironie, die aus der Erkenntnis des Zwiespalts von Ideal und Wirklichkeit entspringt, erlaubt dem Dichter, über seinem Werk zu stehen und die erzielte Wirkung durch Ironie wieder aufzuheben.

Jambus: s. Versfuß; Schema x x́: eine Senkung und eine Hebung resp. eine unbetonte und eine betonte Silbe.
Spät kómmt Ihr – Dóch Ihr kómmt!
x   x́ / x   x́ / x   x́ /
Der wéite Wég
x x́ / x x́

(Schiller ›Die Piccolomini‹)

Jesuitendrama: Dramatische Gattungsform im Dienste der Gegenreformation (etwa 1550–1750). Die lateinischen Dramen werden von Lehrern an Jesuitenschulen geschrieben und von Schülern und Studenten aufgeführt (S. 16).

Junges Deutschland: Dichtergruppe um 1830–1850, die sich in ihren Werken zeitkritisch mit der politischen und sozialen Situation auseinandersetzt (S. 38).

Kadenz: Die metrisch-rhythmische Gestaltung des Versendes; einsilbig (männlich, stumpf), zweisilbig (weiblich). Klingende Kadenz: zweisilbig mit Haupt- und Nebenton.

Kammerspiele: Kleiner Theaterbau im Gegensatz zum großen Schauspielhaus. Zugleich auch Bezeichnung für Theaterstücke mit geringer Personenzahl. Typische Kammerspiele stammen z. B. von Strindberg, Wedekind (S. 51) und Schnitzler (S. 47).

Karikatur: Darstellung, in der besonders charakteristische Züge, z. B. eines Menschen, übersteigert werden.

Katharsis (gr. = Reinigung): Wird nach der aristotelischen Poetik in der Tragödie durch die Erregung von Furcht und Mitleid bewirkt.

Kehrreim (Refrain): Wiederholung gleicher oder fast gleicher Verse, meist am Strophenende.

Klassisch: Vorbildlich in harmonischer Gestalt. In der Literaturgeschichte gebräuchlich für Epochen, die Höhepunkte der Dichtung eines Volkes darstellen; z. B. die Dichtung der Stauferzeit (S. 6 ff.), die Zeit Goethes, in England das Elisabethanische Zeitalter. Die beiden letztgenannten Epochen basieren auf einer Auseinandersetzung mit der klassischen Antike.

Klassizismus: Allgemein jeder antikisierende Kunststil. In der Literatur die Nachahmung antiker Formen, Stoffe und Motive im Gegensatz zur schöpferischen Klassik (s. d.).

Besonders die deutsche Epigonendichtung (s. d.) der nachklassischen Zeit (Geibel, Heyse, Paul Ernst) wird gelegentlich als klassizistisch bezeichnet, auch die Dichtung der Aufklärung.

Klimax: Reihende Steigerung vom weniger Bedeutenden zum Wichtigen. Intensivierung der Aussage.

Klischee (franz.): Abgegriffene Redewendung, weitverbreitete, jedoch unrichtige oder oberflächliche Vorstellung.

Knittelvers: Vierhebiger Vers in Paarreimen, häufig mit unregelmäßiger Senkungsfüllung. Er wird oft im 16. Jh. – z. B. bei Hans Sachs –, später auch von Goethe und Schiller verwendet:

Als noch, verkannt und sehr gering,
Unser Herr auf der Erde ging
(Goethe ›Legende vom Hufeisen‹)

Kolportageroman: Auf Spannung und Sensation ausgerichteter und für anspruchslose Leser berechneter Roman ohne literarischen Wert. Der an Zeitungskiosken feilgebotene „Groschenroman" gehört zum großen Teil zu dieser Gattung. Vgl. Trivialliteratur.

Komik (gr.): Die der Tragik (s. d.) entgegengesetzte Weltsicht. Die Fragwürdigkeit der menschlichen Existenz, die Unzulänglichkeit allen menschlichen Bemühens, das Mißverhältnis zwischen Schein und Sein, die Hohlheit großer Ideale, menschliche Schwächen und Torheiten werden durchaus erkannt; aber im Lachen befreit sich der Mensch und stellt sich über die Ereignisse. Die großen Komödien berühren sich eng mit der Tragödie und sind oft nahe daran, ins Tragische umzuschlagen (z. B. ›Minna von Barnhelm‹, S. 20; ›Amphitryon‹, S. 28); aber trotz der Erkenntnis des „Risses durch die Welt" und des menschlichen Unvermögens gelingt die Überwindung durch befreiendes Lachen. Die Komik kann in verschiedenen literarischen Formen auftreten, z. B. im komischen Epos, im Fastnachtsspiel usw.; ihre eigentliche Gattung aber ist die Komödie (s. d.).

Kommunikation (lat.): Mitteilung, Verständigung, Austausch von Gedanken, Nachrichten oder Informationen.

Komödie (gr.): Wichtigste dramatische Gattungsform neben der Tragödie (s. d.). Sie erregt Heiterkeit entweder durch Spott über menschliche Schwächen und Torheiten, über Mißstände der Zeit und die Fragwürdigkeit ihrer Ideale, oder sie triumphiert mit Gelächter über die Unzulänglichkeit des Menschen (vgl. Komik). Sie entspringt aus der der Tragödie entgegengesetzten Weltsicht. Sie setzt – ähnlich der Tragödie – eine einheitliche Kultur mit verbindlichen ethischen und ästhetischen Normen und einheitlichem Denken und Empfinden voraus.
Zwei Grundtypen der Komödie lassen sich unterscheiden: die Charakterkomödie, in der bestimmte Charaktereigenarten, z. B. Geiz, Eitelkeit usw. verspottet werden (z. B. bei Molière, S. 15), und die Situationskomödie, in der die komische Wirkung durch Zufall, Verwechslung oder Intrige (s. d.) hervorgebracht wird (z. B. bei Shakespeare, S. 15).
Die Komödie geht, wie die Tragödie, auf den Dionysoskult zurück. Aristophanes (S. 1) und Menander (S. 1) sind die Meister der griechischen Komödie und zugleich Vorbilder für die Römer Plautus (S. 1) und Terenz

(S. 1). Mit Shakespeare und Molière erreicht die Komödie neue Höhepunkte. Die wichtigsten deutschen Komödien sind Lessings ›Minna von Barnhelm‹ (S. 20), Kleists ›Der zerbrochene Krug‹ und ›Amphitryon‹ (S. 28), Büchners ›Leonce und Lena‹ (S. 39), Grillparzers ›Weh' dem, der lügt‹ (S. 37), Hauptmanns ›Der Biberpelz‹ (S. 46) sowie Raimunds Zauberpossen (S. 37) und Nestroys Volkskomödien (S. 37).

Konflikt (lat.): Der ‚äußere' Konflikt ist die Auseinandersetzung zwischen Personen oder Parteien. Wichtiger ist, besonders im Drama, der ‚innere' Konflikt zwischen zwei gegensätzlichen, meist einander ausschließenden Werten, in dem sich eine Person befindet, z. B. Pflicht und Neigung, Liebe und Ehre, Freiheit des Individuums und Gehorsam gegenüber dem Staat. Der Konflikt, der von einer dualistischen Weltauffassung zeugt, ist die Grundlage jedes Dramas. Wird er bis zur letzten Konsequenz ausgetragen, so endet er als ‚tragischer' Konflikt mit dem Scheitern oder dem Tod des Helden; in der Komödie dagegen gibt es einen Ausgleich dieses ‚Wertekonflikts'.

Kontext (lat.): Der Zusammenhang eines Wortes oder Textes mit dem vorhergehenden und nachfolgenden Teil eines Schriftwerks oder einer Rede.

Kritik (Literaturkritik) (gr.): Beurteilung einer Dichtung, d. h. Aufzeigen der Qualitäten oder Schwächen meist in Form einer Rezension, Abhandlung oder Charakteristik. Die Kritik ist seit den Anfängen der Literatur deren Begleiterscheinung; seit der Aufklärung ist sie eine wichtige Macht im literarischen Leben; die meisten Dichter betätigen sich auch als Kritiker. Besondere Bedeutung haben die literaturkritischen Zeitschriften, die in dieser Zeit aufkommen.

Kurzgeschichte: Die Bezeichnung ist eine Lehnübersetzung des in der englischsprachigen Literatur gebräuchlichen Wortes ‚short story' (s. d.). Die Kurzgeschichte steht ihrer Form nach zwischen Novelle (s. d.), Skizze (s. d.) und Anekdote (s. d.). Ihre wesentlichen Merkmale sind: Sie ist kürzer als die Novelle; die „unerhörte Begebenheit", die sie mit ihr gemeinsam hat, steht immer am Schluß. Sie verzichtet auf Einleitung, Motivierung und Entwicklung; sie ‚blendet' sich gleichsam ein; sie ist straff auf den Schluß hin komponiert, der als unerwartetes, ja oft erschütterndes Ereignis offen bleibt und den Leser zum Weiterdenken sowie zu eigener Stellungnahme anregt. Stofflich bewegt sie sich meist im Alltagsleben des Durchschnittsmenschen.

Legende: Ursprünglich Lesung im Gottesdienst oder bei der Klostermahlzeit, die aus dem Leben eines Heiligen berichtet; dann sagenhaft ausgestaltete Erzählung von Heiligen oder Märtyrern. Legenden bilden die stoffliche Grundlage bedeutender Dichtungen, z. B. Hartmann von Aue ›Der arme Heinrich‹ und ›Gregorius‹ (S. 6), Hebbel ›Genoveva‹, Thomas Mann ›Der Erwählte‹ (S. 56).

Lehrdichtung (didaktische Dichtung): Dichtung, die Wissen, allgemeine Erkenntnisse oder Wahrheiten vermittelt. Im Altertum und Mittelalter ist die Dichtung mit lehrhaftem Charakter sehr häufig. Im 20. Jh. entwickelt B. Brecht das ‚Lehrstück' (S. 53), ein episch-dramatisches Thesenstück, das den Zuschauer nach dem Prinzip des ‚epischen Theaters' (s. d.) von politischen und sozialen Ideen überzeugen will.

Leich: Ursprünglich Gesang, Melodie, Weise; dann lyrische Gattungsform, die sich aus der lateinischen Sequenz (s. d.) des Kirchengesangs entwickelt und sich vom Lied (s. d.) durch unregelmäßige Strophenform, zweigliedrigen Strophenbau (statt des dreigliedrigen des Lieds) und freie Reim- und Versformen unterscheidet. Seit Walther von der Vogelweide (S. 10) wird die Bezeichnung Leich verwendet. Man unterscheidet den Tanz-, Minne- und religiösen Leich.

Lied: In Aussage und Form schlichteste lyrische Dichtung; einfache strophische Gliederung, Reimbindung, Sangbarkeit.

Literatursoziologie: Wissenschaft, die das Verhältnis von Dichter und Gesellschaft untersucht.

Lustspiel: Wird seit Gottsched (S. 18), meist gleichbedeutend mit ‚Komödie' (s. d.), für jedes Schauspiel mit heiterem Ausgang verwendet. Im engeren Sinn bezeichnet es ein Schauspiel, das „nicht Lächerlichkeit durch Aufdeckung der Unzulänglichkeiten" bezweckt (wie die Komödie), „sondern reines Lachen der Heiterkeit, entstanden aus der Überlegenheit des Wissens um menschlich-irdische Bedingtheit und getragen von einer fröhlich-verzeihenden, weil verstehenden Liebe zu Mensch und Natur, welche die Gegensätzlichkeit der Welt anerkennt, aber nicht richten oder ändern will" (v. Wilpert).

Lyrik (gr., ursprünglich von der Lyra = Leier begleitete Gesänge): Dichtungsgattung, die vorwiegend Gefühle, Leidenschaften, Stimmungen, Empfindungen, Erinnerungen und Erwartungen in gebundener Form wiedergibt.

Gestaltungsmittel der Lyrik sind z.B.: Metrum, Rhythmus, Vers, Reim und dichterisches Bild.

Zwei Grundformen der Lyrik lassen sich unterscheiden: Erlebnislyrik, die seelische Stimmungen unmittelbar ausdrückt; Gedankenlyrik, in der die Ideen des Dichters zum Gefühlsinhalt werden.

Außerdem stellt das Lyrische eine poetisch-stilistische Grundhaltung dar, die auch in der Epik und Dramatik auftreten kann. Hölderlins Roman ›Hyperion‹ (S. 30) und Hofmannsthals Drama ›Der Tor und der Tod‹ (S. 49) können als vorwiegend lyrische Dichtungen bezeichnet werden.

Die wichtigsten Formtypen der Lyrik sind: Lied, Ode, Elegie, Hymne, Dithyrambe, Sinngedicht, Sonett, Spruch oder Epigramm; die Balladik ist eine Mischform, die neben lyrischen auch epische und dramatische Elemente enthält, aber trotzdem meist zur Lyrik gerechnet wird.

Madrigal (it.): Kurzes einstrophiges Gedicht mit freier Silben-, Vers- und Reimfolge, z. B. Goethes „Über allen Wipfeln ist Ruh".

Manierismus: bezeichnet ursprünglich eine Stilrichtung der italienischen Malerei zwischen Hochrenaissance und Barock (etwa 1530–1600); dann, auf die Literatur übertragen, den sogenannten ‚Schwulststil' des Barocks (vgl. Euphuismus, Gongorismus, Marinismus, S. 17). Erweitert, wird heute der Begriff für alle antiklassischen Tendenzen der Kunst und Literatur gebraucht.

Märchen: Erzählt wundersame Begebenheiten; die Handlung ist nicht an Ort und Zeit gebunden. Die Naturgesetze sind aufgehoben: Es gibt sprechende Tiere, verwunschene Prinzessinnen, Zauberer, Feen, Hexen, Kobolde, Geister und Drachen. Am Ende steht meistens die Belohnung des Guten und die Bestrafung des Bösen. Die bedeutendste Sammlung deutscher Volksmärchen stammt von den Brüdern Grimm (S. 33). Im Gegensatz zum anonymen Volksmärchen ist das Kunstmärchen bewußte Schöpfung eines Dichters. Besonders die Romantiker sind Verfasser von Märchen, z. B. Tieck, Brentano, Hauff, E. T. A. Hoffmann; aber auch bis in die Gegenwart pflegen Dichter diese Gattung, z.B. Saint-Exupéry ›Der kleine Prinz‹.

Mauerschau (gr. Teichoskopie): Dramaturgisches Mittel, um Vorgänge in die Handlung einzubeziehen, die sich auf der Bühne nicht darstellen lassen (z. B. Schlachtszenen). Ein auf einer Mauer (Turm, Hügel etc.) stehender Beobachter berichtet dem Zuschauer, als ob er von seinem Standpunkt aus den Vorgang sähe. In der Antike, bei Shakespeare und im klassischen deutschen Drama wird die Teichoskopie vielfach verwendet, z. B. ›Prinz Friedrich von Homburg‹ II, 2 (S. 28).

Mäzen (lat.): Förderer von Dichtern oder anderen Künstlern; genannt nach Mäcenas, dem Gönner Ovids und Vergils (S. 1).

Meistersang: Vom Minnesang (s. d.) beeinflußte und von bürgerlichen Zunfthandwerkern geschaffene Kunstform, die strengen Formgesetzen unterliegt (S. 14).

Memoiren (fr.): Lebenserinnerungen, Denkwürdigkeiten. Während die Autobiographie (s. d.) die eigene Person in den Mittelpunkt stellt, wird in den Memoiren vorwiegend über selbsterlebte historische Ereignisse und über Zeitgenossen berichtet. Die Gattung erreicht in Frank-

Strindberg. Er entnimmt seine Themen meist der Schattenseite des Lebens:Armut, Großstadtelend, Krankheit, Verbrechen; seine Haltung ist gesellschaftskritisch.

Neuromantik: Eine dem Symbolismus (s. d.) verwandte, ebenfalls gegen den Naturalismus gerichtete literarische Strömung um 1900, die viele Züge mit der Romantik gemeinsam hat, z. B. Vorliebe für Sage, Mythos, Legende, für Wunderbares und Geheimnisvolles, für Gefühlsbetontheit und Musikalität (s. Symbolismus).

Nibelungenstrophe: Besteht aus vier Langzeilen, von denen je zwei durch Endreim verbunden sind. Jede Langzeile besteht aus zwei Halbzeilen, den vierhebigen Anversen und den dreihebigen Abversen; nur der Abvers der vierten Langzeile hat vier Hebungen.

Ez wúohs in Búrgóndèn
         ein vil édel mágedîn
dáz in állen lándén
         niht schóeners móhte sîn,
Kríemhílt gehéizèn:
         sie wárt ein scóene wîp.
dar úmbe múosen dégenè
         víl verlíesén den lîp.

Novelle: Sie vermittelt im Gegensatz zu vielen Romanen weder ein umfassendes Bild einer Epoche, noch schildert sie ganze Lebensläufe. Sie greift Einzelsituationen aus dem Leben heraus, die für die Betroffenen eine Schicksalswende bedeuten. Goethe definiert die Novelle als „eine sich ereignete, unerhörte Begebenheit". Nicht die Personen, sondern das, was ihnen widerfährt, ist wichtig. Die Novelle verzichtet auf längere Exposition, Beschreibung und Reflexion; sie ist – ähnlich dem Drama – straff und zielstrebig komponiert. Diese Kennzeichen unterscheiden die Novelle vom Roman

(s. d.). Die klassischen Vorbilder der Novellistik sind Boccaccios ›Decamerone‹ (14. Jh.) und die Musternovellen ›Novelas ejemplares‹ von Cervantes (17. Jh.). In Deutschland begründet Goethe mit seiner ›Novelle‹ diese Gattungsform; Kleist, Tieck, E. T. A. Hoffmann, Gotthelf, Keller, Meyer, Stifter und Storm schaffen Meisterwerke der Novellistik.

Ode (gr.): Lyrische Form mit bestimmtem metrischen Strophenaufbau, reimlos; Aussage des Weihevollen und Erhabenen; gezügeltes Pathos. Höhepunkte der deutschen Odendichtung stellen Klopstock (S. 19) und Hölderlin (S. 30) dar. Die Strophenformen sind der griechischen Lyrik entnommen. Die wichtigsten sind die alkäische, die sapphische und die asklepiadeische Strophe. Ihr Rhythmus beruht auf dem Wechsel von langen (—) und kurzen (˘), im Deutschen betonten und unbetonten Silben.

1. Die alkäische Strophe (nach Alkaios, um 600 v. Chr.)

˘ — ˘ — — — ˘ ˘ — ˘ —
˘ — ˘ — — — ˘ ˘ — ˘ —
˘ — ˘ — — ˘ — ˘
— ˘ ˘ — ˘ ˘ — ˘ — —

Nur einen Sommer gönnt, ihr Gewaltigen!
Und einen Herbst zu reifem Gesange mir,
  Daß williger mein Herz, vom süßen
    Spiele gesättiget, dann mir sterbe!
        (Hölderlin ›An die Parzen‹)

2. Die asklepiadeische Strophe (nach Asklepiades, um 270 v. Chr.)

— ˘ — ˘ ˘ — — — ˘ ˘ — ˘ ˘
— ˘ — ˘ ˘ — — — ˘ ˘ — ˘ ˘
— ˘ — ˘ ˘ — ˘
— ˘ — ˘ ˘ — ˘ ˘

Schön ist, Mutter Natur, deiner Erfin-
              dung Pracht,
auf die Fluren verstreut, schöner ein froh
              Gesicht,
  Das den großen Gedanken
  Deiner Schöpfung noch einmal denkt.
    (Klopstock ›Der Zürchersee‹)

füge. Einfache P.: ein Haupt- und ein Gliedsatz; zusammengesetzte P.: Gefüge von mehreren Haupt- und Gliedsätzen. Anwendung: historische Periode: eine Begebenheit wird mit ihren näheren Umständen erfaßt; oratorische Periode: ein Gedanke wird durch kunstvollen Satzbau für den Hörer wirkungsvoll.

Peripetie (gr.): Von Aristoteles geprägter Begriff, der eine unerwartete Wendung, einen ‚Glückswechsel‘, im Schicksal des dramatischen Helden – zum Schlimmen in der Tragödie, zum Guten in der Komödie – bedeutet.

Persiflage (fr.): Geistreiche Verspottung (s. Parodie).

Personifizierung: Ein Gegenstand oder ein Begriff wird als Person vorgestellt, z. B.: Lügen haben kurze Beine.

Petrarkismus: Stilform der europäischen Liebesdichtung, die auf Petrarca zurückgeht und bis zum Barock vorbildlich bleibt. Inhalt dieser Dichtungen sind Frauenpreis, Beschreibung körperlicher Schönheit, Liebeslust und -leid. In Deutschland ist Opitz (S. 16) der bedeutendste Vertreter dieser Richtung.

Pietismus (lat.): Bewegung (etwa 1670–1740) gegen die erstarrte und veräußerlichte protestantische Orthodoxie. Persönliches Gotteserlebnis, Herzensfrömmigkeit und Nächstenliebe sowie Entfaltung der geistig-seelischen Kräfte verbinden ihn mit der Mystik (s. d.). Er befruchtet zunächst das protestantische Kirchenlied, betont das Gefühlserlebnis, öffnet sich seelischen Regungen und wirkt so auf die Dichtung von Klopstock (S. 19), Lenz (S. 22), Herder (S. 21), des Göttinger Hains (S. 19) und Goethes.

Pleonasmus (gr.): Unnütze Anhäufung von Wörtern gleicher oder ähnlicher Bedeutung, z. B. alter Greis.

Poetik (gr.): Lehre vom Wesen, von Formen und Gattungen der Dichtung. Ihr Begründer ist Aristoteles mit seiner Schrift ›Über die Dichtkunst‹. Opitz hat 1624 mit seinem ›Buch von der deutschen Poeterey‹ (S. 16) die erste deutschsprachige Poetik geschaffen. Während die Poetiken des Barocks (S. 16) und der Aufklärung (z. B. Gottscheds ›Critische Dichtkunst‹, S. 18) im wesentlichen feste Regeln und praktische Anweisungen für die Dichtung aufstellen, sind seit Lessing (ästhetische und kritische Schriften, S. 19, 20) und dem ‚Sturm und Drang‘ Wesensbestimmung und Deutung der Dichtung Hauptanliegen der Poetik (Herder S. 21, Schiller S. 26, Goethe S. 22 ff., Brüder Schlegel S. 32 usw.).

Pointe (fr.): zugespitzte Formulierung, durch die der eigentliche Sinn erkennbar wird; besonders wichtig bei Witz, Anekdote, Fabel, Glosse.

Posse: Dramatische Gattung, die hauptsächlich von der Situationskomik lebt, die Gesetze der Wahrscheinlichkeit nicht beachtet und meist menschliche Unzulänglichkeiten, Schwächen und Narrheiten verspottet. Während im 17. und 18. Jahrhundert Possen meist von fahrenden Schauspielern aufgeführt werden, erreichen im Wiener Volkstheater bei Raimund die Zauberposse (S. 37) und bei Nestroy (S. 37) die satirische oder parodistische Posse literarischen Rang. Im bayerisch-österreichischen Raum lebt die Bauernposse im Volkstheater bis heute weiter.

Preislied: Germanisches Lied, in

dem – oft aus dem Stegreif – die Taten eines Helden besungen und verherrlicht werden (S. 2).

Prolog (gr.): Vorrede, Einleitung (im Gegensatz zum Epilog), beim griechischen Drama vom Dichter, von einem Schauspieler oder vom Chor gesprochen. Aus dem Prolog kann sich eine geschlossene Szene, ein Vorspiel entwickeln (vgl. Prolog im Himmel zum ›Faust‹, S. 24), das zur Haupthandlung hinführt.

Prosa: Nicht durch Takt, Reim oder Strophe gebundene Sprache (Unterschied zu ‚freien Rhythmen‘, s. d.: nicht in Verse gefaßt). Trotzdem bestehen Bindungen (die es auch bei der gebundenen Sprache gibt): z. B. Aufbau und Spannungsgefüge des Satzes, Verbindung der Sätze zur Erzählkette, Steigerung der Handlung, Höhepunkt, Wendepunkt, Lösung.

Pseudonym (gr.): Falscher, d. h. vom Dichter erfundener Name, unter dem seine Werke erscheinen; z. B. Angelus Silesius = Johann Scheffler (S. 17), Novalis = Friedrich Leopold Freiherr von Hardenberg (S. 32), Jean Paul = Johann Paul Friedrich Richter (S. 31), Jeremias Gotthelf = Albert Bitzius (S. 41 u. 43), Nikolaus Lenau = Nikolaus Franz Niembsch Edler von Strehlenau (S. 36).

Rahmenerzählung: Die Rahmenerzählung besteht aus Binnenerzählung und umschließendem Rahmen. Der Rahmen kann aus Einführung und Abschluß oder einer Handlung (Rahmenhandlung) bestehen.

Realismus: Allgemein naturnahe Darstellung von Menschen, Dingen oder Vorgängen im Gegensatz zu idealisierender Verklärung oder romantischer Verzauberung. Der poe-

tische Realismus, so genannt nach Otto Ludwig, umfaßt die Zeit zwischen Romantik und Naturalismus (etwa 1850–1880, S. 39 ff.). Er ist gekennzeichnet durch „bewußte Wendung zur weltoffenen Wirklichkeitsdarstellung, unparteiische Beobachtung und Schilderung der von den Sinnen faßbaren Welt ... in Abkehr von der idealisierenden ... Kunst der Klassik, dem phantasievollen Subjektivismus und der weltfernen Schwärmerei der Romantik ebenso wie von der Tendenzliteratur und dem Aktualismus des Jungen Deutschlands.“ (G. v. Wilpert) (S. 38).

Reduktion: Beschränkung auf wenige Ausdrucksmittel, Technik der Aussparung.

Refrain: s. Kehrreim.

Reim: Assonanz: Gleichklang der Vokale, nicht der Konsonanten im Reimwort.
Binnenreim: Gleichklang innerhalb eines Verses. Beispiel: Wer die Wahl hat, hat die Qual.
Endreim: Gleichklang der Endsilben. Möglichkeiten:
a) weiblicher oder klingender Reim = zwei- oder mehrsilbiger Reim, trägt die Betonung nicht auf der letzten Silbe. Beispiel: singen – klingen;
b) männlicher oder stumpfer Reim = einsilbiger Reim, trägt die Betonung auf der letzten Silbe. Beispiel: Rat – Tat.
Möglichkeiten in der Reimbindung: Paarreim (aabb), Kreuzreim (abab), umgreifender Reim (abba).
Stabreim: verbindet sinnbetonte Wörter, die entweder mit demselben Konsonanten oder einem beliebigen Vokal anlauten. Im germanischen Langvers können alle vier betonten Silben staben; im 1. Halbvers muß die 1. oder die 2. staben; im 2. Halb-

vers muß die 1. staben. Im Kurzvers müssen beide betonten Silben staben.

Unreiner Reim: Die Vokale oder die Schlußkonsonanten stimmen nicht völlig überein. Beispiel: Gemüt – Lied; sprang – ertrank.

Renaissance (fr.): Allgemein Wiedergeburt, bzw. Wiederaufleben einer vergangenen Kulturepoche, z. B. Karolingische Renaissance (S. 3). Im engeren Sinn die Epoche des Übergangs vom Mittelalter zur Neuzeit (etwa 1350–1600). Ausgangspunkt und Zentrum der Renaissance ist Italien. Die Literatur dieser Zeit ist vom Geist des Humanismus (s. d.) geprägt.

Retardierendes Moment: Den Fortgang der Handlung verzögerndes Element.

Rhetorische Frage: Aussage oder Ausruf in Frageform; sie will die Aufmerksamkeit des Hörers erregen; erwartet keine Antwort.

Rhythmus: Im Unterschied zum gleichbleibenden Takt die lebendige, sinngemäß wechselnde Bewegung der Sprache, die durch Betonung und Pausen entsteht. Fallender (steigender) Rhythmus: eine rhythmische Bewegung, die, zusammen mit der Sprachmelodie, den Eindruck des Fallens (Steigens) erweckt.

Ritornell (it.): Sonderform der Terzine (s. d.); dreizeilige Strophe, deren erste und dritte Zeile reimt, während die zweite reimlos bleibt.

Blühende Myrte –
ich hoffte süße Frucht von dir zu pflücken;
die Blüte fiel; nun seh ich, daß ich irrte.
                    (Th. Storm ›Frauenritornell‹)

Rokoko (fr.): Begriff der bildenden Kunst, der, auf die Literatur übertragen, die heitere, erotisch-galante Poesie der Zeit von etwa 1730–1750 bezeichnet (s. Schäferdichtung, Anakreontik).

Rollenlied bzw. -gedicht: Lied oder Gedicht, bei dem der Dichter seine Empfindungen und Gedanken einer typischen Person in den Mund legt, z. B. Goethe ›Schäfers Klagelied‹, Uhland ›Des Knaben Berglied‹. Die Minnesänger lassen oft in Rollenliedern Ritter und Dame im Wechsel ihre Gefühle aussprechen (S. 9).

Roman: Er verdrängt als epische Großform in der Neuzeit weitgehend das Epos. Während dieses ein verbindliches Gesamtbild einer Epoche oder zumindest einer Gesellschaftsschicht darstellt, zeigt der Roman die Entwicklung einer Einzelpersönlichkeit, ihres Charakters, ihres individuellen Schicksals oder das Verhalten einer Gruppe von Menschen. Der Roman ist eine sehr freie Form der Dichtung; Bericht (s. d.), Erzählung (s. d.), Beschreibung (s. d.), Schilderung (s. d.), dramatischer Dialog (s. d.), innerer Monolog (s. d.) können abwechselnd verwendet werden; lyrische Gedichte (z. B. die Lieder des Harfners und Mignons im ›Wilhelm Meister‹, S. 24) können eingefügt werden.

Die Einteilung des Romans kann nach verschiedenen Gesichtspunkten erfolgen:

a) Nach Stoff oder geistigem Gehalt: Entwicklungs- oder Bildungsroman (Goethes ›Wilhelm Meister‹, S. 24; Jean Pauls ›Titan‹, S. 31; Kellers ›Der grüne Heinrich‹, S. 41), Schelmenroman (›Lazarillo de Tormes‹, S. 15), Reise- oder Abenteuerroman (Defoes ›Robinson Crusoe‹; Th. Manns ›Geschichte des Hochstaplers Felix Krull‹, S. 56), Gesellschaftsroman, Staatsroman, historischer

Roman, Zeitroman, Künstlerroman, Liebesroman, psychologischer Roman usw.

b) Nach der Form: Ich-Roman, Briefroman usw.

c) Nach der Erzählhaltung oder Aussageweise: Empfindsamer, humoristischer, realistischer, idealistischer, didaktischer Roman usw.

Romantik: Literaturepoche von etwa 1798 bis etwa 1830. F. Schlegel definiert die romantische Dichtung folgendermaßen: „Die romantische Poesie ist eine progressive Universalpoesie. Ihre Bestimmung ist nicht bloß, alle getrennten Gattungen der Poesie wieder zu vereinigen und die Poesie mit der Philosophie und Rhetorik in Berührung zu setzen. Sie soll auch Poesie und Prosa, Genialität und Kritik, Kunstpoesie und Naturpoesie bald vermischen, bald verschmelzen", und sie „allein ist unendlich, wie sie allein frei ist, und erkennt als erstes Gesetz an, daß die Willkür des Dichters kein Gesetz über sich leide" (zitiert nach Wilpert). (S. 32)

Romanze: Der Ballade (s. d.) nahestehendes volkstümliches Preislied auf einen sagenhaften Helden oder auf einen historischen Vorgang, z. B. die Freiheitskämpfe der Spanier gegen die Mauren. Von den Romantikern in die deutsche Dichtung eingebürgert (schon Gleim schreibt Romanzen). Formal steht sie dem Lied nahe, bevorzugt die einfache vierzeilige Liedstrophe, wobei die Reime oft durch Assonanzen ersetzt werden.

Saga: Altnordische Prosaerzählung, meist im 12. bis 14. Jh. aufgeschrieben. Sie spiegelt das Leben von Bauern, Seefahrern, Helden und Königen in Nordeuropa, besonders in Island.

Sage: Ursprünglich mündlich überlieferte Erzählung mit geschichtlichem Hintergrund. Im Gegensatz zum Märchen (s. d.) ist sie an einen bestimmten Ort, eine bestimmte Zeit oder eine bestimmte Persönlichkeit gebunden (germanische Sagenkreise S. 2). Heldensagen oder historische Sagen ranken sich häufig um bedeutende geschichtliche Persönlichkeiten, z. B. Dietrich von Bern, Karl d. Großen, Barbarossa. Die dichterisch geformte Heldensage wird zum Heldenlied (s. d.). Volks- oder Lokalsagen berichten häufig von Begegnungen mit übernatürlichen Wesen (z. B. Rübezahl). Das christliche Gegenstück zur Sage ist die Legende (s. d.).

Satire: Literarische Verspottung von Mißständen, Anschauungen, Ereignissen, Personen. Entlarvung des Kleinlichen, Schlechten, Ungesunden. Kann als Stilform die Gesamtkonzeption (Sebastian Brant ›Das Narrenschiff‹, S. 14) oder Einzelstellen einer Dichtung bestimmen. In der Literatursatire werden literarische Werke oder literarische Strömungen in künstlerischer Form verspottet.

Schäferdichtung (auch arkadische, bukolische Dichtung oder Hirtendichtung genannt): Sie errichtet — oft im Gegensatz zur unruhigen und friedlosen Wirklichkeit — das künstliche Paradies einer einfachen, naturnahen Schäferwelt. Bereits in der Antike ist die Schäferdichtung weit verbreitet. Im Barock und Rokoko wird das Schäferspiel zum Gesellschaftsspiel der höfischen und bürgerlichen Gesellschaft; Epik, Lyrik und Drama dieser Zeit entnehmen ihre Motive häufig der Welt der Schäfer (S. 16).

Schauspiel: Allgemein Bezeichnung für Drama; im engeren Sinn Zwischenform zwischen Trauer- und Lustspiel, in der der tragische Konflikt zwar vorhanden ist, aber durch Einsicht oder Läuterung des Helden überwunden wird, z. B. Lessings ›Nathan‹ (S. 20), Schillers ›Wilhelm Tell‹ (S. 27), Goethes ›Ipigenie‹ (S. 23), Kleists ›Prinz Friedrich von Homburg‹ (S. 28).

Schilderung: Darstellung eines Gegenstandes, eines Lebewesens, einer Landschaft, eines Kunstwerks ohne zeitlich ablaufende Handlung, aber – im Unterschied zur Beschreibung – mit ausdrücklicher persönlicher Anteil- und Stellungnahme.

Schnitt: Bei Hörspiel und Film Wiederaufnahme der gleichen Handlungslinie nach einer Unterbrechung; oft wird die Zeit übersprungen, oft der Raum gewechselt (s. Blende).

Scholastik: Philosophisch-theologisches System, das sich auf die christliche Offenbarung und die aristotelische Philosophie gründet und Wissen und Glauben zu vereinigen sucht (S. 12).

Schwank: Epische oder dramatische Gestaltung einer lustigen, meist derbkomischen Begebenheit oder eines Schelmenstücks. Häufig ranken sich Schwänke um bestimmte literarische Gestalten, z. B. Till Eulenspiegel (S. 14), Hans Sachs (S. 14) und Jörg Wickram (S. 14) sind als Verfasser oder Gestalter von Schwänken besonders bekannt.

Segen: s. Zauberspruch.

Sekundenstil: Von A. Holz und J. Schlaf (S. 45) entwickelte Technik des Naturalismus, die alle inneren und äußeren Vorgänge mit größter Präzision in einer Art von Zeitlupe erfassen und festhalten soll. „Der Dichter wird zum reinen Wahrneh-

mungsorgan, zum vollkommenen Zuschauer, für den jede wahrgenommene Einzelheit gleich wichtig ist" (Bantel).

Semantik (gr.): Teilgebiet der Sprachwissenschaft, das die Bedeutung und den Bedeutungswandel sowie den Anwendungsbereich von Wörtern im Zusammenhang einer sprachlichen Äußerung untersucht.

Semasiologie (gr.): Meist synonym für Semantik (s. d.) verwendet.

Semiotik (gr.): Lehre von der Bedeutung der Wörter und Zeichen. Meist synonym für Semantik (s. d.) verwendet.

Senkung: Unbetonter Teil des Metrums (s. d.). S. Hebung.

Sentenz: Knapp und allgemeingültig formulierte Erkenntnis.

Sequenz: Ursprünglich ein an die letzte Silbe des Halleluja anknüpfender Koloraturgesang, dem ein Text unterlegt wird. Später selbständiger Formtyp. Im katholischen Gottesdienst sind die Pfingstsequenz ›Veni sancte spiritus‹ und andere Sequenzen noch heute gebräuchlich.

Short Story: Ursprünglich Sammelname für verschiedene Arten von Kurzepik (z. B. Novelle, Erzählung, Anekdote) der englischsprachigen Literatur. Die Short Story entsteht mit dem aufblühenden Zeitungswesen in der ersten Hälfte des 19. Jh.s in den USA; die bedeutendsten Autoren sind Edgar Allen Poe, N. Hawthorne, Bret Hart, Melville, Mark Twain, Jack London, E. Hemingway, John Steinbeck, W. Faulkner, Th. Wolfe. In den zwanziger Jahren führt die Übersetzung ihrer Werke zur Entstehung der Gattung der Kurzgeschichte (s. d.) in Deutschland.

Sinngedicht: Zur Zeit des Barocks und Rokokos Bezeichnung für Spruch: meist zwei oder vier gereimte Zeilen, in denen in treffenden Bildern und Wortfügungen eine allgemeine Erkenntnis, Wahrheit oder Lebensweisheit wiedergegeben werden (Logau und Silesius, S. 17).

Skizze: Allgemein flüchtige Aufzeichnung; im engeren Sinn epische Kurzform ohne Handlung, die nur eine Stimmung, Betrachtung oder einen Tatbestand festhält.

Sonett: Vierstrophiges Gedicht mit vierzehn fünffüßigen jambischen Versen; es ist in einen Aufgesang von zwei vierzeiligen Strophen (Quartette) und in einen Abgesang von zwei dreizeiligen Strophen (Terzette) gegliedert. Für die Quartette ist die Reimfolge abba verbindlich; die Terzette können freier gestaltet werden. Ein Mustersonett A. W. Schlegels lautet:

Zwei Reime heiß' ich viermal kehren
                                    wieder
und stelle sie, geteilt, in gleiche Reihen,
daß hier und dort zwei eingefaßt von
                                    zweien
im Doppelchore schweben auf und
                                    nieder.

Dann schlingt des Gleichlauts Kette
                        durch zwei Glieder,
sich freier wechselnd, jegliches von
                                    dreien.
In solcher Ordnung, solcher Zahl
                                    gedeihen
die zartesten und stolzesten der Lieder.

Den werd' ich nie mit meinen Zeilen
                                    kränzen
dem eitle Spielerei mein Wesen dünket
und Eigensinn die künstlichen Gesetze.

Doch, wem in mir geheimer Zauber
                                    winket,
dem leih' ich Hoheit, Füll' in engen
                                    Grenzen
und reines Ebenmaß der Gegensätze.

Song (engl.): Lied mit aktuellem sozialkritischen oder tendenziösen Inhalt; z. B. in Bert Brechts ›Dreigroschenoper‹ (S. 53).

Spielmann: Fahrender Sänger und Musiker, besonders des Hochmittelalters, der ursprünglich nur die mündlich überlieferte Heldendichtung vorträgt, später aber selbst als Dichter auftritt. ›König Rother‹ und ›Herzog Ernst‹ werden als Spielmannsepen bezeichnet (S. 5).

Spondeus: s. Versfuß; Schema x́x́. Neben Jambus (s. d.) und Trochäus (s. d.) der dritte zweisilbige Versfuß, bestehend aus zwei Hebungen resp. zwei betonten Silben.

Sprachgesellschaften: Vereinigungen von Fürsten, Hofbeamten, Gelehrten und Dichtern zur Pflege von Sprache und Dichtung, die zur Zeit des Barocks in Deutschland entstehen (S. 16). Vorbild ist die ‚Accademia della crusca' – gegründet 1528 in Florenz.

Spruch: Mittelhochdeutsche, meist einstrophige Gedichtform mit fließenden Grenzen zum Lied (s. d.). Meister der Spruchdichtung ist Walther von der Vogelweide (S. 10), der in ihr zu politischen, religiösen und ethischen Problemen der Zeit Stellung nimmt, aber auch persönliche Erfahrungen und Nöte ausdrückt. Eine wichtige Rolle spielte die Spruchdichtung auch im Barock (s. Sinngedicht).

Stabreim (Alliteration): Älteste gemeingermanische Reimform; zwei oder drei Hebungssilben einer Zeile beginnen mit dem gleichen Laut (Vokale staben alle miteinander).

(s. Reim)
Winterstürme wichen dem Wonnemond
im milden Lichte leuchtet der Lenz
                            (Richard Wagner)

Stanze (it.): Von der italienischen Renaissance-Epik (Ariost ›Der rasende Roland‹, Tasso ›Das befreite Jerusalem‹) entwickelte achtzeilige Strophe, die aus fünffüßigen jambischen Versen besteht. Reimschema meist ab ab ab cc z. B. Goethes ›Zueignung‹.

Stichomythie (gr.): Dramatischer Dialog, in dem Rede und Gegenrede von Zeile zu Zeile wechseln. Schärfste Form der Gegenüberstellung; oft Höhepunkt der dramatischen Auseinandersetzung (z. B. Sophokles ›Antigone‹ [S. 1] Vers 508–523 und Goethe ›Iphigenie‹ [S. 23] Vers 1804–1809). Besonders häufig im Barockdrama.

Strophe: Eine Gruppe von mindestens zwei Versen.

Sturm und Drang: Epoche der deutschen Literatur von 1767 bis 1785 (auch Geniezeit genannt), benannt nach dem gleichnamigen Drama von Klinger (S. 21). Sie entsteht als Gegenbewegung zum Verstandeskult der Aufklärung und verherrlicht das ‚Originalgenie‘ als Künstler.

Surrealismus: Dem Symbolismus (s. d.) nahestehende und vom Dadaismus (s. d.) und der Psychoanalyse Freuds beeinflußte Strömung der modernen Kunst und Literatur, die von Frankreich in der Zeit nach dem Ersten Weltkrieg ausgeht. Sie will die Überwindung des Realen und Logischen durch Aufhebung der Grenzen zwischen Wirklichkeit und Traumwelt erreichen und durch paradoxe Kombinationen eine hintergründige Realität, eine ‚Überwirklichkeit‘ darstellen. In der deutschen Literatur finden sich surrealistische Elemente bei A. Döblin (S. 51), H. Kasack (S. 60) und besonders bei F. Kafka (S. 57).

Symbol: Ein sinnlich gegebenes und faßbares bildkräftiges Zeichen, das über sich hinaus auf einen höheren, abstrakten Bereich verweist.

Symbolismus: Von Frankreich ausgehende, seit etwa 1890 in Deutschland gegen den Naturalismus gerichtete Bewegung. Sie sieht die Aufgabe der Dichtung nicht mehr in der Abbildung der Realität, sondern will mit Hilfe einer kunstvoll gestalteten musikalischen Sprache und oft eigenwilliger Symbolik eine tiefere Wirklichkeit erschließen (S. 48/49).

Synästhesie: Verschmelzung verschiedenartiger Sinneseindrücke, z. B. Farben hören (knallrot), Klänge sehen (helle und dunkle Töne).

Synonyme (gr.): Sinnverwandte Wörter mit weitgehend gleicher Bedeutung.

Tabulatur: Regelbuch des Meistersangs mit Vorschriften für Sprache, Ausdruck, Reim, Betonung und Vortrag (S. 14).

Tagebuch: Den Zeitablauf begleitende Aufzeichnungen, oft autobiographischen Inhalts, a) als Materialsammlung, b) als Beschreibung und Schilderung, c) als Rechenschaft über das eigene Leben, d) als Auseinandersetzung mit der Umwelt.

Tagelied: Gattung des europäischen Minnesangs, deren Thema der Abschied zweier Liebenden im Morgengrauen ist. Oft leitet der warnende Ruf des Wächters – daher auch Wächterlied genannt – das Lied ein; von ihm geweckt, beteuern Ritter und Dame in Rede und Gegenrede ihre Liebe und ihren Abschiedsschmerz. Das Tagelied entsteht in der Provence; in Deutschland sind

Morungen (S. 10), Walther (S. 10) und Wolfram (S. 7) Klassiker dieser Gattung.

Takt: Regelmäßige Wiederkehr von Betonungen. S. Metrum.

Tautologie (gr.): Doppelaussage; d. h. Bezeichnung eines Begriffes oder Sachverhaltes durch zwei Wörter gleicher oder ähnlicher Bedeutung, z. B. immer und ewig, voll und ganz.

Teichoskopie: s. Mauerschau.

Telegrammstil (gr.): Stellt Sachverhalte in äußerster Kürze – oft stichwortartig – dar. Vgl. S. 50 Expressionismus.

Tendenzdichtung: s. Engagierte Literatur.

Terzine: Dreizeilige, aus fünffüßigen jambischen Versen bestehende Strophe; der Versausgang der 2. Zeile wiederholt sich jeweils im Reim der 1. und 3. Zeile in der nächsten Strophe. Reimfolge aba bcb cdc usw.

Salas y Gomez raget aus den Fluten
des stillen Meers, ein Felsen kahl und
                                    bloß,
verbrannt von scheitelrechter Sonne
                                    Gluten.
Ein Steingestell ohn' alles Gras und
                                    Moos,
das sich das Volk der Vögel auserkor
zur Ruhstatt im bewegten Meeresschoß.
So stieg vor unsern Blicken sie empor . . .
                    (Chamisso ›Salas y Gomez‹)

Tetralogie (gr.): Im antiken Griechenland drei meist thematisch zusammengehörige Tragödien (vgl. Trilogie) und ein Satyrspiel, die zu gemeinsamer Aufführung bestimmt waren. In der deutschen Literatur hat G. Hauptmann eine Atriden-Tetralogie (S. 46) geschaffen. Auch

Thomas Manns Josefs-Romane (S. 56) werden Tetralogie genannt.

Tragik: Das Wesen der Tragik wird seit Aristoteles immer wieder von Philosophie und Ästhetik, von Poetik und Literaturwissenschaft neu und je nach Zeitauffassung oder Standpunkt anders definiert. Die Tragik entspringt dem Konflikt gleichrangiger, einander ausschließender, erhabener Werte oder dem Zusammenstoß zwischen dem Individuum und dem übermächtigen Schicksal, in dem sich der Held auch im Scheitern behauptet. Der Konflikt kann den Menschen z. B. vor die Entscheidung zwischen zwei Pflichten stellen (z. B. Antigone zwischen dem Gebot des Staates und dem Gesetz der Götter [S. 1]), in die Entscheidung zwischen persönlichem Glück und Pflicht gegenüber der Gemeinschaft (z. B. Penthesilea zwischen der Liebe zu Achill und dem Gesetz des Amazonenstaates [S. 28]); der tragische Held kann als Vorkämpfer einer neuen Idee oder neuen Ordnung auftreten (z. B. Marquis Posa in ›Don Carlos‹, S. 27) oder er kann im Zusammenstoß mit der etablierten Ordnung scheitern (z. B. Woyzeck, S. 39).

Tragikomödie: Drama, in dem sich Tragik und Komik gegenseitig durchdringen und erhellen. Die Bezeichnung wird von Plautus (S. 1) für sein Drama ›Amphitruo‹ geprägt, weil dort neben Göttern und Königen auch Sklaven auftreten und tragische und komische Elemente vermischt sind. In der Renaissance und im Frankreich des 17. Jh. wird die Tragikomödie als ein ernstes Spiel mit heiterem Ausgang definiert. Opitz (S. 16) und Gottsched (S. 18) lehnen eine Vermischung von Tragik und Komik ab. Für Lessing (S. 20) ist die Tragikomödie die „Vorstellung einer wichtigen Handlung unter vornehmen Personen, die einen vergnügten Ausgang hat" und in der „der Ernst das Lachen, die Traurigkeit die Freude oder umgekehrt so unmittelbar erzeugt, daß uns die Abstraktion des einen oder des anderen unmöglich fällt" (›Hamburgische Dramaturgie‹).

Tragödie: Wichtigste dramatische Gattungsform neben der Komödie. Sie gestaltet einen unabwendbaren Konflikt des Individuums mit der sittlichen Weltordnung oder mit dem Schicksal, der zum Untergang oder zumindest dem Unterliegen des Helden führt (s. Tragik). Stets geht es in der Tragödie um „letzte Daseinsfragen der Menschheit, um Freiheit und Notwendigkeit, um Charakter und Schicksal, Schuld und Sühne, Ich und Welt, Mensch und Gott" (G. v. Wilpert). Die Tragödie erweckt beim Zuschauer nicht nur Mitleid und Trauer, Ehrfurcht und Bewunderung, sondern eine Erschütterung der Seele (s. Katharsis).
Man unterscheidet ,Schicksalstragödie‘, in der das Leid von außen über den Helden kommt (z. B. ›Ödipus‹, S. 1), und ,Charaktertragödie‘, in der es im Charakter des Helden begründet ist (z. B. ›King Lear‹, S. 15); häufig sind beide Formen verbunden. Die Tragödie entsteht aus den Chorgesängen zu Ehren des Gottes Dionysos. Aischylos, Sophokles und Euripides sind das Dreigestirn der griechischen Tragödiendichtung (S. 1). Die römische Tragödie ist von der griechischen abhängig. Das Mittelalter bringt keine Tragödien hervor, weil christliche Heilsbotschaft und tragische Weltsicht einander ausschließen. Während Shakespeare (S. 15) alle Leidenschaften des Menschen, seine Größe und Begrenztheit darstellt und die französischen Klassiker (S. 15) die Tragik durch Vernunft überwinden, sind die deutschen Barockdramen eigentlich keine Tragödien; denn der gläubige Held sieht im Tod die Befreiung von der Last des Diesseits und triumphiert über seine Peiniger. Erst Lessing (S. 19/20), Goethe (S. 22/23) und Schiller (S. 22 und 27) schaffen echte Tragödien.

Trauerspiel: Begriff, der seit dem Barock meist mit ,Tragödie‘ (s. d.) gleichgesetzt wird. Im engeren Sinn bezeichnet er ein Schauspiel mit traurigem Ausgang ohne eigentliche Tragik (s. d.).

Travestie (lat. it.): s. Parodie.

Trilogie (gr.): Eine aus drei meist motivlich und stofflich zusammenhängenden, jedoch einzeln verständlichen Teilen bestehende Dichtung. In der Antike drei zusammengehörige Tragödien oft aus demselben Mythenkreis, z. B. die ›Orestie‹ des Aischylos (S. 1). In der neueren deutschen Dichtung sind Schillers ›Wallenstein‹ (S. 27) und Hebbels ›Nibelungen-Trilogie‹ (S. 40) die bekanntesten Beispiele.

Trivialliteratur (lat.): Unterhaltungsliteratur ohne dichterischen Wert.

Trochäus: s. Versfuß; Schema x́x: eine Hebung und eine Senkung resp. eine betonte und eine unbetonte Silbe (Umkehrung des Jambus, s. d.).

Wárum gábst du úns die tíefen Blícke
x́ x / x́   x / x́ x / x́ x / x́ x
(Goethe)

Tropus: Ursprünglich textlich-musikalische Erweiterung der Liturgie; später dialogischer Wechselgesang, aus dem das geistliche Drama des Mittelalters entsteht (S. 5).

Troubadour: Provenzalische Bezeichnung für den ritterlichen Minnesänger und Dichter (S. 9).

Trouvère: Bezeichnung für den nordfranzösischen Minnesänger und Dichter (S. 9).

Utopie (gr.): Bezeichnet nach dem Titel des Staatsromans ›Utopia‹ von Thomas Morus (1516) die Darstellung eines Idealzustandes von Staat und Gesellschaft, der nicht zu verwirklichen ist (s. auch die Novelle ›Wir sind Utopia‹ von Stefan Andres). Auch technische Zukunftsromane werden als utopische Romane bezeichnet.

Vagantendichtung (lat.): Lyrik der fahrenden Kleriker des Hochmittelalters, in der Ungebundenheit und Lebensgenuß verherrlicht wird (S. 9). Der bedeutendste dieser Dichter ist der Archipoeta (S. 9); die bekannteste Sammlung der Vagantenlyrik sind die ›Carmina Burana‹ (S. 9).

Verfremdungseffekt: Das Verändern gewohnter Erscheinungen oder Zusammenhänge ins Ungewöhnliche. Brecht hat im Zusammenhang mit seinem ‚epischen Theater‘ (s. d.) diese künstlerische Technik entwickelt, nach der sich weder der Schauspieler mit der von ihm dargestellten Person noch der Zuschauer mit den dramatischen Vorgängen identifizieren soll. Der Schauspieler soll nur seine Rolle erläutern, der Zuschauer kritisch urteilen. Besonders gesellschaftliche Zustände müssen ‚verfremdet‘ werden, damit ihre scheinbare Unveränderbarkeit fragwürdig wird.

Vers (lat.): Zeile eines Gedichts; metrisch gegliederte und durch den Rhythmus zu einer Einheit innerhalb eines Gedichts zusammengefaßte Wortreihe.

Versfuß: Im Vers regelmäßig wiederkehrende Folge von Hebung und Senkung(en). Versfüße sind: Trochäus x́x (s. d.), Jambus xx́ (s. d.), Daktylus x́xx (s. d.), Anapäst xxx́ (s. d.), Spondeus x́x́ (s. d.).

Volksbuch: Frühneuhochdeutsche Prosafassung von mittelalterlichen Epen, Sagen, Legenden und Schwänken in Buchform (S. 14).

Volkslied: Einfaches gereimtes Lied, mit Melodie verbunden. Im Volk verbreitet und durch die mündliche Tradition häufig verändert, zersungen (S. 14; s. auch ›Des Knaben Wunderhorn‹, S. 33).

Zäsur: Einschnitt, insbesondere metrischer Einschnitt im Vers.

Zauberspruch: Heidnisch-germanischer Spruch kultisch-magischen Inhalts, der Unheil und Dämonen abwehren oder die Hilfe guter Mächte herbeirufen soll. Er beruht auf dem Glauben an die magische Kraft des Wortes (s. Merseburger Zaubersprüche, S. 2). In christlicher Zeit lebt er als ‚Segen‘ (z. B. ›Lorscher Bienensegen‹, S. 2) weiter.

Zeilensprung (auch Enjambement genannt): Ein Satz greift (springt) ohne syntaktischen Einschnitt von einer Zeile in die nächste über (auch über Strophengrenzen hinweg). Satzende und Zeilenende fallen also nicht zusammen.

Zyklus (gr.): Eine Reihe von inhaltlich und formal zusammengehörigen Werken, die um ein Thema kreisen und zusammen ein geschlossenes Ganzes bilden; z. B. Gedichtzyklus (Rilke ›Duineser Elegien‹, S. 49), Novellenzyklus (Keller ›Die Leute von Seldwyla‹, S. 43).

(Es sind nur solche Werke genannt, die neben den an der Schule eingeführten Literaturgeschichten benutzt werden können, die in Taschenbüchern und anderen wohlfeilen Ausgaben leicht zugänglich oder in den meisten Studienbüchereien vorhanden sind. Die Auswahl erhebt keinen Anspruch auf Vollständigkeit.)

Einführungen in Literatur und Literaturwissenschaft

Arnold, H. L. u. *Sinemus, V.* (Hrsg.): Grundzüge der Literatur- und Sprachwissenschaft. Bd. 1: Literaturwissenschaft. dtv WR 4226

Hanfland, H.: Literatursoziologie. RUB 9514/14a

Kayser, W.: Das sprachliche Kunstwerk. Eine Einführung in die Literaturwissenschaft. Francke Verlag, Bern und München 1973

Krauss, W.: Grundprobleme der Literaturwissenschaft. rde 290/91

Maren-Grisebach, M.: Methoden der Literaturwissenschaft. UTB 121

Rothmann, K. (Hrsg.): Anleitung zur Abfassung literaturwissenschaftlicher Arbeiten. RUB 9504

Stadler, H.: Literatur. Fischer Kolleg Bd. 8

Staiger, E.: Die Kunst der Interpretation. dtv WR 4078

Wellek, R. u. *Warren, A.:* Theorie der Literatur. FAT 2005

Gesamtdarstellungen der deutschen Literatur

Die deutsche Literatur. Ein Abriß in Text und Darstellung. (16 Bde). Hrsg. Otto F. Best u. Hans-Jürgen Schmitt

1. Mittelalter I. RUB 9601-04
2. Mittelalter II. RUB 9605-08
3. Renaissance, Humanismus, Reformation. RUB 9609-9612
4. Barock. RUB 9613-16
5. Aufklärung und Rokoko. RUB 9617-20
6. Sturm und Drang und Empfindsamkeit. RUB 9621-24
7. Klassik. RUB 9625-28
8. Romantik I. RUB 9629-32
9. Romantik II. RUB 9633-36
10. Restauration, Vormärz und 48er Revolution. RUB 9637-40
11. Bürgerlicher Realismus. RUB 9641-44
12. Naturalismus. RUB 9645-48

V 45   13. Impressionismus, Symbolismus und Jugendstil. RUB 9649-52
14. Expressionismus und Dadaismus. RUB 9653-56
15. Neue Sachlichkeit, Literatur im ›Dritten Reich‹ und im Exil. RUB 9657-60
16. Gegenwart. RUB 9661-64

Glaser, H., Lehmann, J., Lubos, A.: Wege der deutschen Literatur. Eine geschichtliche Darstellung. Ullstein Bücher Nr. 323/24

Martini, F.: Deutsche Literaturgeschichte. Von den Anfängen bis zur Gegenwart. KTA 196

Darstellungen einzelner Epochen

Wapnewski, P.: Deutsche Literatur des Mittelalters. Kl. VR 96

Wentzlaff-Eggebert, F.-W. u. *E.:* Deutsche Literatur im späten Mittelalter
(1250 bis 1450)
Bd.   I Rittertum – Bürgertum. Mit Lesestücken. rde 350
Bd. II Kirche. Mit Lesestücken. rde 353
Bd. III Neue Sprache aus neuer Welterfahrung. Mit Lesestücken. rde 356

Steffen, H. (Hrsg.): Die deutsche Romantik. Poetik, Formen und Motive.
Kl. VR 250

Alker, E.: Die deutsche Literatur im 19. Jahrhundert. KTA 339

Staiger, E.: Meisterwerke deutscher Sprache aus dem 19. Jahrhundert.
dtv WR 4141

Der deutsche Expressionismus. Formen und Gestalten. Hrsg. Hans Steffen.
Kl. VR 208

Die deutsche Literatur in der Weimarer Republik. Hrsg. W. Rothe. Reclam
Verlag, Stuttgart

Die deutsche Exilliteratur. Hrsg. M. Durzak. Reclam Verlag, Stuttgart

Die deutsche Literatur der Gegenwart. Aspekte und Tendenzen. Hrsg.
M. Durzak. Reclam Verlag, Stuttgart

Tendenzen der deutschen Literatur seit 1945. Hrsg. T. Koebner. KTA 405

Deutsche Literatur seit 1945. In Einzeldarstellungen. Hrsg. D. Weber.
KTA 382

Lenartz, F.: Deutsche Dichter und Schriftsteller unserer Zeit. KTA 151

Lenartz, F.: Ausländische Dichter und Schriftsteller unserer Zeit.
KTA 217

Literarisches Leben in der Bundesrepublik. Hrsg. H. L. Arnold und V 46
    I. D. Arnold-Dielewicz, RUB 9509 09a
Literatur der DDR. Hrsg. H.-J. Geerdts. KTA 416

Drama, Theater, Hörspiel

Mann, O.: Geschichte des deutschen Dramas KTA 296

Dietrich, M.: Das moderne Drama. Strömungen, Gestalten, Motive. KTA 220

Franzen, E.: Formen des modernen Dramas. Von der Illusionsbühne zum
    Anti-Theater. Beck'sche Schwarze Reihe Bd. 16

Hink, W.: Das moderne Drama in Deutschland. Vom expressionistischen
    zum dokumentarischen Theater. Sammlung Vandenhoeck. Göttingen
    1973

Kesting, M.: Das epische Theater. Urban TB 36

Prang, H.: Geschichte des Lustspiels. KTA 378

Das deutsche Lustspiel. Hrsg. Hans Steffen.
    Band I Von Lessing bis Büchner. Kl. VR 271
    Band II Von Nestroy bis Dürrenmatt. Kl. VR 277

Guthke, K. S.: Die moderne Tragikomödie. Theorie, Gestalt, Geschichte.
    Kl. VR 270

Theorie des Dramas. Hrsg. U. Staehle. RUB 9503/03a

Knudsen, H.: Deutsche Theatergeschichte. KTA 270

Michael, F.: Geschichte des deutschen Theaters. RUB 8344-47

Reclams Schauspielführer. Hrsg. O. C. A. zur Nedden u. K. H. Ruppel

Kienzle, S.: Schauspielführer der Gegenwart. 714 Einzelinterpretationen zum
    Schauspiel seit 1945. KTA 369

Fischer, E.: Das Hörspiel. Form und Funktion. KTA 337

Roman

Killy, W.: Romane des 19. Jahrhunderts. Wirklichkeit und Kunstcharakter.
    Kl. VR 265

Welzig, W.: Der deutsche Roman im 20. Jahrhundert. KTA 367

V 47 *Migner, K.:* Theorie des modernen Romans. KTA 395

Stanzel, F. K.: Typische Formen des Romans. Kl. VR 1187

Lyrik

Killy, W.: Wandlungen des lyrischen Bildes. Goethe, Hölderlin, Brentano, Mörike, Heine, Geibel, Trakl, Benn, Brecht. Kl. VR 22/23/23a

Knörrich, O.: Die deutsche Lyrik der Gegenwart. KTA 401

Hinck, W.: Die deutsche Ballade von Bürger bis Brecht. Kritik und Versuch einer Neuorientierung. Kl. VR 273

Storz, G.: Der Vers in der neueren deutschen Dichtung. RUB 7926-28

Poetik

Braak, I.: Poetik in Stichworten. Literaturwissenschaftliche Grundbegriffe. Verlag Ferdinand Hirt, Kiel 1974

Staiger, E.: Grundbegriffe der Poetik. dtv WR 4090

Villiger, H.: Kleine Poetik. Eine Einführung in die Formenwelt der Dichtung. Verlag Huber & Co. AG, Frauenfeld 1972

Prang, H.: Formgeschichte der Dichtkunst. W. Kohlhammer Verlag, Stuttgart, Berlin, Köln, Mainz 1971

Nachschlagewerke

Best, O. F.: Handbuch literarischer Fachbegriffe. Definitionen und Beispiele. FH 6092

Abriß der deutschen Literaturgeschichte in Tabellen von Fritz Schmitt und Jörn Göres. Athenäum-Verlag, Frankfurt/Main und Bonn 1969

Daten deutscher Dichtung, Bd. I Von den Anfängen bis zur Romantik. Hrsg. H. A. und E. Frenzel. dtv 3101

Daten deutscher Dichtung, Bd. II Vom Biedermeier bis zur Gegenwart. Hrsg. H. A. und E. Frenzel. dtv 3102

Deutsches Dichterlexikon. Hrsg. G. von Wilpert. KTA 288

Autorenlexikon der deutschen Gegenwartsliteratur 1945–1975. Hrsg. E. Endres. FH 6289

Kleines Handbuch der deutschen Gegenwartsliteratur. Hrsg. H. Kunisch.
Nymphenburger Verlagshandlung, München 1969

Deutsche Dichter und Schriftsteller unserer Zeit. Hrsg. F. Lennartz.
KTA 151

Sachwörterbuch der Literatur. Hrsg. G. von Wilpert. KTA 231

Stoffe der Weltliteratur. Ein Lexikon dichtungsgeschichtlicher Längsschnitte.
Hrsg. E. Frenzel. KTA 300

Fischer Lexikon Literatur 1 (enthält die wichtigsten Nationalliteraturen).
FiLex 34

Fischer Lexikon Literatur 2/1 und 2/2 (enthält Sachwortartikel zur Literatur). 35/1 und 35/2

Abkürzungen
dtv   Deutscher Taschenbuch Verlag
FAT   Fischer Athenäum Taschenbücher
FH   Fischer Handbücher
FiLex   Fischer Lexikon
Kl. VR Kleine Vandenhoeck-Reihe
KTA   Kröners Taschenausgabe
rde   Rowohlts deutsche Enzyklopädie
rororo Rowohlt Taschenbuch
RUB   Reclams Universalbücherei
UTB   Uni-Taschenbücher

Arbeitsmaterialien Deutsch
„Grüne Reihe"

Texte zur Theorie der Literatur
bearbeitet von U. Heise und D. Steinbach
161 Seiten, Klettbuch 3481; mit Begleitheft, Klettbuch 34813

Texte zur Soziologie der Literatur
bearbeitet von D. Steinbach und A. Diem
in Zusammenarbeit mit U. Heise
168 Seiten, Klettbuch 3482; mit Begleitheft, Klettbuch 34823

Formen zeitkritischer Prosa
bearbeitet von U. Heise, E. Hermes, D. Steinbach, H. Tippkötter
188 Seiten, Klettbuch 3483; mit Begleitheft, Klettbuch 34833

Texte zur Trivialliteratur
über Wert und Wirkung von Massenware
bearbeitet von E. Mittelberg, K. Peter, D. Seiffert
156 Seiten, Klettbuch 3484, Begleitheft liegt bei

Texte zu Sprache und Linguistik
bearbeitet von D. Homberger und W. Woywodt
177 Seiten, Klettbuch 3486; mit Begleitheft, Klettbuch 34863
und vorbereitendem Kurs:
Linguistische Übungsformen
Ein Kurs im Deutschunterricht auf der Oberstufe
von D. Homberger
44 Seiten, Klettbuch 34864

Texte zu Theorie und Kritik des Fernsehens
bearbeitet von D. Steinbach und H. Wetzel in Zusammenarbeit
mit H. Bausinger und U. Heise
134 Seiten, Klettbuch 3487; mit Begleitheft, Klettbuch 34873

Ernst Klett Verlag Stuttgart

Wertung von Lyrik in Vergleichsreihen
bearbeitet von H. Löffel
31 Seiten, Klettbuch 3424; mit Lehrerheft, Klettbuch 34243

Deutsche politische Lyrik 1814–1970 in Vergleichsreihen
bearbeitet von E. Mittelberg und K. Peter
40 Seiten, Klettbuch 3425; mit Lehrerheft, Klettbuch 34253

Presse-Sprache
bearbeitet von H. Obländer und K. Reinhard
124 Seiten, Klettbuch 3426; mit Begleitheft, Klettbuch 34263

Satire in Text und Bild
bearbeitet von B. Ballmann und H. Löffel
40 Seiten, Klettbuch 3427, Begleitheft liegt bei

Dokumente zu Max Frisch „Andorra"
zusammengestellt von P. C. Plett
84 Seiten, Klettbuch 3444

Dokumente zu Friedrich Dürrenmatt „Die Physiker"
zusammengestellt von P. C. Plett
65 Seiten, Klettbuch 3445

Formen fachspezifischer Prosa I
Physik · Chemie · Biologie · Physiologie · Mathematik
bearbeitet von J. Baumhauer, W. Datow, E. Mellin, K. von Oy
84 Seiten, Klettbuch 3485, Begleitheft liegt bei

Formen fachspezifischer Prosa II
Soziologie · Pädagogik · Psycholinguistik · Soziolinguistik
bearbeitet von E. Hermes und D. Homberger
183 Seiten, Klettbuch 3488; mit Begleitheft, Klettbuch 34883

Ernst Klett Verlag Stuttgart